DICCIONARIO DE COMPUTACIÓN

INGLÉS-ESPAÑOL • ESPAÑOL-INGLÉS

DICCIONARIO DE COMPUTACIÓN

INGLÉS-ESPAÑOL • ESPAÑOL-INGLÉS

ALAN FREEDMAN

Traducción

GLORIA ELIZABETH ROSAS LOPETEGUI
Pedagoga en inglés
Universidad Austral de Chile

Revisión técnica

MARCO ANTONIO TIZNADO SANTANA
Ingeniero comercial
Universidad Austral de Chile

McGRAW-HILL

Santafé de Bogotá, Buenos Aires, Caracas, Guatemala, Lisboa, Madrid, México, Nueva York, Panamá, San Juan, Santiago de Chile, Sao Paulo,
Auckland, Hamburgo, Londres, Milán, Montreal, Nueva Delhi, París, San Francisco, San Luis, Sidney, Singapur, Tokio, Toronto

Transversal 42B No. 19-77. Santafé de Bogotá, Colombia.

Traducido de la edición revisada de Computer words you gotta know!

ISBN: 0-8144-7814-X

Editora: Luz M. Rodríguez A.

1234567890 9012356784

ISBN 958-600-203-9

Impreso en Colombia Printed in Colombia

Se imprimieron 21.630 ejemplares en diciembre de 1993
Impresor: Impre Andes, S. A.

A Irmalee

CONTENIDO

NOTA DEL AUTOR

Si está involucrado en el mundo de alta tecnología de hoy, es de ayuda comprender la terminología básica de los computadores. Si tiene un computador personal o está comprometido con sistemas de información en su organización, puede ser absolutamente necesario.

Este libro tiene más de 2,000 términos, citados y abreviados de la sexta edición del *The Computer Glossary* y la versión 6.1 del *Electronic Computer Glossary*, que contiene aproximadamente 6,000 términos. He tratado de incluir los productos de *hardware* y *software* más ampliamente conocidos, así como la jerga y los conceptos generales de los computadores. Si un término no aparece en este libro, probablemente está en el *Electronic Computer Glossary*, que se actualiza en forma trimestral. En esta industria se acuñan nuevos términos todos los días.

Si es nuevo en el mundo de los computadores, asegúrese de buscar los términos en la lista de *PALABRAS QUE NECESITA SABER* localizada al principio del libro.

Buena suerte y buena fortuna.

AGRADECIMIENTOS

Me gustaría agradecer a todas las personas que me han ayudado en esta empresa, que realmente se inició en 1981 con la primera edición del *The Computer Glossary*. He visitado a cientos de distribuidores en busca de información y a una cantidad infinita de colegas en busca de asesoría y consejo. Gracias, a todos ustedes, que han contribuido en forma voluntaria.

Siempre hay personas que se dedican a ayudar, y me gustaría agradecer en forma especial a Pam Brannan, Steve Diascro, Thom Drewke, Max Fetzer, Jim Farrell, Lynn Frankel, Steve Gibson, Pete Hermsen, Joel Orr, Mark y Joan Shapiro, Jim Stroh, Skip Vaccarello, Dave Wallace, Irv Wieselman y Paul y Jan Witte.

CÓMO SE RELACIONAN LOS SISTEMAS

El siguiente diagrama muestra las interrelaciones de los sistemas dentro de la industria de los computadores desde el punto de vista de un gerente.

El sistema gerencial es el conjunto de metas, objetivos, estrategias, tácticas, planes y controles dentro de una organización. El sistema de información está constituido por las bases de datos y los programas de aplicación que convierten los datos brutos en información requerida por la gerencia. El sistema computacional [de computación] es la maquinaria que automatiza el proceso. El hecho de comprender esta relación ha ayudado a miles de personas no técnicas a hallarle un sentido a este campo.

Esta perspectiva se incluye en las definiciones de este libro.

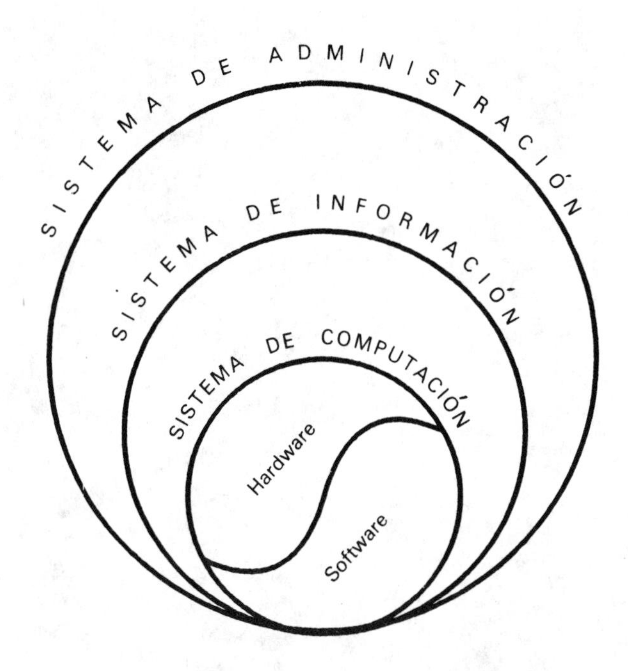

¡PALABRAS QUE USTED REALMENTE DEBE SABER!

CONCEPTOS BÁSICOS DEL SISTEMA COMPUTACIONAL

hardware
software
datos
información
computador
computador personal
sistema computacional
bit
byte
memoria
periférico
disco flexible
impresora
monitor
modem
mouse
bus
sistema operativo
LAN
analógico
digital
scanner
CD ROM

COMPUTADORES PERSONALES

PC
Macintosh
DOS
Windows
menú
icono
teclas de función
sistema de administración de base de datos
hoja de cálculo
gráficas comerciales
procesamiento de palabras
editor de texto
programa de pintura
programa de dibujo
GUI
multimedios
programa de comunicaciones
x86

CONCEPTOS BÁSICOS DEL SISTEMA DE INFORMACIÓN

sistema de información
elaboración de prototipos
ciclo de desarrollo del sistema
procesamiento por lotes
procesamiento de transacciones
archivo maestro
archivo de transacciones

¡UTILICE LAS SIGLAS!

La mayor parte de los términos en este libro se referencia por sus siglas (acrónimos). Por ejemplo, usted no encontrará OPEN SYSTEMS INTERCONNECT en el libro, pero sí OSI. La razón de esto es que el 99% de las veces usted escucha un término por su sigla, no su nombre completo. El hecho de eliminar los títulos completos también ahorra espacio y permite incluir más definiciones en el espacio asignado de este libro.

SI NO PUEDE ENCONTRAR UN TÉRMINO...

¡BUSQUE SU SIGLA!

A/D converter (**A**nalog to **D**igital **C**onverter)
conversor analógico/digital
Dispositivo que convierte señales análogas de instrumentos que supervisan condiciones como movimiento, temperatura, sonido, etc. Estos conversores pueden estar en un simple *chip* o ser un circuito dentro de un *chip*. *Véanse modem, codec* y *D/A converter*.

abend (**AB**normal **END**)
fin anormal
También llamado *crash* (estallido) o *bomb* (bomba), ocurre cuando el computador se encuentra con instrucciones o datos que no puede reconocer, o cuando el programa está llegando más allá de su límite de protección. Es el resultado de errores lógicos de *software* o fallas de *hardware*.

abort
- Salir de una función o aplicación sin salvar ningún dato que se haya modificado.
- Detener una transmisión.

accelerator board
tarjeta aceleradora
Tarjeta adicional que remplaza la CPU existente por una CPU de mayor rendimiento. *Véase graphics accelerator*.

acceptance test
prueba de aceptación
Prueba realizada por el usuario final para determinar si el sistema está trabajando de acuerdo con las especificaciones establecidas en el contrato.

access
acceder; acceso
Grabación o recuperación de datos

desde un disco o cualquier otro periférico. *Véanse access arm* y *access method.*

access arm
brazo de acceso
Brazo mecánico que mueve el cabezal de lectura/escritura a través de la superficie de un disco, similar al brazo de un tocadiscos. Los movimientos del brazo de acceso se realizan mediante instrucciones del sistema operativo.

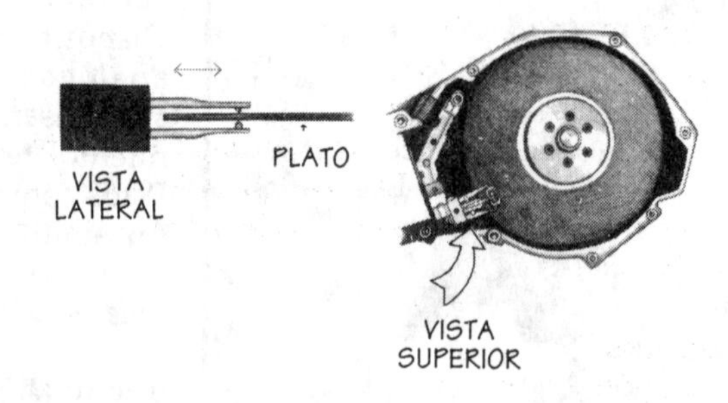

BRAZO DE ACCESO

access charge
cargo de acceso
Cargo fijado por el servicio de comunicaciones o la compañía telefónica por el uso de su red.

access code
código de acceso
- Número y/o palabra clave (*password*) de identificación usados para tener acceso a un sistema de computación.
- Número usado como prefijo de un número telefónico para tener acceso a un servicio particular de teléfono.

access method
método de acceso
Rutina de *software,* parte del sistema operativo o del programa controlador de la red, que realiza la grabación/recuperación o transmisión/recepción de datos. También es responsable de detectar y corregir, si es posible, una transferencia inadecuada de datos, causada por el mal funcionamiento del *hardware* o de la red.

access time
tiempo de acceso
Medición de la velocidad de la memoria (*RAM chips*) o unidades de disco. El tiempo de **acceso a memoria** es el tiempo requerido para que un carácter de memoria sea transferido a o desde el procesador. El tiempo de **acceso a disco** es el promedio de tiempo que toma posicionar el cabezal de lectura/escritura sobre la pista requerida del disco.

acoustic coupler
acoplamiento acústico
Dispositivo que conecta una terminal o un computador a un auricular

telefónico. Tiene una base de espuma cuya forma permite colocar el auricular en ésta, y también puede contener el *modem*.

active matrix LCD
LCD con matriz activa
Tecnología de pantalla de cristal líquido (LCD) que utiliza un transistor por cada *pixel*. Provee una pantalla brillante y elimina la pérdida del cursor (*submarining*). Las pantallas de color con matriz activa utilizan un transistor por cada punto rojo, verde y azul. Obsérvese la diferencia con *passive matrix LCD*.

address
dirección, direccionar
- Número de una ubicación particular de memoria o de almacenamiento periférico. Como las casillas de correo, cada *byte* de memoria y cada sector de un disco poseen su dirección única.
- Como verbo, manejar direcciones o trabajar con éstas. Por ejemplo, "el computador puede direccionar 2MB de memoria".

address space
espacio de direccionamiento
Cantidad total de memoria que puede utilizar un programa. El espacio de direccionamiento puede referirse a un límite físico o virtual de memoria; por ejemplo, la CPU 386 puede direccionar 4GB de memoria física y 64TB de memoria virtual.

Adobe Type Manager
administrador de tipos Adobe
Programa utilitario de fuentes PostScript para Macintosh y Windows de Adobe Systems, Inc., Mountain View, CA. Clasifica las fuentes Type 1 en fuentes de pantalla y las imprime en un modelo de matriz de puntos no PostScript y en impresoras láser HP. *Véase PostScript*.

agent
agente
Rutina de *software* que espera en segundo plano y ejecuta una acción cuando ocurre un acontecimiento específico. Por ejemplo, puede alertar al usuario cuando se presenta determinada transacción. Igual que *daemon*.

AI (Artificial Intelligence)
inteligencia artificial
Mecanismos y aplicaciones que exhiben inteligencia y comportamiento humanos. Éstos incluyen robots, sistemas expertos, reconocimiento de voz, procesamiento de lenguaje natural y extranjero. Implica también la habilidad de aprender o adaptarse de acuerdo con la experiencia.

Nota: El término *inteligencia* se refiere a la capacidad de procesamiento; por tanto, todos los computadores son inteligentes.

Pero inteligencia artificial implica inteligencia similar a la humana. Giro irónico en la terminología.

algorithm
algoritmo
Conjunto de pasos ordenados para resolver un problema, como una fórmula matemática o las instrucciones de un programa.

alias
alias
- Nombre alternativo usado para la identificación, como denominar un campo o un archivo.
- Señal fónica creada bajo ciertas condiciones cuando se digitalizan voces.

aliasing
rugosidad; dentado
En gráficas por computador, es la apariencia escalonada de líneas diagonales. *Véase anti-aliasing.*

alpha test
prueba alfa
Primera prueba del *hardware* o *software* recientemente desarrollado en ambiente de laboratorio. El próximo paso es el *test beta* con usuarios reales.

alphanumeric
alfanumérico
Utilización combinada de letras del alfabeto con números y caracteres especiales, como por ejemplo en el nombre, en la dirección, en la ciudad y en el estado. Este texto que está leyendo es alfanumérico.

ALU (Arithmetic Logic Unit)
unidad aritmética y lógica
Circuito de alta velocidad en la CPU que realiza las comparaciones y los cálculos reales.

AM (Amplitude Modulation)
modulación de amplitud
Técnica de transmisión que combina los datos en una onda portadora, variando la amplitud de ésta. *Véase modulate.*

analog
análogo; analógico
Representación de un objeto que se asemeja al original. Los dispositivos analógicos controlan condiciones como movimiento, temperatura y sonido y las convierten en patrones análogos, bien sea electrónicos o mecánicos. Por ejemplo, un reloj analógico representa la rotación del planeta con el

movimiento de las agujas en la faz del reloj. Los teléfonos cambian las vibraciones de la voz en vibraciones eléctricas de la misma forma. Análogo implica operación continua y se contrapone a digital, que es desagregar en números.

AND, OR & NOT
y, o, no
Operaciones fundamentales de la lógica booleana. *Véase Boolean search.*

anomaly
anomalía
Anormalidad o desviáción. Es la palabra favorita entre quienes trabajan con computadores, cuando los sistemas complejos producen salidas que son inexplicables.

ANSI
Véase standards bodies.

ANSI character set
conjunto de caracteres ANSI
Conjunto estándar ANSI que define 256 caracteres. Los primeros 128 son ASCII, y los siguientes 128 contienen símbolos de lengua extranjera y de lenguaje matemático, diferentes del ASCII ampliado en los computadores personales. *Véase extended ASCII.*

anti-aliasing
suavización; alisado
En gráficas por computador es una categoría de las técnicas que se utilizan para suavizar la apariencia dentada de las líneas diagonales. Por ejemplo, los *pixel* que rodean los bordes de la línea están rellenos de diferentes matices de gris o de color con el propósito de combinarse con el borde anguloso del fondo. *Véase dithering.*

antivirus
antivirus
Programa que detecta y elimina un virus.

API (**A**pplication **P**rogram **I**nterface)
interfaz de programa de aplicación
Lenguaje y formato de mensaje utilizados por un programa para activar e interactuar con las funciones de otro programa o de *hardware. Véase interface.*

app
aplicación
Lo mismo que *application.*

APPC (Advanced-Program-to-Program-Communications)
comunicaciones avanzadas de programa a programa
Véase LU 6.2.

Apple
Véase vendors.

Apple II
Familia de computadores personales de Apple, que ayudó a promover la revolución de los microcomputadores. Se han utilizado ampliamente en los colegios y en el hogar. El Apple IIe es el único modelo que todavía se fabrica.

APPLE IIe

AppleTalk
Protocolo de red de área local de Apple. Soporta el método de acceso de propiedad del LocalTalk de Apple, como también de Ethernet y Token Ring. Los AppleTalk y LocalTalk vienen incorporados en todos los Macintoch IIGS y las LaserWriters.

application
aplicación
- Uso específico del computador, por ejemplo en nómina, inventarios y facturación.
- Sinónimo de programa de aplicación o paquete de *software*. Por ejemplo, procesadores de palabras, hojas de cálculo, graficadores, etc.

application developer
desarrollador de aplicaciones
Individuo que desarrolla una aplicación comercial; generalmente realiza los servicios de analista de sistemas y programador de aplicaciones.

application development language
lenguaje de desarrollo de aplicaciones
Igual a *programming language.*

application development system
sistema de desarrollo de aplicaciones
Lenguaje de programación y programas utilitarios asociados que permiten la creación, desarrollo y ejecución de programas de aplicación. Sistema de administración de bases de datos (DBMS), que incluye lenguajes de consulta y generadores de informes; también puede ser parte de este sistema.

application generator
generador de aplicaciones
Software que genera programas de aplicación a partir de las descripciones del problema en vez de hacerlo con la programación tradicional. Es superior uno o más niveles que el lenguaje de programación de alto nivel.

application program
programa de aplicación
Cualquier programa de ingreso de datos, actualización, consulta o informe que procesa datos para el usuario.

application programmer
programador de aplicaciones
Individuo que escribe programas de aplicación en una organización usuaria. La mayoría de los programadores se dedican a las aplicaciones. Adviértase la diferencia con *systems programmer*.

APPN (**A**dvanced **P**eer-to-**P**eer **N**etworking)
redes avanzadas del tipo par a par
Rutinas y otras mejoras en la red SNA de IBM que permiten un mejor desempeño y administración en un ambiente distribuido de computación.

archive
archivar, resguardar, salvar
- Hacer una copia de seguridad de los datos en disco o cinta. Los archivos resguardados con frecuencia se comprimen para maximizar los medios de almacenamiento.
- Salvar los datos en un disco.

archive attribute
atributo de archivo
Clasificación de archivos que indica que el archivo no ha sido respaldado. Es utilizado por varios programas de copia o respaldo.

ARCNET (**A**ttached **R**esource **C**omputer **NET**work)
red de recursos de computadores unidos
Primera tecnología de redes de área local. Proporciona una alternativa económica a Token Ring y Ethernet.

argument
argumento
En programación, valor que se pasa entre programas, subrutinas o funciones. Los argumentos son ítemes independientes, o variables, que contienen datos o códigos. *Véase parameter*.

array
arreglo
Conjunto ordenado de elementos de datos. Un vector es un arreglo unidimensional y una matriz es un arreglo bidimensional.

array processor
procesador de arreglos
Computador, o extensión de su unidad aritmética, que es capaz de ejecutar operaciones simultáneas sobre elementos de un arreglo de datos en una cantidad de dimensiones. *Véanse vector processor* y *math coprocessor*.

artificial intelligence
inteligencia artificial
Véase AI.

artificial language
lenguaje artificial
Lenguaje que ha sido predefinido antes de ponerse en práctica. Obsérvese la diferencia con *natural language*.

AS/400 (**A**pplication **S**ystem/400)
sistema de aplicación 400
Serie de minicomputadores de IBM, introducida en 1988, que remplaza y supera las series System/36 y System/38.

ASCII (**A**merican **S**tandard **C**ode for **I**nformation **I**nterchange)
código estándar de los Estados Unidos para intercambio de información
Código binario de datos que se usa en comunicaciones, en la mayor parte de los minicomputadores y en todos los computadores personales. Sólo los primeros 128 caracteres (0-127) dentro de las 256 combinaciones de un *byte* constituyen el estándar ASCII. El resto se utiliza en forma diferente de acuerdo con el computador.

ASCII file
archivo ASCII
Archivo de datos o de texto que contiene caracteres codificados en ASCII. Los archivos de texto, archivos de lotes y programas fuente de lenguaje generalmente son archivos ASCII. Éstos se utilizan como un común denominador entre formatos incompatibles puesto que la mayor parte de las aplicaciones pueden importarse y exportarse con archivos ASCII. Los documentos de los procesadores de palabras también poseen formatos incompatibles, pero con frecuencia ofrecen salida a archivos ASCII que pueden ser transferidos a otros sistemas. Adviértase la diferencia con *binary file*.

ASCII protocol
protocolo ASCII
La manera más sencilla de transmitir datos ASCII. Esto implica poco o ningún control de errores.

ASCII sort
ordenación ASCII
Orden secuencial de datos ASCII. En código ASCII, los caracteres en minúscula siguen a los caracteres en mayúscula. El verdadero orden ASCII situaría a las palabras DATOS, datos y SISTEMA de la siguiente manera:

```
DATOS     SISTEMA     datos
```

aspect ratio
proporción de aspecto
Relación entre ancho y altura de un marco, pantalla o imagen. Cuando se transfieren imágenes de un sistema a otro, la proporción de aspecto debe mantenerse para proveer una representación correcta del original.

assembler
ensamblador
Software que traduce el lenguaje ensamblador a lenguaje de máquina. Nótese la diferencia con *compiler*, que se usa para traducir en lenguaje de alto nivel, como COBOL o C, primero a lenguaje ensamblador y luego a lenguaje de máquina.

assembly language
lenguaje ensamblador
Lenguaje de programación que está a un paso del lenguaje de máquina. Cada enunciado del lenguaje ensamblador es traducido a una instrucción de máquina por el ensamblador. Hay un lenguaje diferente para cada serie de CPU.

Aunque se utilizan con frecuencia como sinónimos, el lenguaje ensamblador y el lenguaje de máquina no son iguales. El lenguaje ensamblador se convierte en lenguaje de máquina. Por ejemplo, la instrucción de lenguaje ensamblador COMPARE A, B es convertida en COMPARE los contenidos de los *bytes* de memoria 2340-2350 con 4567-4577 (donde A y B se encuentran localizadas). El formato binario físico de la instrucción de máquina es específico para el funcionamiento del computador.

asymmetric multiprocessing
multiprocesamiento asimétrico
Diseño de multiprocesamiento en el que cada CPU está especializada en una función. Nótese la diferencia con *symmetric multiprocessing*.

asymmetric system
sistema asimétrico

- Sistema en que los componentes o las propiedades importantes son diferentes.
- En compresión de video, sistema que requiere más equipo para comprimir los datos que para descomprimirlos.

asynchronous transmission
transmisión asincrónica
Transmisión de datos en la que cada carácter es una unidad autocontenida con sus propios *bits* de comienzo y final, y los intervalos entre caracteres pueden no ser uniformes. Es el método más común de transmisión entre un computador y un *modem*, aunque el *modem* puede ser conmutado a transmisión sincrónica para comunicarse con el otro *modem*. También llamada transmisión arranque/parada (*start/stop transmission*).

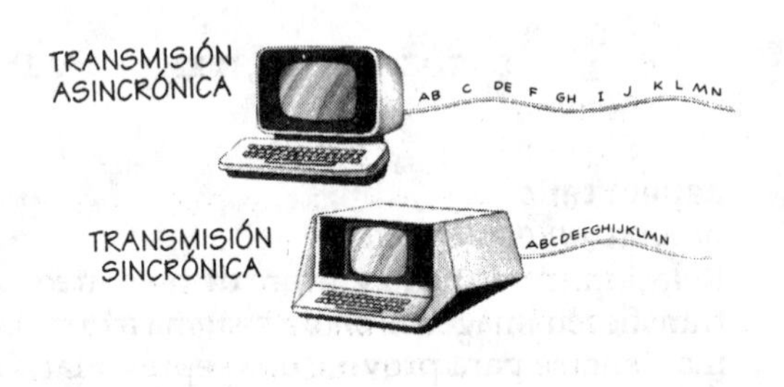

Los protocolos asincrónicos comunes son Kermit, Xmodem, Ymodem y Zmodem. Adviértase la diferencia con *synchronous transmission*.

AT (Advanced Technology)
tecnología avanzada
Primer computador personal de IBM basado en el 80286, introducido en 1984. Era la máquina más avanzada de la línea PC e incluía un nuevo teclado, disquetera de 1.2MB y *bus* de datos de 16 *bits*. Las máquinas del tipo AT funcionan mucho más rápido que las XT (PC basados en el 8088). *Véase PC*.

IBM AT

AT bus
bus o colector de tipo AT
Se refiere al *bus* de datos de 16 *bits* introducido con el AT. Era una extensión del *bus* XT de 8 *bits*. También llamado ISA. *Véanse XT bus* y *EISA*. Obsérvese la diferencia con *Micro Channel*.

AT class
clase AT
Se refiere al PC que utiliza la CPU 80286 y un *bus* AT (ISA) de 16 *bits*.

A

AT command set
conjunto de comandos AT
Serie de instrucciones de máquina utilizadas para activar las capacidades de un *modem* inteligente. Este conjunto, desarrollado por Hayes Microcomputer Product, Inc., lo utilizan la mayoría de los fabricantes de *modem*. AT es el código nemotécnico de *ATtention*, prefijo que inicializa cada comando. *Véase Hayes Smartmodem.*

AT interface
interfaz de AT
Véase AT bus.

ATM
- **(Automatic Teller Machine)**
  máquina de cajero automático
  Terminal bancaria para propósitos especiales que permite a los usuarios hacer depósitos y giros.
- **(Asynchronous Transfer Mode)**
  modo de transferencia asincrónica
  Técnica de conmutación por paquetes de alta velocidad adecuada para redes de área metropolitana (MAN), transmisión de banda ancha y redes digitales de servicios integrados (ISDN).
- *Véase Adobe Type Manager.*

attribute
atributo
- En administración de base de datos relacionales, campo dentro de un registro.
- Para impresoras y pantallas, una característica que cambia la fuente tipográfica; por ejemplo, de normal a negrita o a subrayado, o de normal a video inverso.
- *Véase file attribute.*

audio
audio
Rango de frecuencias audibles para los seres humanos (aproximadamente 20Hz en frecuencia baja, a 20,000Hz en frecuencia alta). El audio es procesado en un computador y convertido de una señal analógica a un código digital usando varias técnicas, como modulación de código por pulsaciones.

audio board
tarjeta de audio
Lo mismo que *sound card.*

audio response
respuesta auditiva
Véase voice response.

audiotex
Aplicación de respuesta oral que permite a los usuarios introducir o recuperar información mediante el teléfono en respuesta a un menú oral. Es utilizado para obtener las últimas cotizaciones financieras, como también para adquirir productos.

audiovisual
audiovisual
Capacidad de audio y/o video.

audit
auditoría
Examen de sistemas, programación y procesamiento del centro de datos con el objeto de determinar la eficiencia de las operaciones de computación.

audit software
software de auditoría
Programas especializados que realizan una variedad de funciones de auditoría, como muestreo de una base de datos y generación de cartas de confirmación a clientes. Puede resaltar excepciones a las categorías de datos y alertar al examinador sobre posibles errores.

audit trail
pista de auditoría
Registro de transacciones en un sistema de información que provee la verificación de la actividad del sistema. La pista de auditoría más simple es la transacción misma. Si se aumenta el salario de una persona, la transacción de cambio incluye la fecha, la cantidad del aumento y el nombre de quien la autoriza.

authoring program
programa de autor
Software que permite el desarrollo de tutoriales y programas de entrenamiento basado en computadores (CBT).

authorization code
código de autorización
Número o palabra clave (*password*) de identificación que se usa para obtener acceso a un sistema de computación local o remoto.

auto (AUTOmatic)
automático
Término que se utiliza para referirse a una gran cantidad de dispositivos que realizan operaciones sin supervisión.

auto answer
respuesta automática
Característica de los *modem* para aceptar llamadas telefónicas y establecer la comunicación. *Véase auto dial.*

auto dial
marcación automática
Característica de los *modem* para abrir la línea telefónica y marcar el número de teléfono de otro computador con el fin de establecer conexión. *Véase auto answer.*

auto resume
autorreanudación
Característica que permite detener el trabajo del computador y volver a empezar posteriormente en donde se dejó sin tener que volver a cargar las aplicaciones. Los contenidos de memoria se almacenan en el disco o se mantienen activos por batería y/o energía de corriente alterna.

AutoCAD
Programa CAD totalmente equipado de AutoDesk Inc., Sausalito, CA, que se ejecuta en PC, VAX, estaciones de trabajo UNIX y en Macintosh. Originalmente desarrollado para máquinas con CP/M, fue uno de los primeros programas CAD importantes para computadores personales y se convirtió en estándar industrial.

AUTOEXEC.BAT (AUTOmatic **EXEC**ute **BAT**ch)
archivo de lotes de ejecución automática
Archivo de comandos del DOS de Microsoft que se ejecuta inmediatamente después de encendido el computador. El usuario puede modificarlo sin dificultad.

automation
automatización
Remplazo de las operaciones manuales por métodos computarizados. La automatización de oficinas se refiere a la integración de las tareas de los empleados, como digitar, teclear, archivar y actualizar la agenda. La automatización de las fábricas se refiere a líneas de ensamblaje manejadas por computadores.

autosave
autograbado; autoconservación; grabación automática
Grabar datos en un disco a intervalos periódicos sin la intervención del usuario.

autosizing
autodimensionar
Capacidad de un monitor para mantener el mismo tamaño de una imagen rectangular cuando se cambia de una resolución a otra.

autostart routine
rutina de autoinicialización
Instrucciones insertas en el computador, que se activan cuando éste se enciende. La rutina realiza diagnósticos y luego carga el sistema operativo y transfiere el control a éste.

autotrace
traza automática
Rutina que localiza contornos de imágenes gráficas tramadas y los convierte en gráficas de vectores.

UNA VISIÓN DE LA AUTOMATIZACIÓN (CIRCA 1890)
(Cortesía de Rosemont Engineering)

B

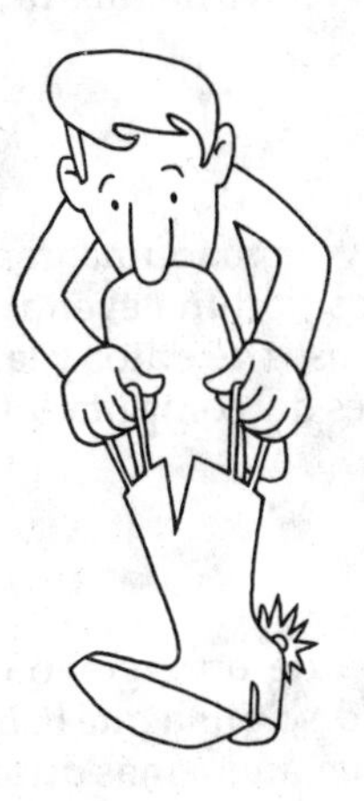

b-spline

En gráficas por computador, curva que se genera utilizando una fórmula matemática que asegura la continuidad con otras curvas *b-spline.*

back up

hacer una copia de seguridad, respaldar

Hacer una copia de datos importantes para su seguridad en un medio diferente de almacenamiento.

backbone

espina dorsal

En comunicaciones, parte de una red que soporta el mayor tráfico. Puede interconectar múltiples localidades, y pueden conectarse redes más pequeñas a ésta.

background

fondo, segundo plano

- Proceso no interactivo de computación. *Véase foreground/background.*
- Color base o fondo de la pantalla.

background processing

procesamiento no interactivo

Procesamiento en el cual el programa no está interactuando de manera visible con el usuario. Con un sistema operativo avanzado, de tareas múltiples, a los programas *background* se les puede dar cualquier prioridad bien sea baja o alta. En un ambiente donde no se llevan a cabo múltiples tareas, las tareas *background* se ejecutan cuando las correspondientes a *foreground* están ociosas, como los golpes de teclas.

backlit

retroiluminada

Tipo de pantalla LCD que provee

su propia fuente de luz al fondo de la pantalla, haciendo más brillante el fondo y más definidos los caracteres.

backplane
plano o placa de fondo
- Lado posterior de un panel o tarjeta que contiene alambres de interconexión.
- Tarjeta de circuito impreso, o dispositivo, que contiene ranuras o zócalos para enchufar otras tarjetas o cables.

backup
seguridad, respaldo
Recursos adicionales o copias de datos en diferentes medios de almacenamiento como prevención contra emergencias.

backup & recovery
respaldo y restauración
Combinación de procedimientos manuales y de máquina, mediante los cuales pueden recuperarse los datos perdidos por una eventual falla del *software* o *hardware*. El respaldo rutinario de bases de datos y las bitácoras (*logs*) del sistema, que registran las operaciones del computador, son parte de un programa de respaldo y restauración.

backup copy
copia de seguridad; respaldo
Copia legible de disco, cinta u otra máquina de un archivo de datos o programa. Hacer copias de seguridad es una disciplina que la mayoría de los usuarios de computadores aprenden de la manera más dura: luego de perder el trabajo de una semana.

backup disk
disco de seguridad, disco de respaldo
Disco que se utiliza para almacenar copias de archivos importantes. Los discos flexibles de alta densidad y *cartridge* de discos removibles se emplean como discos de respaldo.

backup power
energía de respaldo, energía de seguridad
Fuente de alimentación adicional que puede utilizarse en caso de un eventual corte de la energía. *Véase UPS.*

backup tape
cinta de respaldo, cinta de seguridad
Véase tape backup.

backward compatible
compatible hacia atrás
Sinónimo de *downward compatible.*

bad sector
sector dañado
Segmento de almacenamiento de disco que no puede leerse ni escribirse debido a un problema físico en el disco. Los sectores dañados en los discos duros son marcados por el sistema operativo y luego ignorados. Si existen datos grabados en un sector dañado, para recuperarlos es preciso usar *software* de recuperación de datos y algunas veces *hardware* especial.

B

band
banda
- Rango de frecuencias que se utiliza para la transmisión de una señal. Una banda se identifica por sus límites inferior o superior; por ejemplo, "una banda de 10 megaHertz en el rango de 100 a 110 megaHertz".
- Grupo de pistas contiguas que se consideran una unidad.

bandwidth
ancho de banda
Capacidad de transmisión de un canal de computador, línea o conducto de comunicaciones. El ancho de banda se expresa en ciclos por segundo (Hertz). Éste representa la diferencia entre las frecuencias transmitidas mínima y máxima. La frecuencia es igual o mayor que los *bits* por segundo. El ancho de banda también se expresa frecuentemente en *bits* o *bytes* por segundo.

bank
banco
Conjunto de componentes idénticos de *hardware*.

bank switching
conmutación de bancos
Activación y desactivación de circuitos electrónicos. La conmutación de bancos se utiliza cuando el diseño de un sistema prohibe que todos los circuitos sean direccionados o activados al mismo tiempo. Esta conmutación exige que una unidad sea encendida mientras las otras permanecen apagadas.

bar chart
diagrama de barras
Representación gráfica de información en forma de barras. *Véase business graphics*.

bar code
código de barras
Código impreso utilizado para un reconocimiento mediante un lector óptico de barras. Los códigos de barras tradicionales unidimensionales utilizan el ancho de la barra como el código, pero codifican sólo un número de identificación o de cuenta. Los sistemas bidimensionales como PDF 417 de Symbol Technology, retienen 1,800 caracteres en un área del tamaño de una estampilla postal. *Véase UPC*.

base
base

- Punto de inicio o de referencia.
- Componente de un transistor bipolar que activa la conmutación. Es análogo a la puerta (*gate*) en un transistor MOS.
- Multiplicador de un sistema de numeración. En un sistema decimal, cada posición de los dígitos vale 10 veces más que la posición a su derecha. En el sistema de numeración binaria, cada posición de los dígitos vale 2 veces más que la posición a su derecha.

baseband
banda base

Técnica de comunicaciones en la cual se envían las señales digitales por la línea de transmisión sin cambio de modulación. Las técnicas comunes de transmisión en banda base de LAN son el anillo por donde pasa la señal (*Token Ring*) y el CSMA/CD (*Ethernet*).

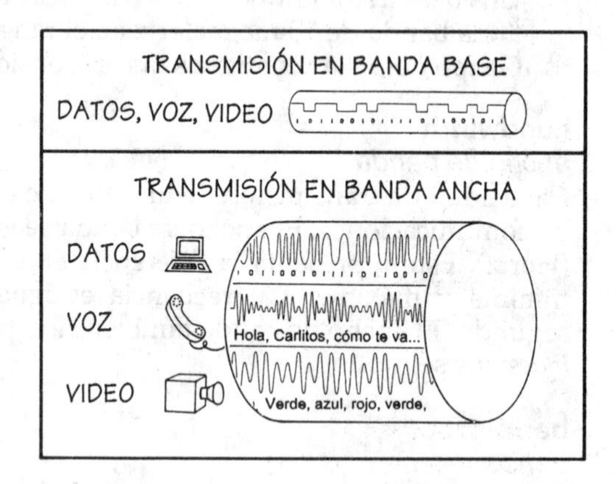

En banda base, se emplea el ancho de banda completo del canal, y la transmisión simultánea de múltiples conjuntos de datos se logra intercalando pulsaciones (*TDM - Time Division Multiplexing*). Obsérvese la diferencia con la transmisión en *banda ancha*, en la que se transmiten datos, voz y video simultáneamente modulando cada señal a una frecuencia diferente (*FDM - Frequency Division Multiplexing*).

BASIC (Beginners All purpose Symbolic Instruction Code)
Véase programming languages.

BAT file (BATch file)
archivo BATch

Archivos del sistema operativo DOS o comandos del OS/2 que se ejecutan uno tras otro. Tiene la extensión .BAT y se crea utilizando un editor de texto o procesador de palabra. *Véase AUTOEXEC.BAT.*

batch
lote, grupo

Grupo o colección de ítemes. Programa por lote o trabajo por lote, se refiere a un programa que procesa un conjunto entero de datos, por ejemplo, un programa de informes o de clasificación.

batch data entry
entrada de datos por lotes
Introducir un grupo de documentos fuente en el computador.

batch file
archivo por lotes
- Archivo con datos que se procesan o se transmiten desde el principio hasta el final.
- Archivo con instrucciones que se ejecutan una tras otra. *Véase BAT file.*

batch file transfer
transferencia de archivos por lotes
Transmisión consecutiva de dos o más archivos.

batch job
trabajo por lotes
Lo mismo que *batch program.*

batch operation
operación por lotes
Alguna acción realizada en un grupo de ítemes a la vez.

batch processing
procesamiento por lote
Procesamiento de un grupo de transacciones de una sola vez. Las transacciones se reúnen y se procesan confrontándolas con los archivos maestros (con actualización de éstos) al final del día o en algún otro periodo. Adviértase la diferencia con *transaction processing.*

Procesamiento por lotes y procesamiento por transacciones

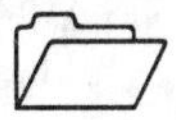

Los sistemas de información usualmente utilizan tanto los métodos de procesamiento por lotes como por transacciones. Por ejemplo, en un sistema de procesamiento de pedidos, el procesamiento por transacciones es la actualización continua de los archivos de clientes y de inventario a medida que se introducen los pedidos.

Al final del día, los programas de procesamiento por lote generan listas de despacho para la bodega. Al final de la semana o de algún otro periodo, los programas por lotes imprimen facturas e informes gerenciales.

batch program
programa por lotes
Programa no interactivo (no conversacional) como un listado u ordenación de informes.

batch session
sesión por lotes
Transmisión o actualización de un archivo completo. Implica una operación no interactiva o no interrumpible desde el inicio hasta el fin. Obsérvese la diferencia con *interactive session.*

batch total
total por lotes
Suma de un campo particular en un grupo de registros, que se usa como un total de control para asegurar que todos los datos hayan sido introducidos al computador. Por ejemplo, usando el número de cuenta como un total por lote, todos los números de cuenta serían sumados manualmente antes de introducirlos al computador. Después de la introducción el total se compara con la suma calculada por el computador. Si no coinciden, los documentos fuente se confrontan manualmente con el listado del computador.

baud
baudio
- Velocidad de señalización de una línea. Es la velocidad de conmutación, o el número de transiciones (cambios de voltaje o de frecuencia) que se realizan por segundo. Sólo a baja velocidad, los baudios son iguales a los *bits* por segundo (bps); por ejemplo, 300 baudios representan 300 bps. Sin embargo, puede hacerse que un baudio represente más de un *bit* por segundo. Por ejemplo, el *modem* V.22 bis genera 1,200 bps a 600 baudios.
- Por lo general (y erróneamente) utilizado para especificar *bits* por segundo en la velocidad de un *modem;* por ejemplo, 1,200 baudios significa 1,200 bps. *Véase* el párrafo anterior.

baud rate
velocidad en baudios; tasa de baudios
Referencia redundante al baudio. El baudio es una velocidad.

baudot code
código baudot
Desarrollado a fines del siglo XIX por Emile Baudot, fue uno de los primeros códigos estándares para la telegrafía internacional. Utiliza cinco *bits* para formar un carácter.

BBS (**B**ulletin **B**oard **S**ystem)
sistema de tablero de anuncios o de boletines
Sistema de computación que se utiliza como fuente informativa y sistemas de mensajes para grupos de interés particular. Los usuarios se comunican por vía telefónica con el tablero de boletines, revisan y dejan mensajes a otros beneficiarios, así como realizan conferencias con usuarios actuales del sistema. Los tableros de boletines se utilizan para distribuir *software* comparativo y pueden proveer acceso (puertas) a programas de aplicación.

BCD (**B**inary **C**oded **D**ecimal)
decimal de codificación en binario
Almacenamiento de números en el cual cada dígito decimal es convertido en binario y almacenado en un solo carácter o *byte*. Por ejemplo, un número de 12 dígitos requeriría 12 *bytes*. Compárese con *binary number*.

benchmark
evaluación comparativa; prueba de referencia
Prueba de rendimiento de un computador o de un dispositivo periférico.

Bernoulli Box
caja Bernoulli
Sistema de disco removible para computadores personales de Iomega Corp., Roy, UT. El nombre proviene del científico suizo Daniel Bernoulli, quien en el siglo XVIII demostró los principios de la dinámica de fluidos. A diferencia de un disco duro donde la cabeza que lee/graba vuela sobre un disco duro, el disco flexible de Bernoulli gira a alta velocidad y se eleva hasta la cabeza. Ante una falla de energía un disco duro debe retirar el cabezal para evitar un *crash*, mientras que el disco flexible de Bernoulli de manera natural se curva hacia abajo.

beta test
prueba beta
Prueba de *hardware* o *software* llevada a cabo por los usuarios en condiciones normales de funcionamiento. *Véase alpha test*.

Bezier
En gráficos por computador, curva que se genera empleando una fórmula matemática que asegura la continuidad con otras curvas Bezier. Matemáticamente, es más simple, pero es más difícil de empalmar que una curva *b-spline*.

binary
binario
Binario significa dos. Es el principio fundamental en el cual se basan los computadores digitales. Toda entrada al computador se convierte en números binarios, formados por los dos dígitos 0 y 1 (*bits*). Por ejemplo, cuando presiona la tecla "A" en el computador personal, el teclado genera y transmite el número 01000001 a la memoria del computador como una serie de pulsaciones. Los *bits* 1 son transmitidos como un voltaje alto; los bits 0 se transmiten como un voltaje bajo. Los *bits* se almacenan como una serie de celdas de memoria cargadas y no cargadas en el computador, y como puntos con cargas positivas y negativas en cinta y disco. Se observan los caracteres reales porque los monitores y las impresoras convierten los números binarios en caracteres visuales.

binary code
código binario
Sistema de codificación constituido por dígitos binarios. *Véanse BCD* y *data code.*

binary compatible
compatible binario
Se refiere a cualquier dato, estructura de *hardware* o *software* (archivos de datos, código de máquina, conjunto de instrucciones, etc.) en formato binario que es 100% idéntico al otro.

binary field
campo binario
Campo que contiene números binarios. Puede referirse al almacenamiento de números binarios para propósitos de cálculo o a un campo capaz de contener cualquier información, incluyendo datos, texto, imágenes gráficas, voz y video.

binary file
archivo binario
- Programa en formato de lenguaje de máquina preparado para ejecutarse.
- Archivo que contiene números binarios.

binary format
formato binario
- Números almacenados en forma binaria pura, en contraste con el formato *BCD. Véase binary numbers.*
- Cualquier información legible transmitida por una máquina.
- Modo de transferencia de archivos que transmite cualquier tipo de archivo sin pérdida de datos.

binary notation
notación binaria
Utilización de números binarios para representar valores.

binary numbers
números binarios
Números que están almacenados en forma binaria pura. Dentro de un *byte* (8 *bits*) pueden almacenarse los valores de 0 a 250. Dos *bytes* contiguos (16 *bits*) pueden contener valores de 0 a 65,535. Compárese con *BCD.*

binary search
búsqueda binaria
Técnica para localizar rápidamente un ítem de datos en una lista secuencial. La clave deseada se compara con los datos localizados en la mitad de la lista. La mitad que contiene el dato luego se compara en su punto medio y así sucesivamente, hasta que se encuentra la clave o hasta que se aísle un

grupo suficientemente pequeño como para realizar una búsqueda secuencial.

bionic
biónico
Máquina que toma como modelo los principios humanos o naturales; por ejemplo, los robots. También se refiere a mecanismos artificiales implantados en humanos para remplazar o extender funciones humanas normales.

BIOS (**B**asic **I**nput/**O**utput **S**ystem)
sistema básico de entrada y salida
Instrucciones detalladas que activan los periféricos del computador. *Véase ROM BIOS.*

bit (**BI**nary digi**T**)
dígito binario
Dígito simple de un número binario (0 ó 1). En el computador, un *bit* físicamente es un transistor en una celda de memoria, un punto magnético en un disco o una cinta, o una pulsación de alto o bajo voltaje a través de un circuito.

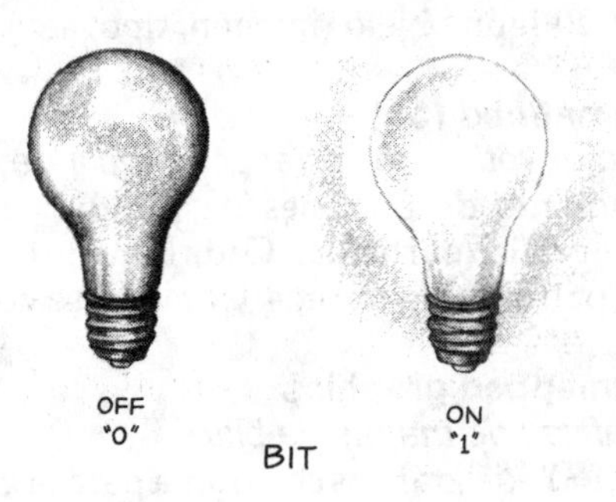

Los grupos de *bits* forman unidades de almacenamiento en el computador, llamados *bytes* y palabras, que son tratados como un grupo. Los *bytes* siempre contienen ocho *bits* y almacenan un carácter alfanumérico. Las palabras se refieren a registros internos y capacidad de procesamiento del computador (8, 16, 32, 64 *bits*); cuanto mayor sea el número, mayor será la cantidad de datos que procesa el computador a la vez. *Véase space/time.*

bit density
densidad de bits
Cantidad de *bits* que pueden almacenarse dentro de determinada área física.

bit depth
profundidad de bits
Cantidad de colores en pantalla (cantidad de *bits* que se utilizan para representar un *pixel*).

bitblt (**BIT BL**ock **T**ransfer)
transferencia de bloque de bits
En aceleradores y máquinas gráficas, característica del *hardware* que mueve un bloque rectangular de *bits* de la memoria principal a la memoria

del video. Acelera la visualización de objetos en movimiento (animación, desplazamiento) en pantalla.

bite
Véase byte.

bitmap
mapa de bits
- En gráficas por computador, área de memoria que representa la imagen de video. Para pantallas monocromáticas, un *bit* en el mapa de *bits* representa un *pixel* en la pantalla. Para la escala del gris o pantallas de color, varios *bits* en el mapa de *bits* representan un *pixel* o grupo de *pixeles* en la pantalla.
- Representación binaria donde cada *bit* o conjunto de *bits* corresponde a algún objeto (imagen, tipo, etc.) o condición.

bitmapped font
tipo de letra con correspondencia de bits
Conjunto de patrones de puntos para cada letra y dígito en un tipo tipográfico particular. Cada tamaño de tipo requiere un conjunto diferente de patrones de puntos. Compárese con *scalable font*.

bitmapped graphics
gráficas de mapas de bits
Método de gráficas con trama para la generación de imágenes. Compárese con *vector graphics* y *character graphics*.

black box
caja negra
Mecanismo electrónico hecho a la medida, como un convertidor de protocolo o sistema de encriptación. Las cajas negras de antes, con frecuencia, se convierten en los productos elaborados según el formato estandarizado de hoy.

blank character
carácter blanco
Carácter de espacio, que ocupa un *byte* en el computador como lo hace una letra o un dígito. Cuando se oprime la barra espaciadora en el teclado de un computador personal, se crea un carácter ASCII con el valor numérico 32.

blank squash
compresión de espacios
Separación (remoción) de espacios entre ítemes de datos. Por ejemplo, en la expresión `CIUDAD + ", " + ESTADO`, los datos se concatenan con una compresión de espacios, resultando AUSTIN, TX en vez de AUSTIN TX.

block
bloque

- Grupo de registros en disco o cinta, almacenado y transferido como una sola unidad.
- Grupo de *bits* o caracteres que se transmiten como una unidad.
- Grupo de caracteres de texto que ha sido marcado para moverlo, copiarlo, grabarlo o ejecutar otra operación.

block diagram
diagrama de bloques
Figura que contiene cuadrados y rectángulos conectados por flechas para representar interconexiones de *hardware* y *software*. Para diagramas de flujo de programas, de flujo de sistemas de información, de circuitos y redes de comunicación, por lo general se utilizan representaciones gráficas más elaboradas.

board
tarjeta, tablero, plaqueta
Véase printed circuit board y *BBS*.

boilerplate
Frase o expresión común que se utiliza una y otra vez. Las frases *boilerplate* se almacenan en disco y se copian en el documento a medida que se necesitan.

boldface
negrita
Caracteres más oscuros y densos que los normales en la salida impresa, y más brillantes que los normales cuando aparecen en pantalla.

Boolean logic
lógica booleana
Es la "matemática de la lógica" desarrollada por el matemático inglés George Boole a mediados del siglo XIX. Sus reglas y operaciones controlan las funciones lógicas (verdadero/falso) en vez de los números. Así como la adición, sustracción, multiplicación y división son las operaciones primarias de la aritmética, AND, OR y NOT son las operaciones básicas de la lógica de Boole.

Boolean search
búsqueda booleana
Búsqueda de datos específicos. Implica que cualquier condición puede buscarse utilizando los operadores booleanos AND, OR y NOT. Por ejemplo, la solicitud en el idioma español: "busque todos los empleados que hablen español o francés, y que posean un MBA, y que no trabajen en ventas", se expresa de la siguiente manera en el lenguaje de comandos de dBASE:

```
LIST FOR título = "MBA" .AND.
     (idioma = "español" .OR. idioma = "francés")
     .AND. .NOT. departamento = "ventas"
```

boot
iniciar el funcionamiento del computador
Hacer que el computador inicie la ejecución de las instrucciones. En computadores personales existen instrucciones preinstaladas en un *chip* ROM que automáticamente se ejecutan cuando se enciende el computador. Estas instrucciones buscan el sistema operativo, lo cargan y transfieren el control a éste. En computadores de mayor tamaño, el procedimiento suele requerir una secuencia más elaborada de ingresos por teclado y precisiones de botones. El término se deriva de *bootstrap* (tirador de bota), dado que estos tiradores ayudan a calzarse las botas; ejecutar el *boot* ayuda al computador a recibir sus primeras instrucciones. *Véanse cold boot* y *warm boot*.

boot drive
manipulador de arranque, de inicio
Unidad de disco que contiene el sistema operativo.

boot failure
falla de arranque
Inhabilidad para localizar y/o leer el sistema operativo del disco señalado.

boot ROM
ROM de arranque
Chip de memoria que permite que una estación de trabajo se inicialice a partir del servidor o de otra estación remota.

boot sector
sector de inicialización, sector de arranque
Área del disco (usualmente los primeros sectores de la primera partición del disco) reservada para el sistema operativo. Al poner en marcha el computador, éste busca en los sectores de arranque el sistema operativo.

bootable disk
disco autoiniciador; arrancable, iniciable
Disco que contiene el sistema operativo y se refiere usualmente a un disco flexible. Si un computador personal provisto de disco duro no encuentra un disco flexible autoiniciador en la principal unidad de disco flexible al comienzo de las operaciones, ejecuta el *boot* desde el disco duro.

BOOTSTRAP

bootstrap
Véase boot.

Borland (**Borland** International, Inc.)
Véase vendors.

Boston Computer Society
La asociación de computadores personales más grande del mundo, fundada de 1977 por Jonathan Rotenberg. Los servicios incluyen grupos de usuarios y de intereses especiales, suscripción a las publicaciones BCS, acceso al centro de recursos, *software* de dominio público y *software* compartido. La dirección es One Kendall Square, Cambridge, MA 02139.

B

bpi (**B**its **P**er **I**nch)
bits por pulgada
Se utiliza para medir la cantidad de *bits* almacenados en una pulgada lineal de una pista sobre una superficie de grabación como disco o cinta.

bps (**B**its **P**er **S**econd)
bits por segundo
Se utiliza para medir la velocidad de transferencia de datos en un sistema de comunicaciones.

break
interrumpir; interrupción
Detener, temporal o permanentemente, la ejecución, impresión o transmisión.

break key
tecla de interrupción
Tecla que se utiliza para detener la ejecución del programa o la transmisión actual.

breakout box
caja de derivación externa; controlador de interfaz
Dispositivo que se conecta a un cable multilínea para propósitos de prueba y que provee un punto de conexión externo a cada alambre.

bridge
puente
- Para cruzar de un circuito, canal o elemento a otro.
- Dispositivo que conecta dos redes de igual tipo. *Véanse gateway* y *router*.

broadband
banda ancha
Técnica para transmitir numerosas cantidades de datos, voz y video en grandes distancias. Al utilizar transmisión de alta frecuencia en cable coaxial o fibra óptica, la transmisión de banda ancha requiere *modems* para conectar terminales y computadores a la red. Si se utiliza la misma técnica de televisión por cable, pueden transmitirse simultáneamente varias

corrientes de datos. *Véase baseband* y compárese con ésta para mayor claridad.

browse
hojear
Visualizar y, posiblemente, editar un archivo de datos en pantalla, como si fuera texto en un documento de procesamiento de palabras. El usuario puede desplazar los datos en forma horizontal y vertical.

bubble memory
memoria de burbujas
Semiconductor de estado sólido y mecanismo de almacenamiento magnético, apropiado para aplicaciones exigentes.

buffer
memoria intermedia; tampón; regulador
Segmento reservado de memoria que se utiliza para almacenar datos mientras se procesan. En un programa, se crean *buffers* para contener algunos datos de cada uno de los archivos que van a leerse o grabarse. Un *buffer* también puede ser un pequeño banco de memoria usado para fines especiales.

buffer flush
vaciado del buffer
Transferencia de datos de la memoria al disco.

bug
error
Error persistente en el *software* o *hardware*. Si existe en el *software*, puede corregirse modificando el programa. Si existe en el *hardware*, deben diseñarse nuevos circuitos. El término fue acuñado en los años cuarenta cuando se encontró una polilla aplastada entre los contactos de un *relay* electromecánico en el Mark I. Compárese con *glitch*.

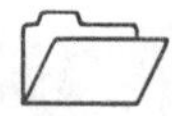

Nota del autor: el 19 de octubre de 1992, encontré mi "primer bicho verdadero". Cuando se recalentó mi impresora láser, imprimió hojas llenas de manchas. Al revisar la impresora descubrí una polilla "patas arriba" debajo del cable de la energía. ¡La impresora trabajó bien después de sacar la polilla!

bundled/unbundled
atado/desatado; disociable/no disociable
Paquete completo de *hardware* y *software* por un solo precio. Los sistemas desatados tienen precios separados para cada componente.

bunny suit
traje de conejo
Ropa de protección que usan los individuos que trabajan en una habitación limpia, para impedir que las bacterias humanas infecten el proceso de fabricación de *chips*. Se denominan así porque quienes los visten parecen conejos gigantes.

TRAJE DE CONEJO
(Cortesía de Hewlett-Packard Company)

burn in
prueba de fuego
Probar un equipo electrónico nuevo haciéndolo funcionar durante determinado periodo. Un componente débil o defectuoso por lo general fallará en las primeras horas de uso.

burst mode
modo de estallido
Método alternativo para transmisión a alta velocidad en un canal de comunicaciones o de computador. Bajo ciertas condiciones, el sistema puede enviar un "estallido" de datos a mayor velocidad por cierto periodo. Por ejemplo, un canal multiplexor puede suspender la transmisión de varias corrientes de datos y enviar una transmisión de datos a alta velocidad utilizando todo el ancho de banda.

bus
colector
Canal o ruta común entre dispositivos del *hardware*. Un *bus* conecta la CPU con la memoria principal y a los bancos de memoria que residen en las unidades de control de los mecanismos periféricos. Está compuesto de dos partes. Las direcciones se envían sobre el *bus* de direcciones para señalar una locación de memoria y los datos se transfieren sobre el *bus* de datos a ésta.

Un *bus* de red es un cable común que interconecta todas las estaciones en la red. Las señales se transmiten a todos los nodos simultáneamente y la estación solicitada responde.

bus extender
extensión del bus
- Placa (tarjeta) que desplaza a una placa de circuito impreso, separándola de las placas vecinas con propósitos de prueba. Se conecta en la ranura de expansión, y la placa de expansión se enchufa en la extensión del *bus*.
- Dispositivo que extiende la longitud de un *bus*.
- Dispositivo que incrementa la cantidad de ranuras de expansión. Por un lado es una tarjeta que contiene múltiples ranuras de expansión; y por otro, una placa de expansión que se conecta a una caja separada que contiene las ranuras y su propia fuente de alimentación.

bus mastering
dominación del bus
Diseño de *bus* que permite que las tarjetas adicionales procesen independientemente de la CPU, y sean capaces de acceder a la memoria del computador y sus periféricos por su cuenta.

BUS DEL COMPUTADOR

bus mouse
ratón del bus
Mouse que se conecta en una tarjeta de expansión. Un ratón del *bus* ocupa una ranura de expansión mientras que el *mouse* serial toma un puerto serial. La elección depende de la cantidad de dispositivos que deban conectarse a cada tipo de zócalo.

business analyst
analista de negocios
Individuo que analiza las operaciones de un departamento o de una unidad funcional con el propósito de desarrollar una solución de sistemas generales para el problema, que puede o no requerir automatización. El analista de negocios puede proporcionar una comprensión valiosa de las operaciones para un analista de sistemas de información.

business graphics
gráficas de negocios
Datos numéricos representados en forma gráfica. Mientras que las gráficas de línea, los diagramas de barras y de pastel son los tipos más comunes de gráficas de negocios, existen muchas más representaciones gráficas disponibles.

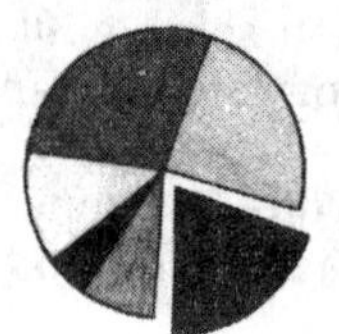

DIAGRAMA DE PASTEL

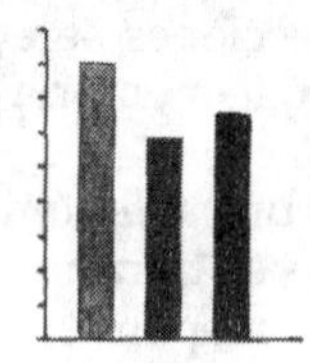

DIAGRAMA DE BARRAS

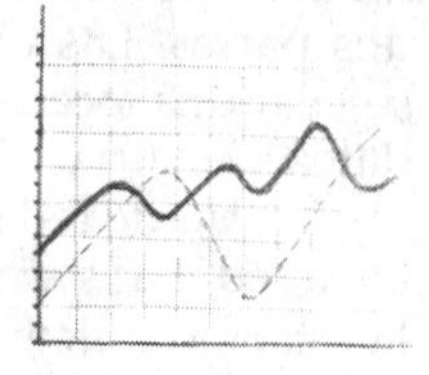

GRÁFICA DE LÍNEAS

business machine
máquina para negocios
Cualquier máquina de oficina, como una máquina de escribir o una calculadora, que se usa en tareas de oficina o funciones contables. Tradicionalmente, el término ha excluido los computadores y las terminales.

button
botón
Botón físico en un dispositivo, como en un *mouse*, o un botón simulado en la pantalla, que se acciona apuntándolo con el cursor y apretando el botón del *mouse*.

byte
Unidad común de almacenamiento en computación, desde micros hasta *mainframe*. Se compone de ocho dígitos binarios (*bits*). Puede agregarse un noveno como *bit* de paridad, para comprobación de errores.

Un *byte* contiene el equivalente de un solo carácter, como la letra A, el signo $, o el punto decimal. En cuanto a los números, un *byte* puede contener un solo dígito decimal (de 0 a 9), dos dígitos numéricos (decimal empaquetado) o un número entre 0 y 255 (números binarios).

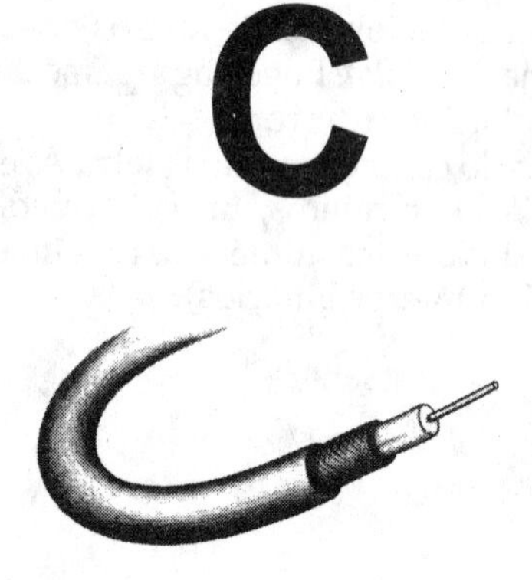

C, C++
Véase programming languages.

C2
Nivel mínimo de seguridad, según la definición del National Computer Security Center.

CA (Computer Associates)
Véase vendors.

cache
caché
Sección reservada de la memoria que se utiliza para mejorar el rendimiento.

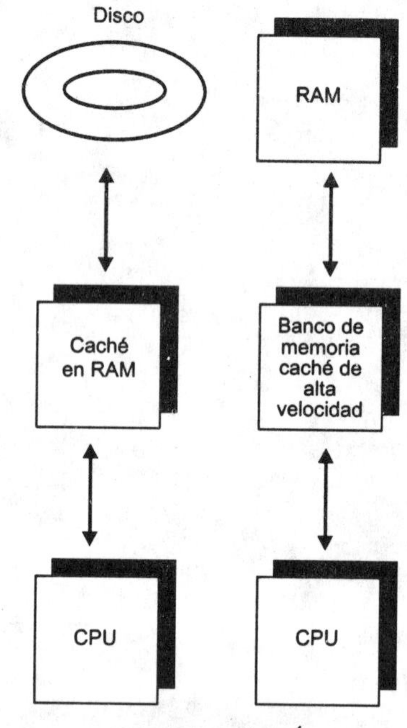

MEMORIA CACHÉ

Un caché de disco es una sección reservada de la memoria normal, o memoria adicional en la tarjeta controladora del disco. Cuando el disco es leído, se copia un gran bloque de datos en el caché. Si las solicitudes de datos subsiguientes pueden ser satisfechas por el caché, no se necesita la utilización de un acceso a disco que es más lento. Si el caché es utilizado para escritura, los datos se alinean en la memoria y se graban en el disco en bloques más grandes.

Los cachés de memoria son bancos de memoria de alta velocidad entre la memoria y la CPU. Los bloques de instrucciones y datos se copian en el caché, y la ejecución de las instrucciones y la actualización de los datos son llevados a cabo en la memoria de alta velocidad.

caching controller
controlador por caché
Controlador de disco con un caché incorporado. *Véase cache.*

CAD (**C**omputer-**A**ided **D**esign)
diseño asistido por computador
Uso del computador para el diseño de productos. Los sistemas CAD son estaciones de trabajo de alta velocidad o computadores personales que usan *software* CAD y dispositivos de entrada como tarjetas gráficas y *scanner*. La salida de un CAD es un diseño impreso o una entrada electrónica a sistemas CAM. *Véase CAD/CAM.*

CAD/CAM (**C**omputer-**A**ided **D**esign/**C**omputer-**A**ided **M**anufacturing)
diseño asistido por computador/fabricación asistida por computador
Integración de CAD y CAM. Ésta implica que los productos diseñados en el sistema CAD son introducidos directamente en el sistema CAM. Por ejemplo, se diseña una pieza y su imagen electrónica se traduce a un lenguaje de programación de control numérico, el cual genera las instrucciones para la máquina que la fabricará.

CAE (**C**omputer-**A**ided **E**ngineering)
ingeniería asistida por computador
Software que analiza diseños creados en el computador o realizados en cualquier otro lugar y luego introducidos en el computador. Pueden llevarse a cabo diferentes tipos de análisis de ingeniería, como estructural y de circuitos electrónicos.

CAI (**C**omputer-**A**ssisted **I**nstruction)
enseñanza asistida por computador
Lo mismo que *CBT.*

CAL (**C**omputer-**A**ssisted **L**earning)
aprendizaje asistido por computador
Igual que *CBT.*

calculated field
campo calculado
Campo numérico o de datos que deriva sus datos del cálculo de otros campos. El usuario no introduce los datos en un campo calculado.

CAM (**C**omputer-**A**ided **M**anufacturing)
fabricación asistida por computador
Extensa categoría de sistemas y técnicas automatizadas de fabricación, que incluye control numérico, control de procesos, robótica y planeación de requerimientos de materiales (*Materials Requirements Planning - MRP*). *Véase CAD/CAM.*

canned program
programa enlatado
Software que provee una solución fija a determinado problema. Los programas enlatados para aplicaciones comerciales deben ser cuidadosamente analizados puesto que generalmente no pueden modificarse mucho, si esto es posible.

canned routine
rutina enlatada
Subrutina de programa que ejecuta una tarea específica de procesamiento.

card
tarjeta
Véanse printed circuit board, magnetic stripe, punched card y *HiperCard.*

card reader
lector de tarjetas
Dispositivo periférico que lee las bandas magnéticas al dorso de las tarjetas de crédito.

caret
circunflejo, sombrero
El símbolo ^ que se utiliza para representar un punto decimal o la tecla de control. Por ejemplo, ^Y significa Ctrl-Y. El símbolo ^ que se encuentra sobre la tecla del número 6 del teclado.

carpal tunnel syndrome
síndrome del túnel carpial
Compresión del nervio principal de la mano, debido a una cicatriz y a la inflamación de la piel exterior de la muñeca (área formada por los huesos carpiales en la parte superior y por los tendones de los músculos en la parte inferior). Originado por trauma, artritis y posiciones inadecuadas de la muñeca, puede producir grandes daños en las manos. Antes era la enfermedad de los carpinteros y mecánicos, pero ahora es la enfermedad de las personas que utilizan el computador.

carriage
carro
Mecanismo de la impresora o de la máquina de escribir que sostiene el rodillo y controla la alimentación del papel y los movimientos.

carriage return
retorno del carro
Véase return key.

carrier
portadora
Corriente alterna que oscila a una frecuencia fija, utilizada para establecer un borde, o envolvente, en el cual se transmite una señal. Las portadoras se utilizan comúnmente en transmisiones de radio (AM, FM, TV, microondas, vía satélite, etc.) con el fin de diferenciar las estaciones transmisoras. Por ejemplo, el número del canal de una estación FM es en realidad la frecuencia de su portadora. La estación FM intercala (modula) su transmisión de audio (señal de datos) con su portadora y transmite la señal combinada por la onda aérea. En el extremo receptor, el sintonizador de FM se enclava en la frecuencia portadora, filtra la señal de audio, la amplifica y la envía al altavoz.

carrier frequency
frecuencia de la portadora
Frecuencia única que se utiliza para "transportar" datos dentro de sus límites. La frecuencia de la portadora se mide en ciclos por segundo o Hertz.

cartridge
cartucho
Módulo de almacenamiento autónomo y removible que contiene discos, cinta magnética o *chips* de memoria. Los cartuchos se insertan en ranuras en las unidades, impresoras o computadores.

CARTUCHO DE CINTA

CASE (**C**omputer-**A**ided **S**oftware **E**ngineering or **C**omputer **A**ided **S**ystems **E**ngineering)
ingeniería de software asistida por computador o ingeniería de sistemas asistida por computador
Software que se utiliza en cualquiera o en todas las fases del desarrollo de un sistema de información. Éste incluye análisis, diseño y programación. El principal objetivo de CASE es proveer un lenguaje para describir el sistema completo, que sea suficiente para generar todos los programas necesarios.

case sensitive*
sensible a la caja
Distinción entre letras minúsculas y mayúsculas. Si un lenguaje es "sensible a la caja", tratará en forma diferente a "abc" que a "ABC".

* N. del T. Término tipográfico.

cash memory
memoria caché
Véase cache.

cassette
casete
Módulo de almacenamiento removible que contiene un carrete de suministro de cinta magnética y un carrete para enrollar. Los casetes de datos se parecen a los casetes de audio pero están fabricados para tolerancias más altas.

CASETE DE CINTA

CBT (**C**omputer-**B**ased **T**raining)
entrenamiento basado en el computador
Uso del computador para instrucción y entrenamiento. Los programas CBT son denominados *courseware* y proveen sesiones de entrenamiento interactivo para todas las disciplinas.

CCITT (**C**onsultative **C**ommittee for **I**nternational **T**elephony and **T**elegraphy)
Comité Consultivo para Telefonía y Telegrafía Internacionales
Véase standards bodies.

CCP (**C**ertificate in **C**omputer **P**rogramming)
certificado en programación de computadores
Premio o distinción por la aprobación de un examen en programación de computadores, ofrecido por el Institute for Certification of Computer Professionals. *Véase CDP.*

CD (**C**ompact **D**isc)
disco compacto
Disco de audio que contiene hasta 72 minutos de grabación estereofónica de alta fidelidad. Los CD se graban en forma digital como una serie de surcos microscópicos (código binario) cubiertos por una capa transparente de plástico protector. Un láser dirige el rayo de luz a los surcos y los reflejos se decodifican.

CD caddy
caja de CD
Caja de plástico que contiene un disquete CD ROM. La caja se introduce en la unidad de disco.

CD-I (**C**ompact **D**isc-**I**nteractive)
CD interactivo
Formato de disco compacto que almacena datos, audio, imágenes fijas de video y gráficas animadas. El CD-I provee hasta 144 minutos de sonido estereofónico de calidad CD, hasta 9.5 horas de estereofonía de calidad de radio AM o hasta 19 horas de sonido monofónico.

CD ROM (**C**ompact **D**isc **R**ead **O**nly **M**emory)
memoria de sólo lectura en CD
Formato de disco compacto que se utiliza para almacenar texto, gráficas y sonido estereofónico de alta fidelidad. Es casi igual a un CD de música, pero utiliza un formato de pistas diferentes para los datos. Un reproductor musical de CD no puede reproducir discos CD ROM, pero un reproductor de CD ROM puede reproducir discos CD, y tiene enchufes para conectarlo a un amplificador y/o audífonos.

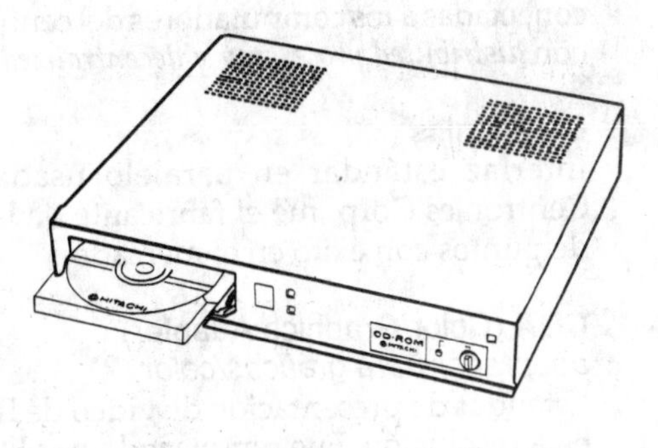

CD ROM

Un manipulador CD ROM puede parecerse mucho a un reproductor de discos compactos (CD).

Los CD ROM pueden almacenar más de 600 MB de datos, lo que equivale aproximadamente a 250,000 páginas de texto o 20,000 imágenes de resolución media.

CD ROM Extensions
extensiones CD ROM
Software que se requiere para usar un reproductor CD ROM en un PC bajo DOS. Usualmente viene con el reproductor e incluye un controlador especializado para el reproductor, como el controlador MSCDEX.EXE de Microsoft.

CDP (**C**ertificate in **D**ata **P**rocessing)
certificado en procesamiento de datos
Premio o distinción por la aprobación de un examen en *hardware*, *software*, análisis de sistemas, programación, administración y contabilidad, ofrecido por el Institute for Certification of Computer Professionals, Des Plaines, IL.

central processing unit
unidad central de procesamiento
Véase CPU.

central processor
procesador central
Lo mismo que *CPU*.

centralized processing
procesamiento centralizado
Procesamiento llevado a cabo en uno o más computadores, en una sola ubicación. Implica que todas las terminales de la organización están

conectadas a los computadores del centro de datos. Obsérvese la diferencia con *distributed processing* y *decentralized processing*.

Centronics
Interfaz estándar en paralelo usada en computadores personales. Centronics Corp. fue el fabricante de las primeras impresoras de matriz de puntos con éxito en el mercado.

CGA (**C**olor/**G**raphics **A**dapter)
adaptador para gráficas/color
Estándar de presentación de video de IBM que provee texto y gráficas de baja resolución. Fue remplazado por EGA y VGA.

CGM (**C**omputer **G**raphics **M**etafile)
metarchivo gráfico para computadores
Formato estándar para el intercambio de imágenes gráficas.

channel
canal
Vía entre componentes en un sistema computarizado o entre estaciones de trabajo en una red.

character
carácter
Una sola letra, dígito o símbolo especial como un punto decimal o una coma. Un carácter es equivalente a un *byte;* por ejemplo, 50,000 caracteres ocupan 50,000 *bytes.*

character cell
celda de carácter
Matriz de puntos utilizada para formar un solo carácter en una pantalla de presentación o impresora. Por ejemplo, una celda de carácter de 8x16 es una celda formada por 16 filas horizontales, cuyo contenido en cada una de ellas es 8 puntos.

character code
código de caracteres
Véase data code.

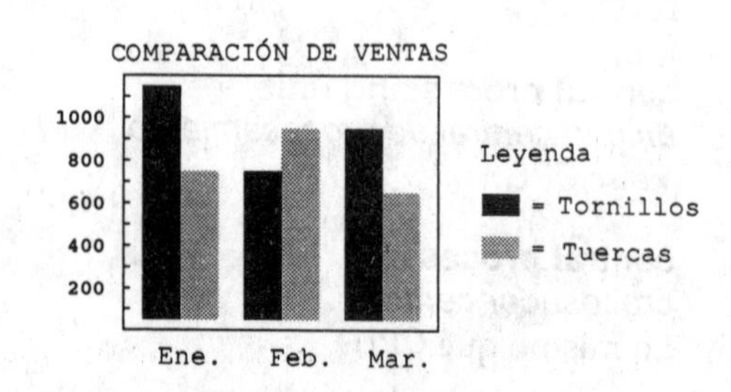

GRÁFICA DE CARACTERES

character graphics
gráficas de caracteres
Serie de símbolos que se encadenan conjuntamente como las letras de un alfabeto para crear gráficas. Las aplicaciones DOS para PC con frecuencia generan formatos y reglas que utilizan las gráficas de caracteres de una y de dos líneas.

check bits
bits de verificación
Número calculado que se utiliza con propósitos de verificación de errores. El número se deriva mediante alguna fórmula del valor binario de uno o más *bytes* de datos. *Véanse parity checking, checksum* y *CRC*.

check box
caja de verificación
Pequeña caja que muestra una X o un símbolo de marca de comprobación cuando se relaciona la opción asociada.

check digit
dígito de verificación
Dígito numérico que se utiliza para asegurarse de que los números de cuenta fueron correctamente introducidos en el computador. Mediante una fórmula, se calcula el dígito de verificación para cada número de una nueva cuenta, el cual se convierte en parte del número, habitualmente como el último dígito.

Cuando se introduce un número de cuenta, una rutina de validación en el programa de entrada de datos recalcula el dígito de verificación y lo compara con el dígito de verificación introducido. Si los dígitos no son iguales el número de cuenta se considera inválido.

checksum
suma de verificación
Valor utilizado para garantizar que los datos se transmiten sin error. Se genera sumando el valor binario de cada carácter alfanumérico en un bloque de datos y enviándolo con los datos. En el extremo de recepción se calcula una nueva suma de verificación y se contrasta con aquella transmitida. La no igualdad indica un error.

chicklet keyboard
teclado auxiliar
Teclado con teclas pequeñas y cuadradas no muy cómodo de utilizar.

child
hijo
En administración de bases de datos, los datos que dependen del padre. *Véase parent-child.*

child program
programa hijo
Subprograma o programa secundario que ha sido llamado y cargado en la memoria por el programa principal. *Véase parent program.*

chip
Circuito integrado. Los *chips* son cuadrados o rectángulos que miden aproximadamente de 2 a 12 mm de lado y casi 1 mm de espesor.

Contienen desde unas pocas decenas hasta varios millones de componentes electrónicos (transistores, resistencias, etc.). Los términos *chip, integrated circuit* y *microelectronic,* son sinónimos.

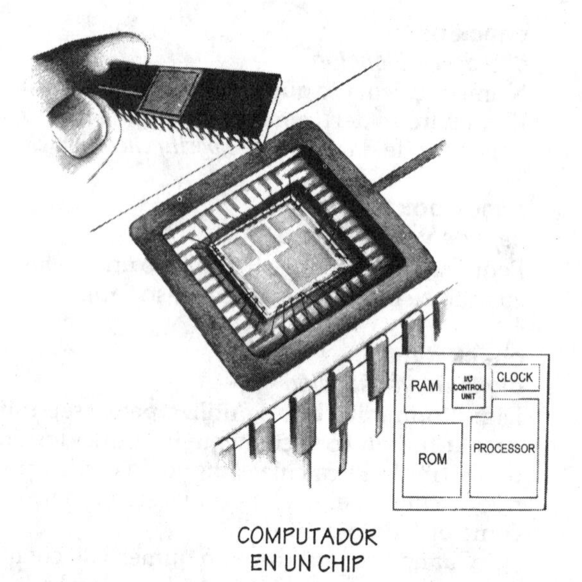

COMPUTADOR EN UN CHIP

CICS (**C**ustomer **I**nformation **C**ontrol **S**ystem)
sistema de control de información al cliente
Software de IBM que suministra procesamiento de transacciones para sus *mainframes.* Se llama un monitor TP y controla la interacción entre usuarios y sus explicaciones, y además permite que los programadores desarrollen presentaciones en pantalla sin un conocimiento detallado de las terminales que se utilizan.

CIM (**C**omputer-**I**ntegrated **M**anufacturing)
fabricación integrada por computador
Integración de las funciones administrativas y contables con los sistemas automatizados de fabricación. Los puntos de venta, la facturación, la programación de máquinas-herramientas y los pedidos de suministros, son parte del CIM.

CIO (**C**hief **I**nformation **O**fficer)
jefe de información
Ejecutivo a cargo de todo el procesamiento de información en una organización.

ciphertext
texto cifrado
Datos que han sido codificados (cifrados, encriptados) para propósitos de seguridad.

circuit
circuito
- Conjunto de componentes electrónicos que ejecutan una función determinada en un sistema electrónico.
- Canal de comunicaciones.

circuit analyzer
analizador de circuitos
Dispositivo que verifica la validez de un circuito electrónico.

circuit board
tarjeta de circuitos
Lo mismo que *printed circuit board.*

circuit switching
conmutación de circuitos
Conexión temporal de dos o más canales de comunicaciones. Los usuarios disponen del pleno uso del circuito hasta que se termina la conexión. Obsérvese la diferencia con *message switching*, que almacena mensajes y los transmite posteriormente; y compárese con *packet switching*, que divide un mensaje en paquetes y encamina cada uno de éstos en la ruta más viable de ese momento.

CISC (**C**omplex **I**nstruction **S**et **C**omputer)
computador de conjunto de instrucciones complejas
Computador que posee un conjunto muy amplio de instrucciones. Obsérvese la diferencia con *RISC*.

class
clase
En programación orientada a objetos, tipo de datos definidos por el usuario que especifica un conjunto de objetos que comparten las mismas características.

clean room
ambiente limpio, cuarto limpio
Cuarto o habitación donde el aire está altamente purificado para eliminar partículas e impurezas.

clear memory
borrar memoria
Reinicializar toda la RAM y los registros de *hardware* hasta la condición de cero o en blanco. La reinicialización del computador (*rebooting*) puede borrar o no la memoria, pero apagar el computador y volver a encenderlo garantiza que se borre la memoria.

click
Seleccionar un objeto presionando el botón del *mouse* cuando el cursor está apuntando la opción del menú o icono deseados.

client
cliente
Estación de trabajo o computador personal en un ambiente de cliente/ servidor.

client/server
cliente/servidor
Arquitectura donde el cliente es la máquina solicitante (computador personal o estación de trabajo) y el servidor es la máquina proveedora. El cliente suministra la interfaz del usuario y realiza una o la mayor parte del procesamiento de aplicación. El servidor mantiene las bases de datos y procesa las solicitudes del cliente para extraer o actualizar los datos de la base correspondiente. El servidor además controla la integridad y seguridad de la aplicación. Adviértase la diferencia con *centralized processing,* donde las terminales no inteligentes (no procesamiento) se conectan a un *mini* o a un *mainframe.*

clip art
arte de recortes
Conjunto de imágenes enlatadas que se utilizan para ilustrar documentos de procesamiento de texto y publicación de escritorio.

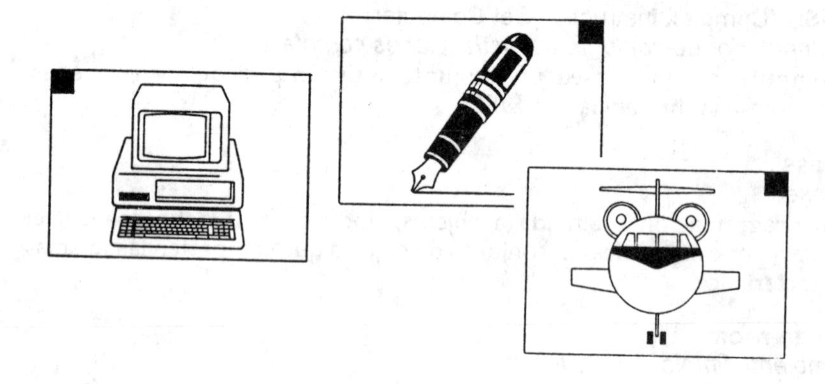

ARTE DE RECORTES
(Cortesía de Marketing Graphics, Inc.)

clipboard
tabla sujetapapeles, portapapeles
Porción reservada de la memoria utilizada para almacenar datos que fueron copiados de una aplicación con el fin de insertarlos en otra.

Clipper
Sistema para el desarrollo de aplicaciones para computadores personales de Computer Associates (CA). Inicialmente fue un compilador de dBASE, se convirtió en un sistema de desarrollo autónomo con múltiples características. Fue desarrollado por Nantucket Corporation, empresa posteriormente adquirida por CA.

clipping level
nivel de recorte
Capacidad del disco para mantener sus propiedades magnéticas y su

contenido. El rango de nivel de alta calidad es del 65% al 70%; la baja calidad está por debajo del 55%.

clock
reloj
Dispositivo interno de temporización. El reloj de la CPU son los latidos del computador. Utiliza un cristal de cuarzo para generar una frecuencia eléctrica uniforme. Un reloj de tiempo real es un reloj de tiempo del día que mantiene un seguimiento de las horas, minutos y segundos.

clock/calendar
reloj/calendario
Reloj interno de tiempo y calendario de mes/año, que se mantienen continuamente activos mediante un sistema de baterías.

clock doubling
Duplicación de la velocidad de procesamiento interno de una CPU mientras mantiene la velocidad inicial del reloj para I/O (*input/output*). Intel popularizó la técnica con sus *chips Speed Doubler*.

clock speed
velocidad del reloj
Velocidad interna de un computador. Por ejemplo, la misma CPU que funciona a 20 MHz es dos veces más rápida internamente que a 10 MHz.

clone
Aparato que funciona igual que el original, pero no necesariamente parece idéntico. Implica un 100% de compatibilidad funcional.

closed
cerrado
Con respecto a un *switch,* cerrado implica "encendido"; abierto implica "apagado".

closed architecture
arquitectura cerrada
Sistema cuyas especificaciones técnicas no se publican. Adviértase la diferencia con *open architecture*.

closed system
sistema cerrado
Sistema en el cual las especificaciones están patentadas para impedir el uso de *hardware* o *software* por parte de terceros. Obsérvese la diferencia con *open system*.

cluster
racimo, grupo, conglomerado, agrupamiento
Cantidad de sectores del disco (por lo general de 2 a 16) tratados como

unidad. Todo el disco se divide en sectores *cluster*, cada uno con un incremento mínimo de almacenamiento. Por consiguiente, un archivo de 30 *bytes* puede ocupar hasta 2,048 bytes en disco si el *cluster* es de cuatro sectores de 512 *bytes*.

CMOS (**C**omplementary **M**etal **O**xide **S**emiconductor)
semiconductor complementario de óxido metálico
Tipo de circuito integrado ampliamente empleado para procesadores y memorias.

CMOS RAM
- Memoria hecha de *chips* CMOS.
- Banco pequeño de memoria respaldado por baterías en computadores personales que se utiliza para mantener hora, fecha e información de sistemas como tipos de unidades.

CMYK (**C**yan, **M**agenta, **Y**ellow, blac**K**)
azul claro, magenta, amarillo y negro
Modelo de colores utilizado para la impresión. En teoría, el azul claro, el magenta y el amarillo (CMY) pueden imprimir todos los colores, pero las tintas no son puras y el negro se convierte en ocre. La tinta negra se requiere para una impresión de calidad.

co-resident
corresidente
Programa o módulo que reside en la memoria junto con otros programas.

coaxial cable
cable coaxial
Cable de alta capacidad utilizado en comunicaciones y video, generalmente llamado *co-ax*. Contiene un alambre aislado, sólido o de filamentos, que está rodeado por un forro metálico sólido o trenzado, bajo una cubierta exterior.

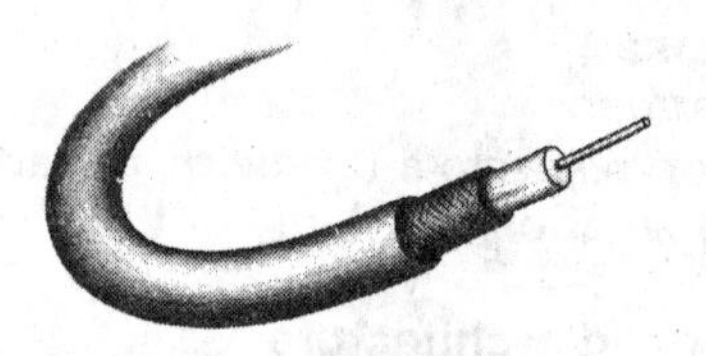
CABLE COAXIAL

COBOL (**CO**mmon **B**usiness **O**riented **L**anguage)
Lenguaje común orientado a los negocios
Véase programming languages.

code
código; codificar
- Conjunto de símbolos de máquina que representa datos o instrucciones. *Véanse data code* y *machine language*.
- Cualquier representación de un conjunto de datos por otro. Por ejemplo, un código de piezas, tipo de productos o código de descuento.

- Escribir un programa. *Véanse source code* y *line of code.*
- Codificar con fines de seguridad. *Véase encryption.*

code generator
generador de códigos
Véanse application generator y *macro recorder.*

code page
página de código
En el DOS 3.3 y en versiones superiores, tabla que configura el teclado y los caracteres de visualización en diferentes lenguajes.

codec (**CO**der-**DEC**oder)
codificador-decodificador
Circuito electrónico que convierte la voz o video en código digital (y viceversa) empleando técnicas como la modulación por codificación de impulsos y la modulación delta. Un *codec* es un convertidor A/D y D/A.

C

coder
codificador
- Programador principiante o en entrenamiento que escribe programas simples o el código para programas más extensos que fueron diseñados por otra persona.
- Persona que asigna códigos especiales a los datos.

cold boot
arranque en frío
Conectar e inicializar el computador. Apagar el computador y luego volver a encenderlo borra la memoria y muchos ajustes internos. Algunas fallas de programa bloquearán el computador y se necesitará de un arranque en frío para volver a utilizar el computador. En otros casos sólo se requiere un arranque "en caliente". *Véanse warm boot* y *boot.*

cold start
arranque en frío
Véase cold boot.

collating sequence
secuencia de ordenación o intercalación
Secuencia u orden del conjunto de caracteres incorporado en el computador.

color printer
impresora de colores
Máquina que imprime en colores utilizando tecnologías de matriz de punto, electrofotográfica, *Cycolor,* electrostática, chorro de tinta o de transparencia térmica.

color separation
separación de colores
Separar una imagen en colores con objeto de hacer negativos y placas para imprimir en color. El color completo requiere cuatro separaciones: azul claro, magenta, amarillo y negro (CMYK).

COM (**C**omputer **O**utput **M**icrofilm)
micropelícula sacada por computador
Máquinas que producen micropelículas o microfichas directamente del computador.

COM file (**COM**mand file)
archivo COM (archivo "Command" orden)
Programa del DOS u OS/2 ejecutable, que ocupa menos de 64K y utiliza una extensión de archivo .COM. *Véase EXE file.*

COM port
puerto COM
Puerto serial para comunicación en computadores personales. *Véanse* COM1 y *serial port.*

COM1
Nombre lógico asignado al puerto serial No. 1 en DOS y OS/2. Los puertos COM generalmente se encuentran conectados a un *modem* o a un *mouse,* y a veces a una impresora. Las versiones del DOS hasta 3.2 inclusive tienen COM1 y COM2. La versión 3.3 tiene hasta COM4, la OS/2 tiene ocho puertos COM. Compárese con LPT1.

comma delimited
delimitado por comas
Disposición de registros en la cual los campos están separados por comas y cada dato en caracteres está habitualmente encerrado entre comillas, por ejemplo:

```
"Pat Smith", "5 Main St.", "New Hope", "PA", "18950"
"K. Jones", "34 E. 88 Ave.", "Syosset", "NY", "10024"
```

command
comando, orden
- Orden dada por el usuario al computador. *Véanse command-driven* y *menu-driven.*
- Instrucción de un lenguaje de programación. Obsérvese la diferencia con *function.*

command-driven
controlado por comandos
Programa que acepta comandos como frases mediante el teclado. Los programas controlados por comandos son difíciles de aprender, pero pueden ofrecer mayor flexibilidad que los programas controlados por

menú. Una vez aprendidos, los programas controlados por comandos a menudo son de utilización más rápida, puesto que el usuario puede expresar sucintamente una solicitud. Adviértase la diferencia con *menu-driven*.

command interpreter
intérprete de comandos
Igual a *command processor*.

command language
lenguaje de comandos
Lenguaje con propósito especial que acepta una cantidad limitada de comandos, como un lenguaje de consulta, lenguaje de control de trabajos (JCL) o un procesador de comandos. Compárese con *programming language*, que es un lenguaje con propósito general.

command line
línea de comando
En un sistema controlado por comandos, el área de la pantalla que acepta comandos introducidos mediante teclado.

command mode
modo de comando
Modo de operación que hace que el computador o *modem* acepte comandos para su ejecución.

command processor
procesador de comandos
Software que acepta una cantidad limitada de comandos por parte del usuario y los convierte en comandos de bajo nivel requeridos por el sistema operativo, o en algún otro programa de control o de aplicación.

COMMAND.COM
Procesador de comandos para el DOS y el OS/2. El COMMAND.COM acepta que teclee los comandos y los ejecute.

comment
comentario
Sentencia descriptiva en un programa fuente, que se utiliza con propósitos de documentación.

commercial software
software comercial
Software diseñado y desarrollado para la venta al público en general.

communications
comunicaciones
Transferencia electrónica de información de un lugar a otro. Las

C

comunicaciones de datos se refieren a las transmisiones digitales, y las telecomunicaciones se refieren a todas las formas de transmisión, que incluyen voz y video analógicos y digitales. *Véase communications protocol.*

communications channel
canal de comunicaciones
También llamado *circuito* o *línea*, es una vía sobre la cual se transfieren datos entre dispositivos remotos. Puede referirse a todo el medio físico (como una línea telefónica pública o privada, una fibra óptica, un cable coaxial o un par de alambres trenzados), o a una de las diferentes frecuencias portadoras que se transmiten de manera simultánea dentro de la misma línea.

communications program
programa de comunicaciones
Cualquier *software* que administra la transmisión de datos entre computadores y terminales. En computadores personales, éste administra la transmisión de datos desde y hacia el puerto serial. Incluye varios protocolos de comunicaciones y generalmente puede emular terminales no inteligentes para conectarse a redes de *mini* y *mainframe.*

En un servidor de archivos, el programa de comunicaciones se denomina sistema operativo de redes (*network operating system*) (NetWare, LANtastic, etc.). Con redes de *mini* y *mainframe,* los programas que respaldan las comunicaciones se denominan métodos de acceso (*access methods*), programas para control de redes (*network control programs*) y monitores TP. *Véase front end processor.*

communications protocol
protocolo de comunicaciones
Estándares de *software* o de *hardware* que controlan las transmisiones entre dos estaciones. En computadores personales los programas de comunicaciones ofrecen una variedad de protocolos (Kermit, Xmodem, Zmodem, etc.) para transferir archivos mediante los *modem*. En redes LAN, los protocolos están incluidos en Ethernet, Token Ring y otros métodos de acceso. En redes de *mainframe* existen múltiples niveles de protocolos, y protocolos dentro de protocolos. El protocolo es una empresa compleja que administra las redes de grandes organizaciones. *Véanse OCI* y *SNA*.

El siguiente intercambio de conceptos es a nivel de vínculo de datos (Zmodem, Ethernet, etc.), que garantiza que un bloque de datos se transfiera entre dos redes sin error.

El protocolo de vínculo de datos

¿Estás ahí? **Sí, estoy aquí.** ¿Estás preparado para recibir? **Sí, lo estoy.** Ahí va el mensaje — bla, bla, bla —¿Lo has recibido? **Sí, lo he recibido.** Ahí va la siguiente parte — bla, bla, bla — ¿La has recibido? **No, no la he recibido.** Ahí va de nuevo — bla, bla, bla, — ¿La recibiste? **Sí, la he recibido.** No hay más. Adiós. **Adiós.**

communications satellite
satélite de comunicaciones
Estación de conmutación de radio en órbita a 35,900 kilómetros sobre la línea ecuatorial. Viaja a la misma velocidad de rotación de la Tierra (geosincrónico), de tal modo que parece que estuviera estacionario.

Compaq (Compaq Computer Corporation)
Véase vendors.

compare
comparar
Capacidad fundamental del computador. Al comparar un conjunto de datos con otro, éste puede localizar, analizar, seleccionar, reordenar y tomar decisiones. Después de comparar, el computador puede indicar si los datos eran iguales, o qué conjunto era numéricamente superior o inferior a otro.

C

compilation
compilación
Compilar un programa. *Véase compiler.*

compiler
compilador
- *Software* que traduce lenguajes de programación de alto nivel (COBOL, C, etc.) a lenguaje de máquina. Un compilador habitualmente genera en primer lugar un lenguaje ensamblador y a continuación traduce este último a uno de máquina.
- *Software* que convierte un lenguaje de alto nivel en una representación de nivel más bajo. Por ejemplo, un compilador de ayuda convierte un documento de texto con comandos apropiados a un sistema de ayuda en línea. Un compilador de tipo diccionario convierte términos y definiciones en un sistema de diccionario de búsqueda.

complement
complemento; complementar
Número que se obtiene restando un número cualquiera de un número base. Por ejemplo, el complemento a diez de 8 es 2. Los complementos se utilizan en circuitos digitales, porque es más rápido efectuar una sustracción sumando complementos que llevando a cabo una verdadera sustracción.

component
componente
Elemento de un sistema mayor. Un componente de *hardware* puede ser un dispositivo tan pequeño como un transistor o tan grande como una unidad de disco, mientras forme parte de un sistema más grande. Los componentes de *software* son las rutinas o módulos dentro de un sistema más extenso.

composite video
video compuesto
Parte de sólo video (no de audio) de una señal de TV. Los primeros computadores personales utilizaban una salida de video compuesta que se conecta directamente a un aparato de televisión.

compound document
documento compuesto
Archivo de texto que contiene tanto texto como gráficas. Con el tiempo, los documentos compuestos podrán almacenar también voz y video. *Véase OLE.*

compression
compresión
Véase data compression.

compression ratio
relación o coeficiente de compresión
Medida de compresión de datos. Por ejemplo, un archivo comprimido a un cuarto de su tamaño original puede expresarse como 4:1, 25%, 75% o 2 *bits* por *byte.*

CompuServe
Véase online services.

compute
computar, calcular
Ejecutar operaciones matemáticas o procesamiento de cálculo en general.

compute bound
limitado a computar
Igual a *process bound.*

computer
computador
Máquina de propósito general que procesa datos de acuerdo con el conjunto de instrucciones que están almacenadas internamente, bien sea temporal o permanentemente. El computador y todo el equipo conectado a éste se denomina *hardware*. Las instrucciones que se le dan se llaman *software*. El conjunto de instrucciones que lleva a cabo una tarea específica se denomina programa.

computer architecture
arquitectura de computador
Diseño de un sistema de computador. Determina el estándar para todos los dispositivos que se conectan a éste y para todo el *software* que debe ejecutar. El diseño está basado en el tipo de programas que debe ejecutar (comercial, científico, etc.) y en la cantidad de éstos que deben ejecutarse en forma simultánea.

Computer Associates (CA)
Véase vendors.

computer designer
diseñador de computadores
Individuo que diseña la estructura electrónica de un computador.

computer exchange
intercambio de computadores
Intercambio de productos mediante el cual el público puede comprar y vender computadores usados. Después del acuerdo, el comprador envía un cheque para el intercambio y el vendedor envía el equipo al comprador. Si el comprador lo acepta, el dinero se envía al vendedor menos la comisión. Para información, contactarse con:

BOSTON COMPUTER EXCHANGE, 617/542-4414 FAX 617/542-8849
NATIONAL COMPUTER EXCHANGE, 212/614-0700 FAX 212/777-1290
THE NEWMAN GROUP, 313/426-3200 FAX 313/426-0777

computer graphics
gráficas por computador
Véase graphics.

computer language
lenguaje de computación
Lenguaje de programación, de máquina o aquel que se utiliza en la industria de los computadores.

computer on a chip
computador en un chip
El *chip* único que contiene el procesador, RAM, ROM, el reloj y unidad de control de entrada/salida. Se utiliza en millones de aplicaciones, que van desde automóviles hasta juguetes.

computer power
potencia de computación (de cálculo)
Rendimiento eficaz de un computador. La potencia de cálculo puede expresarse en MIPS (*millions of instructions per second* - millones de instrucciones por segundo), en velocidades de reloj (10 MHz, 16 MHz) y en tamaño de palabra o de *bus* (16 *bits*, 32 *bits*). Sin embargo, como sucede con los caballos de fuerza, las válvulas y los cilindros de los automóviles, tales especificaciones son sólo pautas. La verdadera potencia de un sistema computacional es el caudal de procesamiento neto que se mide por el tiempo que toma en llevar a cabo un trabajo.

Un *software* se llama "potente" cuando presenta una amplia variedad de características.

computer science
ciencia de los computadores, ciencia de la informática
Campo del *hardware* y *software* de los computadores. Incluye el análisis y el diseño de sistemas, el diseño y la programación de *software* de aplicación y de sistemas, y las operaciones de un centro de datos. Obsérvese la diferencia con *information science.*

computer system
sistema de computación, sistema informático
Sistema formado por una CPU, todos los dispositivos periféricos conectados a ésta y el sistema operativo. Los sistemas informáticos pueden englobarse en categorías llamadas microcomputadores (computadores personales), minicomputadores y las *mainframe*, es decir (aproximadamente) pequeñas, medianas y grandes.

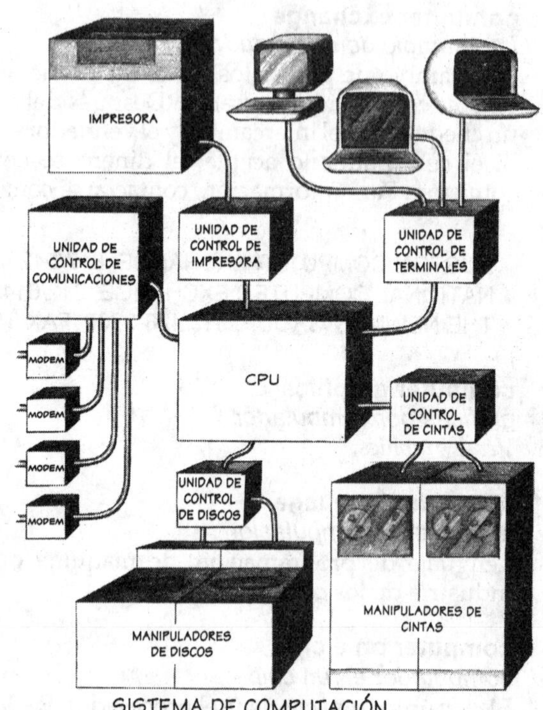

SISTEMA DE COMPUTACIÓN

COMSAT
(COMmunications SATellite Corporation)
Compañía privada que provee servicios a AT&T, MCI y otras empresas. En 1965, puso en órbita el *Early Bird*, el primer satélite comercial.

concatenate
concatenar
Enlazar varias estructuras entre sí. Los archivos concatenados anexan un archivo a otro. En síntesis de voz, las unidades del habla llamadas fonemas (k, sh, ch, etc.) se concatenan para producir sonidos inteligibles.

concentrator
concentrador
Dispositivo que une varios canales de comunicaciones en uno solo. Un concentrador es similar a un multiplexor, excepto que no separa las señales en el otro extremo. Es el computador receptor el que ejecuta esta función.

conditioning
acondicionamiento
Opciones a costos adicionales en una línea telefónica privada que mejoran el rendimiento, reduciendo la distorsión y amplificando las señales débiles.

CONFIG.SYS
Archivo de configuración que personaliza DOS y OS/2. Reside en el directorio raíz y se utiliza para cargar los controladores y modificar los parámetros de configuración.

configuration
configuración
Sistema particular de componentes interrelacionados. Configurar un sistema es escoger componentes de una variedad de opciones para crear un ambiente particularizado.

configuration file
archivo de configuración
Archivo que contiene información acerca de un usuario, programa, computador o registro en particular.

connect time
tiempo de conexión
Tiempo durante el cual un usuario en una terminal se encuentra conectado a un sistema de computación. *Véanse online services* y *service bureau.*

connectivity
conectividad
Comunicación entre computadores.

connector
conector
- Cualquier cable o alambre que enlaza dos dispositivos.
- En administración de bases de datos, un enlace o puntero entre dos estructuras de datos.
- En diagramas de flujo, símbolo que se utiliza para cortar una secuencia y continuarla en otra parte. Generalmente es un pequeño círculo con un número u otra identificación escrita dentro de éste.

console
consola
- Terminal principal del operador en un gran computador.
- Cualquier terminal de presentación.

consultant
consultor
Especialista independiente. Los consultores pueden actuar como consejeros y desarrollar funciones detalladas de diseño o análisis de sistemas. Pueden

ayudar a los usuarios a formular sus solicitudes de información y generan los conjuntos de especificaciones generalizadas o detalladas a las cuales pueden responder los fabricantes de *hardware* o *software*. Con frecuencia, los consultores se emplean como consejeros de proyectos durante todo el ciclo de desarrollo de un sistema.

contention resolution
resolución de contención
Proceso de resolución en el que el dispositivo tiene acceso al recurso cuando ambos se encuentran en contienda.

context sensitive help
ayuda sensible al contexto
Pantalla de ayuda que proporciona información específica acerca de la condición o modo como se encuentra el programa en el momento de invocarse la ayuda.

context switching
conmutación de contexto
- En un ambiente de tareas múltiples, es ceder el control a otro programa bajo la dirección del sistema operativo. El contexto de un programa es su estado actual.
- Cesar el trabajo en una aplicación y continuarlo en otra bajo la dirección del usuario.

contextual search
búsqueda contextual
Búsqueda de registros o documentos basada en el texto contenido en cualquier parte del archivo, a diferencia de las búsquedas en un campo clave predefinido.

contiguous
contiguo, adyacente o colindante
Obsérvese la diferencia con *fragmentation*.

control code
código de control
Uno o más caracteres que se utilizan para controlar un dispositivo, como una pantalla de presentación o una impresora. Los códigos de control a menudo comienzan con un carácter de escape (ASCII 27); sin embargo, éste es sólo un ejemplo. Existe una gran cantidad de códigos utilizados para controlar dispositivos electrónicos.

Control Data (Control Data Corporation)
Véase vendors.

control key
tecla de control
Abreviada *Ctrl* o *Ctl*. Esta tecla se presiona con otra de letra o dígito, por

ejemplo, en un procesador de texto, control U podría activar el modo abreviado. El circunflejo (shift - 6) también representa la tecla de control: ^Y significa control Y.

control program
programa de control
Software que controla el funcionamiento del computador y tiene la máxima prioridad en éste. Los sistemas operativos, sistemas operativos de red y programas de control de red son algunos ejemplos. Compárese con *application program.*

control unit
unidad de control
- En el procesador, los circuitos que localizan, analizan y ejecutan cada instrucción del programa.
- En el computador, *unidad de control* o *controlador*, es un *hardware* que controla las actividades de los periféricos, como un disco o una pantalla de presentación. A partir de señales que recibe de la CPU, ejecuta las transferencias físicas de datos entre la memoria y el dispositivo periférico.

  Las unidades de control de los computadores personales están contenidas en una sola tarjeta de circuito impreso. En computadores grandes, las unidades de control se encuentran en una o varias tarjetas de circuito impreso, o pueden estar en un conjunto independiente.

  En computadores de *chip* único, la unidad de control incorporada acepta las entradas mediante el teclado y suministra una salida serial a una representación.

conventional memory
memoria convencional
En un computador personal es el primer *megabyte* de memoria. El término también puede referirse sólo a los primeros 640K. Los últimos 384K del primer *megabyte* se denominan memoria alta (*high*) del DOS o área de memoria más alta (*Upper Memory Area - UMA*).

conventional programming
programación convencional
Uso de un lenguaje procedimental.

conversion
conversión
- La conversión de datos es el intercambio de datos de un archivo o de un formato de base de datos a otro. La conversión de datos puede requerir asimismo la conversión de código ASCII a EBCDIC.
- La conversión de medios es el intercambio de medio de almacenamiento, por ejemplo de cinta a disco.
- La conversión de programas es el cambio de un lenguaje de programación fuente de un dialecto a otro, o el cambio de los programas para

trabajar con un sistema operativo diferente o un nuevo sistema de administración de bases de datos.
- La conversión del sistema computacional es el cambio de modelo de computador y de los dispositivos periféricos.
- La conversión de sistema de información requiere la conversión de datos, así como la conversión de los programas o la instalación de nuevos programas de aplicación adquiridos o creados.

converter
conversor
- Dispositivo que cambia un conjunto de códigos, modos, secuencias o frecuencias a otro conjunto diferente. *Véase A/D converter.*
- Dispositivo que cambia la frecuencia de la corriente eléctrica alterna de 50Hz a 60Hz y viceversa.

cooperative processing
procesamiento cooperativo
Compartir una carga de trabajo entre dos o más computadores, como un *mainframe* y un computador personal. Esto implica dividir la carga de trabajo para conseguir los resultados más eficientes.

coordinate
coordenada
Que pertenece a un sistema de indexación de uno o más términos. Por ejemplo, sobre un plano, las celdas en una hoja de cálculo y los *chips* de RAM dinámico se identifican por un par de coordenadas. Los puntos en el espacio se identifican mediante un conjunto de tres coordenadas.

coprocessor
coprocesador
Procesador secundario utilizado para acelerar las operaciones, llevando a cabo parte de la carga de trabajo de la CPU principal. *Véase math coprocessor.*

copy
copiar; copia
Hacer un duplicado del original. En electrónica digital, todas las copias son idénticas.

copy buster
dominador de copias
Programa que desvía el esquema de protección de copiado del *software* y permite hacer copias normales, sin protección.

copy protection
protección contra copias
Resistencia a la copia no autorizada del *software*. La protección contra copias nunca fue un asunto importante en los *mainframe* y minicomputadores, puesto que el soporte del fabricante siempre ha sido vital en esos ambientes.

En los primeros tiempos de los computadores personales basados en discos flexibles, se utilizaron muchos métodos de protección contra copias. Sin embargo, con cada nuevo esquema introducido, se desarrolló un nuevo programa dominador de copias para superarlo. Ahora que los discos duros son la regla, se abolió la protección contra copias. Para poder administrar un disco duro, los archivos deben poder copiarse fácilmente.

core
núcleo
Argolla circular magnética que representa un *bit* en un sistema de almacenamiento de núcleos. La memoria principal del computador solía denominarse núcleo o almacenamiento de núcleos.

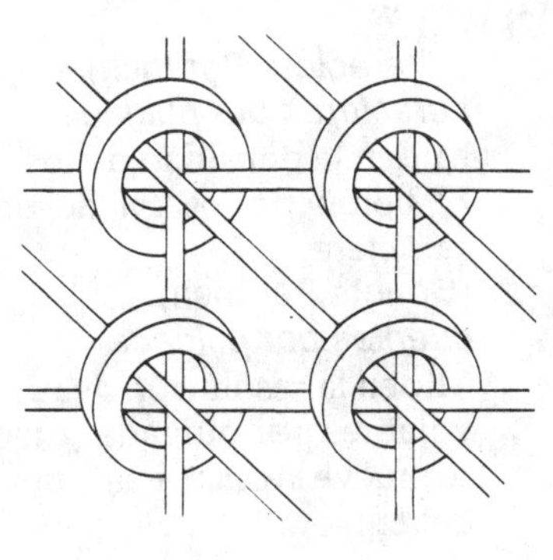

NÚCLEO

CorelDraw
Programa de ilustración basado en Windows para computadores personales 80286 y superiores, de Corel Systems Corp., Ottawa, Ontario. Introducido en 1989, el CorelDraw incluye más de 100 tipos de letra y se conoce por su velocidad y facilidad de uso; además genera sus propios archivos de gráficas vectoriales .CDR, pero pueden importarse a otros formatos gráficos.

cost/benefits analysis
análisis costo/beneficio
Estudio que proyecta los costos y los beneficios de un nuevo sistema de información. Los costos incluyen los recursos humanos y de máquina necesarios para el desarrollo, así como el funcionamiento del sistema.

counter
contador
Dispositivo de *hardware* o rutina de *software* que mantiene el seguimiento de una función.

courseware
Software educativo. *Véase CBT.*

CP/M (**C**ontrol **P**rogram for **M**icroprocessors)
programa de control para microprocesadores
Sistema operativo monousuario para los microprocesadores 8080 y Z80 de Digital Research. Creado por Gary Kildall, CP/M fue el pionero de la revolución de los microcomputadores en los negocios y tuvo su apogeo a comienzo de los años ochenta.

CPM (**C**ritical **P**ath **M**ethod)
método de la ruta crítica
Técnica de planeación y control en la administración de proyectos que se implementó en computadores. La ruta crítica es la serie de actividades y tareas en el proyecto que no tienen incorporado un tiempo de holgura. Cualquier tarea que se demore más de lo esperado en la ruta crítica alargará el tiempo total del proyecto.

cpi
(**C**haracters **P**er **I**nch)
caracteres por pulgada
Miden la densidad de los caracteres por pulgada en cinta o en papel. El botón de los *cpi* de una impresora cambia la densidad de los caracteres.
(**C**ounts **P**er **I**nch)
cuentas por pulgada
Miden la resolución de un *mouse*/bola de seguimiento como muescas volantes por pulgada (ruedan en forma horizontal o vertical cuando se mueve la bola). Las muescas se convierten en lo que es el movimiento del cursor.

cps (**C**haracters **P**er **S**econd)
caracteres por segundo
Miden la velocidad de una impresora serial o la de una transferencia de datos entre dispositivos de *hardware* o a través de un canal de comunicaciones. Los *CPS* son equivalentes a *bytes* por segundo.

CPU (**C**entral **P**rocessing **U**nit)
unidad central de procesamiento
También llamada procesador, es la parte de cálculo o "cerebro" del computador, que está constituida por la unidad de control y la *ALU*. La unidad central de procesamiento obtiene sus instrucciones y datos de la memoria y contiene los circuitos que realizan las operaciones matemáticas (sumar, restar, etc.) y lógicas (comparar) en los datos.

La CPU, el reloj y la memoria principal constituyen un computador. Un sistema completo de computación requiere la adición de unidades de control, dispositivos de entrada, de salida y de almacenamiento, y un sistema operativo.

CPU bound
limitado por la CPU
Lo mismo que *process bound.*

CPU chip
Lo mismo que *microprocessor.*

CPU time
tiempo de CPU
Cantidad de tiempo que toma la CPU en ejecutar un conjunto de

instrucciones, excluyendo explícitamente los tiempos de espera de entradas y salidas.

CR (**C**arriage **R**eturn)
retorno del carro
Tecla de retorno en un teclado o el código que se genera cuando dicha tecla es pulsada (13 decimal, hex 0D).

CR/LF (**C**arriage **R**eturn/**L**ine **F**eed)
retorno del carro/avance de línea
Caracteres de fin de línea usados en archivos estándares de texto para PC (ASCII 13 10). En el Mac, sólo se utiliza CR; en UNIX, LF.

crash
estallido
Véanse abend y *head crash.*

Cray
Véase vendors.

CRC (**C**yclical **R**edundancy **C**hecking)
verificación cíclica de redundancia
Técnica de verificación de errores utilizada para asegurar la precisión de la transmisión de código digital a través de un canal de comunicaciones. Los mensajes transmitidos se dividen en longitudes predeterminadas, que usadas como dividendos, son divididas por un divisor fijo. El resto de la división es agregado al mensaje y enviado con el mismo. En el extremo receptor, el computador recalcula el resto. Si no coincide con el resto transmitido, se detecta un error.

cross tabulate
tabulación cruzada
Analizar y resumir datos. Por ejemplo, la tabulación cruzada se emplea para sintetizar los detalles de un archivo de base de datos como totales en una hoja de cálculo.

crossfoot
sumas cruzadas
Técnica de verificación de errores numéricos que compara la suma de las columnas con la suma de las filas.

crosshatch
entramado
Patrón cruzado de líneas que se utiliza para llenar secciones de una gráfica para diferenciarlas entre sí.

crosstalk
En comunicaciones, interferencia de un canal adyacente.

🖱 Crosstalk
Familia de programas de comunicaciones para PC de DCA/Crosstalk Communications, Alpharetta, GA.

CRT (**C**athode **R**ay **T**ube)
tubo de rayos catódicos
Tubo de vacío utilizado como pantalla de presentación en una terminal de video o en TV. El término se utiliza con frecuencia para referirse a la terminal en sí misma.

crunch
moler, triturar
🖱 Procesar datos como en una "trituración de números".
🖱 Comprimir datos. *Véase data compression.*

cryogenics
criogenia
Utilización de materiales que operan a muy bajas temperaturas. *Véase superconductor.*

cryptography
criptografía
Lo mismo que *encryption.*

crystal
cristal
Véase quartz crystal.

CSMA/CD (**C**arrier **S**ense **M**ultiple **A**ccess/**C**ollision **D**etection)
sensor de portadora de accesos múltiples/detección de colisiones
Método de acceso en las comunicaciones. Cuando un dispositivo trata de ganar acceso a la red, verifica si la misma está libre. Si no lo está, espera una cantidad aleatoria de tiempo antes de intentarlo nuevamente. Si la red está libre y dos dispositivos tratan de ganar acceso exactamente al mismo tiempo, ambos se retractan para evitar una colisión y luego cada uno espera cierta cantidad aleatoria de tiempo antes de reintentarlo.

Ctl, Ctrl
Véase control key.

CTO (**C**hief **T**echnical **O**fficer)
jefe técnico
Ejecutivo responsable de toda la dirección técnica.

current directory
directorio actual
Directorio de disco en el que el sistema se encuentra trabajando actual-

mente. A menos que se especifique de otro modo, todos los comandos que se relacionan con los archivos en disco implican el directorio en uso.

cursor
cursor

Símbolo móvil en una pantalla que sirve como punto de contacto entre el usuario y los datos. En los sistemas basados en texto, el cursor es un rectángulo o símbolo titilante, y se mueve mediante la activación del *mouse* o de las teclas *Home, End, PgUp, PgDn* y las cuatro teclas marcadas con las flechas. En los sistemas gráficos, éste se denomina puntero y puede adoptar cualquier forma (flecha, cuadrado, pincel, etc.) y habitualmente cambia de forma cuando se desplaza a diferentes zonas de la pantalla.

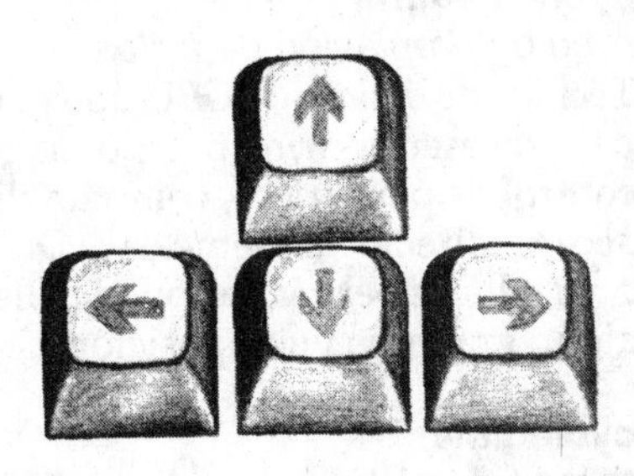

Dispositivo similar a un lápiz o una pastilla que se utiliza con una tableta gráfica. A medida que el cursor de la tableta se desplaza sobre la misma, el cursor de pantalla se mueve de acuerdo con éste. *Véase mouse.*

customized software
software personalizado
Software que se diseña para un cliente en particular.

cut & paste
cortar y pegar
Mover un bloque de texto de una parte a otra en un documento o de un documento a otro.

cyberpunk
delincuente informático
Relacionado con la delincuencia futurista: intrusos informáticos que irrumpen en los bancos de los computadores, sobreviviente que se basa en los ingenios de alta tecnología. Tomados de las novelas de ciencia ficción como *Neuromancer* y *Shockwave Rider*.

cyberspace
El término fue acuñado por William Gibson en su novela *Neuromancer*, para referirse a una red futurista de computadores que las personas pueden utilizar conectando sus cerebros a éstas. *Véase virtual reality*.

cycle
ciclo

Evento simple que se repite. Por ejemplo, en una frecuencia portadora, un ciclo es una onda completa.

🖱 Conjunto de eventos que se repiten. Por ejemplo, en un sistema de votación, todas las terminales conectadas son verificadas en un solo ciclo.

cycle stealing
robo o apropiación de ciclos
Técnica de diseño de CPU que periódicamente "toma" ciclos de máquina del procesador principal, por lo general utilizados por alguna unidad de control de periféricos, como un dispositivo *DMA* (*Direct Memory Access* - acceso directo a memoria). De esta manera, el procesamiento y las operaciones periféricas pueden llevarse a cabo de modo simultáneo o con algún grado de yuxtaposición.

cycle time
tiempo de ciclo
Intervalo comprendido entre el comienzo de un ciclo y el inicio del siguiente.

cycles per second
ciclos por segundo
Cantidad de veces que un evento o conjunto de eventos se repite en un segundo. *Véase Hertz.*

cylinder
cilindro
Conjunto de todas las pistas que residen en la misma ubicación en cada superficie de disco. En los discos de platos múltiples, el cilindro es la suma total de todas las pistas, con igual número en cada superficie. En un disco flexible, un cilindro comprende la pista superior y su correspondiente pista inferior.

Cuando se almacenan datos, el sistema operativo llena un cilindro completo antes de empezar con el próximo. De esta manera, el brazo de acceso permanece estacionario hasta que hayan sido leídas o grabadas todas las pistas del cilindro.

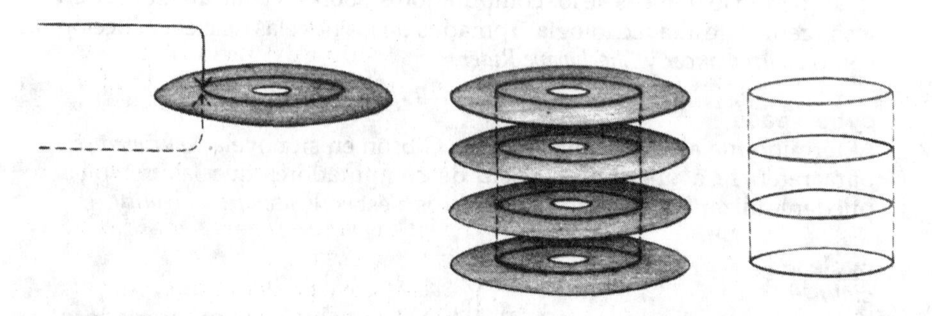

CILINDRO

D

D/A converter (Digital to Analog Converter)
conversor de digital a analógico
Dispositivo que convierte pulsaciones digitales en señales analógicas. *Véase A/D converter.*

D&B Software
Véase vendors.

daemon
demonio
Programa que espera en un segundo plano preparado para ejecutar alguna acción cuando ocurre determinado evento. El término procede de la mitología griega y significa "espíritu guardián". Lo mismo que *agent.*

daisy chain
cadena de margarita
Arreglo de dispositivos conectados en serie, uno después del otro. Las señales transmitidas van al primer dispositivo, y desde allí al segundo, y así sucesivamente.

daisy wheel
rueda de margarita o margarita
Mecanismo de impresión que utiliza un centro metálico o plástico con rayos parecidos a las ruedas de las viejas carretas sin el aro externo. En el extremo de cada rayo está tallada la imagen de un carácter de tipo gráfico. Esta tecnología está obsoleta y ha sido remplazada por las impresoras de matriz de punto y las láser.

DASD (Direct Access Storage Device)
dispositivo de almacenamiento de acceso directo
Dispositivo periférico directamente direccionable, como un disco o tambor.

DAT

(Digital Audio Tape)
Tecnología de grabación digital de calidad CD para cinta magnética. Una unidad DAT de barrido helicoidal de 4mm contiene varios *gigabytes* con cintas de duración extendida cuando se adaptan para uso de almacenamiento de datos. *Véase tape backup.*

(Dynamic Address Translator)
Circuito de *hardware* que convierte una dirección de memoria virtual a una real.

data
datos

Técnicamente, los datos y cifras en bruto, como órdenes y pagos, se procesan a información, como saldo débito y cantidad disponible. Sin embargo, en el uso corriente, los términos de datos e información se toman como sinónimos.

Cualquier forma de información bien sea en papel o en forma electrónica. En forma electrónica, datos se refiere a campos de datos, registros, archivos y bases de datos, documentos de procesamiento de textos, imágenes de gráficas con trama y vectoriales, y voz y video codificados en forma digital.

data administration
administración de datos
Análisis, clasificación y mantenimiento de los datos y las relaciones de éstos de una organización. Incluye el desarrollo de modelos y diccionarios de datos, que combinados con el volumen de transacciones, representan las materias primas para el diseño de bases de datos.

data administrator
administrador de datos
Persona que coordina las actividades dentro del departamento de administración de datos. Nótese la diferencia con *database administrator*.

data bank
banco de datos
Cualquier depósito electrónico de datos.

database
base de datos

Conjunto de archivos interrelaciona-

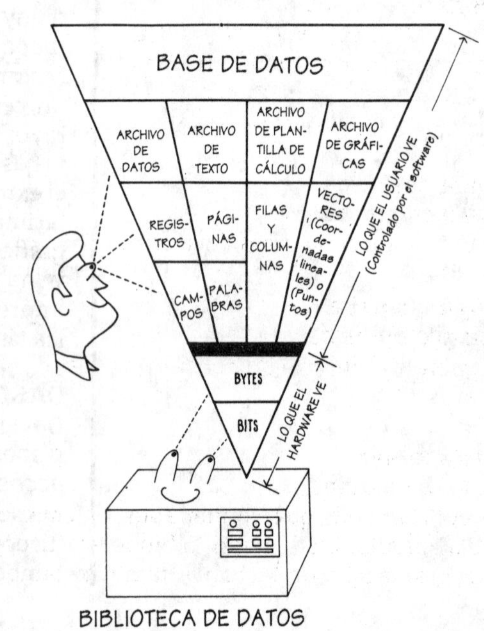

BIBLIOTECA DE DATOS

dos creado y manejado por un sistema de gestión o de administración de bases de datos (DBMS).
- Cualquier conjunto de datos almacenado en forma electrónica.

database administrator
administrador de bases de datos
Persona responsable del diseño físico y de la administración de la base de datos además de la evaluación, selección e implementación del DBMS. En organizaciones pequeñas, el administrador de bases de datos y el administrador de datos son una sola persona; sin embargo, cuando las dos responsabilidades son administradas en forma separada, la función del administrador de bases de datos es más técnica.

database management system
sistema de administración o gestión de bases de datos
Véase DBMS.

database manager
administrador de bases de datos
- Con computadores personales, *software* que permite a un usuario manejar múltiples archivos de datos (lo mismo que *DBMS*). Compárese con *file manager*, el cual trabaja con un archivo a la vez.
- *Software* que provee la capacidad de gestión de bases de datos para lenguajes de programación tradicionales, como COBOL, BASIC y C, pero sin las capacidades interactivas.
- La parte del DBMS que almacena y recupera los datos.

data bus
bus de datos, colector de datos
Trayecto interno mediante el cual los datos se transfieren hacia y desde la CPU. Las ranuras de expansión en los computadores personales están conectadas al *bus* de datos.

data cartridge
cartucho de datos
Módulo de cinta magnética removible. *Véase QIC.*

data cassette
casete de datos
Casete de audio con tolerancias mayores para el almacenamiento de datos.

datacenter
centro de datos
Departamento que contiene los sistemas computacionales y el equipo relacionado, incluyendo la biblioteca de datos. El ingreso de datos y la programación de sistemas también pueden caer bajo su jurisdicción.

D

Usualmente, está provisto de una sección de control que acepta trabajo y distribuye las salidas a los departamentos usuarios.

data code
código de datos
- Sistema de codificación digital para datos en un computador. Los dos códigos principales son ASCII y EBCDIC.
- Sistema de codificación para abreviar datos, por ejemplo, códigos de regiones, clases, productos y posición.

data collection
recolección de datos
Acción de obtener documentos fuentes para el ingreso de datos.

data communications
comunicación de datos
Lo mismo que *communications*.

data compression
compresión de datos
Codificar datos para ocupar el menor espacio de almacenamiento posible. Por ejemplo, nombres cortos en campos de longitud fija desperdician mucho espacio. Un método simple llamado *run length encoding* (codificación de longitud de ejecución) convierte los espacios en un código que indica los que le siguen en blanco.

Los archivos de texto son los que más pueden comprimirse, el texto que se está leyendo puede comprimirse de un 50% a un 70%, según el método utilizado. Los archivos densos de lenguaje máquina pueden comprimirse una tercera parte aproximadamente. Algunos archivos de gráficas dejan poco espacio para la compresión, en cambio en otros se puede hacer mejor.

data control department
departamento de control de datos
Área funcional responsable de la recolección de datos para utilizarse en las operaciones de procesamiento por lote de un computador, así como de la distribución de los informes finales.

DATA/DAT (DATA/Digital Audio Tape)
cinta audio digital de datos
Formato DAT para copias de seguridad de datos que pueden dividirse hasta en 254 particiones, permitiendo así realizar la actualización en el mismo lugar. *Véase tape backup*.

data definition
definición de datos
- En un programa de lenguaje fuente, las definiciones de estructuras de datos (variables, arreglos, campos, registros, etc.).

Descripción de la disposición del registro en un sistema de archivos o DBMS.

data dictionary
diccionario de datos
Base de datos acerca de datos y bases de datos. Contiene el nombre, tipo, rango de valores, fuente y autorización para el acceso a cada elemento de datos en los archivos y bases de datos de la organización. Indica también qué programas de aplicación utilizan dichos datos de tal manera que cuando se observa un cambio en una estructura de datos, puede generarse una lista de los programas afectados.

El diccionario de datos puede ser un sistema independiente o parte integral del DBMS utilizado para el control. La integridad y exactitud se garantizan mejor en el último caso.

data dipper
paleta de datos
Software en un computador personal que consulta a la base de datos de una *mainframe*.

data element
elemento de datos
Estructura fundamental de datos en un sistema de procesamiento de datos. Cualquier unidad de datos definida para procesamiento es un elemento de datos; por ejemplo: NÚMERO DE CUENTA, NOMBRE, DIRECCIÓN y CIUDAD. Un elemento de datos se define por su tamaño (en caracteres) y su tipo (alfanumérico, sólo numérico, verdadero/falso, fecha, etc.). Un conjunto específico de valores o rango de valores también puede formar parte de la definición.

Técnicamente, un elemento de datos es una definición lógica de datos, mientras que un campo es la unidad física de almacenamiento en un registro. Por ejemplo, el elemento de datos NÚMERO DE CUENTA, que sólo existe una vez, se almacena en el campo NÚMERO DE CUENTA en el registro del cliente, como también en el campo NÚMERO DE CUENTA en los registros de pedidos.

Data element (elemento de dato), *data item* (ítem de dato), *field* (campo) y *variable* describen la misma unidad de dato y se utilizan en forma indistinta.

data encryption
encriptación de datos
Véanse encryption y *DES*.

data entry
entrada de datos, ingreso de datos
Introducir datos en el computador, lo cual incluye ingreso mediante teclado, lector óptico y reconocimiento de voz.

data entry program
programa de entrada de datos
Programa de aplicación que acepta datos del teclado u otro dispositivo de entrada y los almacena en el computador.

data file
archivo de datos
Conjunto de registros de datos. Nótese la diferencia con *text file* y *graphics file.*

data flow
flujo de datos
- En computadores, el trayecto de los datos a partir del documento fuente al ingreso de datos, al procesamiento hasta los informes finales. Los datos cambian de formato y secuencia (dentro de un archivo) a medida que se desplazan de programa a programa.
- En comunicaciones, la ruta que toma un mensaje desde su origen hasta su destino, incluyendo todos los nodos por los que transitan los datos.

data flow diagram
diagrama de flujo
Descripción de los datos y el procesamiento manual y por máquina ejecutado en los datos.

data glove
guante de datos
Guante utilizado para informar la posición de la mano y dedos de un usuario con respecto a un computador. *Véase virtual reality.*

data independence
independencia de los datos
Técnica de DBMS que separa los datos desde el procesamiento y permite cambiar estructuralmente la base de datos sin afectar los sistemas existentes.

data integrity
integridad de datos
Proceso de evitar el borrado o adulteración accidental en una base de datos.

data item
elemento de dato, ítem de dato
Unidad de datos. *Véase field.*

data library
biblioteca de datos
Sección del centro de datos que alberga discos y cintas fuera de línea. El

personal de la biblioteca de datos es responsable de catalogar y mantener los medios.

BIBLIOTECA DE DATOS

data link protocol
protocolo de enlace de datos
En comunicaciones, la transmisión de una unidad de datos de un nodo a otro. Es responsable de garantizar que los *bits* recibidos sean los mismos que los *bits* enviados. *Véase communications protocol.*

data management
administración de datos
Se refiere a varios niveles de manejo de datos, a partir de métodos de acceso hasta administradores de archivos y DBMS para manejar los datos como un recurso organizacional.

data management system
sistema de administración de datos
Véase DBMS.

D

data model
modelo de datos
Descripción de los principios de organización de una base de datos.

data modeling
modelado de datos
Identificación de los principios de diseño de un modelo de datos.

data module
módulo de datos
Módulo de almacenamiento desmontable y sellado que contiene discos magnéticos, sus brazos de acceso asociados y cabezas de lectura/escritura.

data name
nombre de datos
Nombre asignado a un elemento de dato, como un campo o una variable.

data processing
procesamiento de datos
Captura, almacenamiento, actualización y recuperación de datos e información. Este término puede referirse a toda la industria de la computación o al procesamiento de datos en contraste con otras operaciones, como procesamiento de palabras.

data processor
procesador de datos
- Persona que trabaja en el procesamiento de datos.
- Computador que está procesando datos, en contraste con un computador que está efectuando otra tarea, como el control de una red.

data projector
proyector de datos
Máquina de video que proyecta salidas desde un computador hacia una pantalla remota. Es más grande que un panel LCD plano, pero más rápido para mostrar la animación de alta velocidad.

data rate
tasa de datos, velocidad de datos
- Velocidad de transferencia de datos dentro de un computador o entre un periférico y un computador.
- Velocidad de transmisión de datos en una red.

data set
conjunto de datos
- Archivo de datos o conjunto de datos interrelacionados.
- Nombre de AT&T para un *modem*.

data switch
conmutación de datos
Caja de conmutación que encamina una línea a otra; por ejemplo, para conectar dos computadores a una impresora. Los conmutadores manuales tienen botones de sintonización o simplemente botones. Los conmutadores automáticos prueban las líneas y proporcionan una conmutación del tipo "primeros en llegar, primeros en ser atendidos".

data tablet
tableta o pastilla de datos
Lo mismo que *digitizer tablet*.

data transparency
transparencia de datos
Capacidad para tener acceso y trabajar con datos fácilmente, sin importar dónde estén localizados o qué aplicación los creó.

data type
tipo de dato
Categoría de datos. Los tipos de datos usuales son numéricos, alfanuméricos (carácter), fechas y datos lógicos (verdadero/falso). Los lenguajes de programación permiten la creación de diferentes tipos de datos.

date math
matemática de fechas
Cálculos realizados con fechas. Por ejemplo, marzo 30 + 5 da abril 4.

datum
dato
Forma singular de la palabra *data* (datos); por ejemplo, *one datum* (un dato). Rara vez se utiliza el término así, mientras que *data* se usa generalmente tanto para singular como plural.

daughter board
tarjeta hija o secundaria
Pequeña tarjeta de circuito impreso que se adiciona o enchufa a una tarjeta de circuito impreso desmontable.

dazdee
Véase DASD.

DB
Véanse database y *decibel.*

DB-9, DB-15, DB-25, DB-37, DB-50
Categoría de enchufes y zócalos con 9, 15, 25, 37 y 50 clavijas respectivamente. DB se refiere a la estructura física del conector, no al propósito de cada línea.

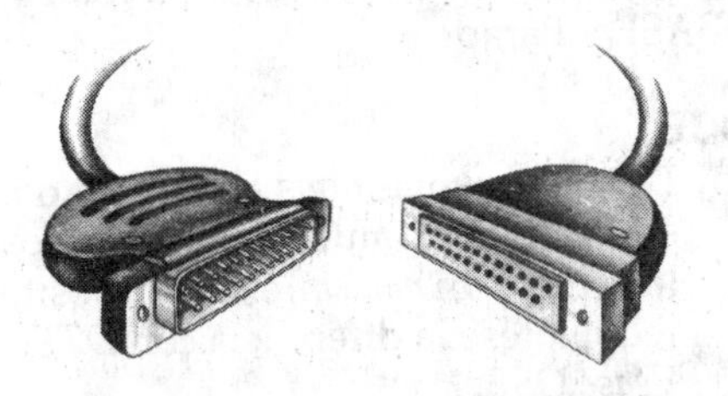
ENCHUFE Y ZÓCALO DB-25

Los conectores DB-9 y DB-25 se utilizan comúnmente para interfaces RS-232. El DB-25 se usa también en el extremo del computador del cable de la impresora paralela para PC (el extremo de la impresora es un conector Centronics de 36 clavijas).

Un conector DB-15 de alta densidad se usa para el puerto VGA en un PC, que tiene 15 clavijas en la misma cápsula que el conector DB-9.

DB/DC **(Data Base/Data Communications)**
base de datos/comunicaciones de datos
Se refiere al *software* que ejecuta funciones de base de datos y de comunicaciones de datos.

DB2 **(DataBase 2)**
base de datos 2
DBMS relacional de IBM que corre en grandes *mainframe*. Es un DBMS con todas las características que se ha convertido en el principal producto de bases de datos de IBM. Utiliza la interfaz del lenguaje SQL.

DBA
Véase database administrator.

dBASE
DBMS (*DataBase Management System* - sistema de administración de bases de datos) relacionales para PC de Borland. Fue el primer DBMS completo para computadores personales y aún es el que más se utiliza. Originalmente fue comercializado por Ashton-Tate, dBASE suministra un entorno interactivo de base de datos para el usuario y un lenguaje de programación para desarrollar aplicaciones completas. Sus formatos de archivo .DBF son los estándares de hecho.

DBMS (**D**ata**B**ase **M**anagement **S**ystem)
sistema de administración de bases de datos
Software que controla la organización, el almacenamiento, la recuperación, la seguridad y la integridad de los datos en una base de datos. Acepta solicitudes de la aplicación y genera las órdenes al sistema operativo para que transfiera los datos apropiados.

Los DBMS pueden ser sistemas autónomos que trabajan con lenguajes tradicionales de programación, como COBOL y C, o pueden ser sistemas completos de desarrollo que incluyen su propio lenguaje de programación y capacidades interactivas para crear y administrar bases de datos, como dBASE y Paradox.

DCE
- *Data Communications Equipment* o *Data Circuit-terminating Equipment*, equipo para comunicación de datos o de terminación de circuitos. Por lo general un *modem*, es un dispositivo que establece una sesión en una red. Nótese la diferencia con *DTE*.
- *Véase OSF.*

D/DAT
Véase DATA/DAT.

DDE (**D**ynamic **D**ata **E**xchange)
intercambio dinámico de datos
Protocolo de mensajes en Windows que permite que los programas de aplicación soliciten e intercambien datos en forma automática. Un programa en una ventana puede consultar a un programa en otra ventana.

de facto standard
estándar de hecho
Formato o lenguaje ampliamente usado, pero que no ha sido autorizado por una organización de estándares.

de jure standard
estándar de ley
Formato o lenguaje autorizado por una organización de estándares.

deadlock
punto muerto o estacionamiento; bloqueo
Véase deadly embrace.

deadly embrace
abrazo mortal; bloqueo
Estancamiento que ocurre cuando dos elementos en un proceso están, cada uno, esperando que responda el otro. Por ejemplo, en una red, si un usuario está trabajando en el archivo A y necesita el archivo B para continuar, pero otro usuario está ocupando el archivo B y necesita el A para continuar, cada uno espera al otro. Pero ambos quedan bloqueados temporalmente. El *software* debe ser capaz de encargarse de esto.

deallocate
desasignar
Liberar un recurso de un computador que está actualmente asignado a un programa o usuario, como memoria o un dispositivo periférico.

deblock
desagrupar
Separar registros de un bloque.

debug
depurar, eliminar fallas
Corregir un problema en *hardware* o *software*. Depurar el *software* es encontrar los errores de lógica del programa. Depurar el *hardware* significa encontrar los errores de diseño del circuito.

debugger
depurador
Software que ayuda a un programador a depurar un programa, parando en ciertos puntos de ruptura y mostrando varios elementos de programación. El programador puede realizar modificaciones por etapas, una a la vez, mediante sentencias de código fuente mientras se ejecutan las correspondientes instrucciones de máquina.

DEC (**D**igital **E**quipment **C**orporation)
Nombre comercial de productos (DECmate, DECnet, etc.). Puede referirse también a la compañía DEC. *Véase vendors.*

decay
debilitamiento, disminución
Reducción de la fuerza de una señal o carga.

decentralized processing
procesamiento descentralizado
Sistemas computacionales en diferentes locaciones. Aunque los datos

D

pueden transmitirse entre los computadores de manera periódica, esto implica comunicaciones diarias limitadas. Nótese la diferencia con *distributed processing* y *centralized processing*.

decibel (dB)
decibelio, decibel
Unidad que mide la sonoridad o intensidad de una señal. Un susurro genera aproximadamente 10 dB, una fábrica ruidosa, 90 dB, y un trueno fuerte, 110 dB. 120 dB es doloroso.

decimal
decimal
Significa 10. Sistema universal de numeración que usa 10 dígitos. Los computadores utilizan números binarios porque es más fácil diseñar sistemas electrónicos que puedan mantener dos estados en vez de 10.

decision box
recuadro o casilla de decisión
Símbolo en forma de rombo que se utiliza para documentar un punto de decisión en un diagrama de flujo. La decisión se escribe en la respectiva casilla, y los resultados de ésta se bifurcan desde las puntas de la casilla.

decision table
tabla de decisiones
Lista de decisiones y sus criterios. Se diseña en un formato de matriz que enumera los criterios (*inputs*) y los resultados (*outputs*) de todas las posibles combinaciones de los criterios. Una tabla de decisiones puede colocarse dentro de un programa para dirigir su procesamiento. Al cambiar la tabla de decisiones, se modifica por consiguiente el programa.

ENTRADAS	SALIDAS: APROBAR PRESTAMO	DENEGAR PRESTAMO	VER ENCARGADO DE PRESTAMOS	VER ENCARGADO DE PRESTAMOS
EL MISMO TRABAJO DURANTE 5 AÑOS	SI	NO	NO	SI
POSEE AUTO	SI	NO	SI	NO
POSEE CASA	SI	NO	SI	NO
ENDEUDADO	NO	SI	NO	NO

TABLA DE DECISIONES

decision tree
árbol de decisiones
Representación gráfica de todas las alternativas en un proceso de toma de decisiones.

deck
- Parte de una unidad de cinta magnética que sostiene y mueve los carretes de cinta.
- Conjunto de tarjetas perforadas.
- *Véase DEC.*

DECnet
Red de comunicaciones de Digital, que soporta LAN de estilo Ethernet y WAN de banda base y de banda ancha en líneas públicas y privadas.

default
por omisión, por defecto
Postura o acción actual tomada por el *hardware* o *software* si el usuario no lo ha especificado de otra manera.

default directory
directorio implícito (por defecto u omisión)
Lo mismo que *current directory*.

default drive
unidad por defecto
Unidad de disco utilizada si no se ha especificado otra.

default font
fuente por defecto (o por omisión)
Estilo de letra y tamaño del carácter que se utiliza si no se ha especificado otro.

defragment
desfragmentar
Reorganizar el disco recomponiendo los archivos en orden contiguo.

degausser
desmagnetizador
Dispositivo que elimina la magnetización no deseada de un monitor o de la cabeza lectora/escritora de una unidad de disco o cinta.

delete
borrar
Remover un elemento de datos de un archivo o un archivo de un disco. *Véase undelete.*

delimiter
delimitador
Carácter o combinación de caracteres que se usa para separar un elemento o conjunto de datos de otro. Por ejemplo, en registros delimitados por comas, se usa una coma para separar cada campo de datos.

demodulate
demodular
Extraer la señal de datos de la portadora. *Véase modulate.*

demon
demonio
Véase daemon.

demultiplex
demultiplexar
Reconvertir una transmisión que contiene varias señales entremezcladas en sus señales separadas originales.

density
densidad
Véase bit density.

DES (Data Encryption Standard)
estándar de cifrado de datos
Código encriptado estándar de NIST que mezcla datos.

descending sort
ordenamiento descendente
Disposición de datos en secuencia de mayor a menor (de Z a A, de 9 a 0).

descriptor
- Palabra o frase que identifica un documento en un sistema indexado de recuperación de información.
- Nombre de categoría utilizado para identificar datos.

Designer
Popular programa de dibujo con todas las características de Micrografx, Inc., Richardson, TX. Fue el primer programa para PC que suministró casi todas las herramientas de dibujo que se encuentran en los programas de dibujo en Macintosh.

desk accessory
accesorio de escritorio
En Macintosh, programa que siempre está disponible sin importar qué aplicación esté ejecutándose. Con System 7, todas las aplicaciones pueden convertirse en accesorios de escritorio.

desk checking
chequeo de escritorio
Prueba manual de la lógica de un programa.

desktop
escritorio, mesa, oficina
- Representación en pantalla de un escritorio. *Véanse Macintosh* y *Windows.*
- Sobrenombre anexo a las aplicaciones tradicionalmente realizadas en máquinas más costosas que ahora se ejecutan en un computador personal (autoediciones o presentaciones de escritorio, etc.).

desktop accessory
accesorio de escritorio
Software que simula un objeto comúnmente encontrado sobre un escritorio de oficina, como una calculadora, una libreta de notas y un calendario. Por lo general está residente en RAM. *Véase TSR.*

desktop application
aplicación de escritorio
Véase desktop accessory.

desktop computer
computador de escritorio
Lo mismo que *personal computer* o *microcomputer.*

desktop media
medios de escritorio
Integración de presentaciones de escritorio, autoedición y multimedia de escritorio (término acuñado por Apple).

desktop organizer
organizador de escritorio
Véase desktop accessory.

desktop presentations
presentaciones de escritorio
Creación de materiales de presentación en un computador personal, que incluye diagramas, gráficas y otra información orientada a gráficas.

desktop publishing
autoedición; publicaciones de escritorio
La abreviatura es DTP. Uso de un computador personal para producir una salida impresa de alta calidad o una salida de cámara que está lista para impresión comercial.

DESQview
Popular entorno de ventanas de tareas múltiples para DOS, de Quarterdeck Office Systems, Santa Mónica, CA. Corre múltiples gráficas y textos de DOS en ventanas de tamaño modificable.

DESQview/X
Versión de DESQview que corre aplicaciones DOS, Windows y X Window locales o remotas en otras estaciones de trabajo DESQview/X PC o X. Permite ejecutar aplicaciones DOS y Windows en una red X Window bajo UNIX o cualquier otro ambiente con base en X.

developer's toolkit
juego de herramientas del desarrollador
Conjunto de rutinas de *software* usado en programación para enlazar un

programa de aplicación a un entorno operativo particular (interfaz gráfica de usuario, sistema operativo, DBMS, etc.).

development cycle
ciclo de desarrollo
Véase system development cycle.

device
dispositivo
Cualquier máquina electrónica o electromecánica, o componente, de un transistor a una unidad de disco. Un dispositivo siempre se refiere a *hardware.*

device dependent
dependiente del dispositivo
Se refiere a programas que direccionan características específicas de *hardware* y que trabajan con un solo tipo de dispositivo periférico. Obsérvese la diferencia con *device independence. Véase machine dependent.*

device driver
controlador de dispositivo
Véase driver.

device independence
independencia del dispositivo
Se refiere a programas que trabajan con una variedad de dispositivos periféricos. Las instrucciones específicas del *hardware* están dentro de algún otro programa (sistema operativo, DBMS, etc.). Adviértase la diferencia con *device dependent. Véase machine independent.*

Dhrystones
Programa para pruebas de referencia que verifica una mezcla general de instrucciones. *Véase Whetstones.*

diagnostic board
tarjeta de diagnóstico
Tarjeta de expansión con pruebas incorporadas de diagnóstico que informa resultados mediante su propio *readout.* Las tarjetas para PC tienen su propio sistema POST (*Power On Self Test* - autocomprobación de energía) y pueden comprobar el malfuncionamiento de un computador que no reinicializa.

diagnostic tracks
pistas de diagnóstico
Pistas de reserva de un disco utilizadas por la unidad o el controlador para fines de diagnóstico.

diagnostics
diagnósticos

- Rutinas de *software* que verifican los componentes del *hardware* (memoria, teclado, unidades de discos, etc.). En los computadores personales, los programas de diagnósticos con frecuencia se almacenan en ROM y se activan de manera automática cuando se enciende el computador.
- Mensajes de error en un código fuente de un programador que hace referencia a sentencias o sintaxis, que no puede comprender el compilador o ensamblador.

dial-up line
línea de conmutador
Línea bipolar como las que se encuentran en la red conmutada. Nótese la diferencia con *leased line.*

dial-up network
red conmutada
Red telefónica conmutada que controla el gobierno y es administrada por empresas de telecomunicaciones.

DIALOG
Véase online services.

dialog box
caja de diálogo
Pequeña ventana en pantalla que se muestra como respuesta a alguna solicitud. Provee las opciones que están actualmente disponibles para el usuario.

die
dado
Término formal para el cubo de silicio que contiene un circuito integrado. El término popular es *chip.*

DIF

- **(Data Interchange Format)**
  formato de intercambio de datos
  Formato estándar de archivos para hojas de cálculo u otros datos estructurados en columnas y filas. Originalmente fue desarrollado por VisiCalc. El DIF se encuentra ahora bajo la jurisdicción de Lotus.
- **(Document Interchange Format)**
  formato de intercambio de documentos
  Estándar de archivo desarrollado por la U.S. Navy en 1982.
- **(Dual In-line Flatpack0**
  caja plana dual en línea
  Tipo de DIP montado en superficie con pines (clavijas) que se extienden en forma horizontal hacia fuera.

D

digital

- Tradicionalmente, el uso de números, que proviene de dígito o dedo. En la actualidad, digital es sinónimo de computador.
- Digital Equipment Corp. *Véase vendors.*

digital camera
cámara digital
Cámara de video que graba las imágenes en forma digital. A diferencia de las tradicionales cámaras analógicas que convierten las intensidades de luz en señales infinitamente variables, las cámaras digitales convierten estas intensidades en números discretos.

digital circuit
circuito digital
Circuito electrónico que acepta y procesa datos binarios (sí/no) de acuerdo con las reglas de la lógica booleana.

Digital Equipment
Véase vendors.

digital mapping
mapeo digital
Digitalización de la información geográfica para un sistema de información geográfica (GIS - *Geographic Information System*).

Digital Research
Véase vendors.

digital signal processing
procesamiento digital de señales
Categoría de técnicas que analizan señales provenientes de una amplia gama de fuentes, como voz, satélites meteorológicos, monitores sísmicos. Convierte las señales en datos digitales y las analiza utilizando varios algoritmos, como la transformada rápida de Fourier.

digital signature
identificación digital
Mensaje codificado que puede ser verificado por el receptor si éste ha sido enviado por un transmisor genuino.

digitize
digitalizar
Convertir una imagen o señal en código digital para el computador, al pasar el *scanner*, trazar un diseño en una tableta gráfica o utilizando un dispositivo de conversión de analógico a digital.

TABLETA DIGITALIZADORA

digitizer tablet
tableta digitalizadora
Tableta de diseño gráfico que puede ser usada para bosquejar nuevas imágenes o para trazar otras ya existentes, y para seleccionar elementos de menúes.

dimension
dimensión
Eje en una matriz. En programación, una sentencia de dimensión define la matriz y establece el número de elementos dentro de las dimensiones.

dimensioning
dimensionamiento, dimensionado
En programas CAD, la administración y presentación de las medidas de un objeto. Existen varios estándares que determinan elementos como tolerancias, tamaños de las flechas y orientación en el papel.

DIN connector (**D**eutsches **I**nstitut für **N**ormung - German Standards Institute)
conector DIN
Enchufe y conector utilizado para conectar una amplia variedad de dispositivos; por ejemplo, el teclado de los PC emplea un DIN de cinco pines (clavijas). Los enchufes DIN se asemejan a una lata de conserva abierta de alrededor de media pulgada de diámetro con pines internos en un patrón circular.

dingbats
Grupo de símbolos para composición tipográfica y publicaciones de oficina, de International Typeface Corp., que incluye flechas, manos "señaladoras", estrellas y números circundados. Se les denomina formalmente ITC Zapf Dingbats.

diode
diodo
Componente electrónico que actúa esencialmente como una válvula unidireccional. Utilizado para cambiar de corriente alterna a corriente continua, en sensores y emisores de luz y en dispositivos de modulación para las comunicaciones. También sirve como válvula unidireccional en circuitos digitales.

DIP (**D**ual **I**n-line **P**ackage)
paquete dual en línea
Alojamiento común de *chip* rectangular con guías (pines) en ambos lados.

Dos cables muy pequeños unen el *chip* con las guías de metal que van tomando el aspecto de las patas de una araña y se insertan en un enchufe hembra o se encuentran soldados a la tarjeta.

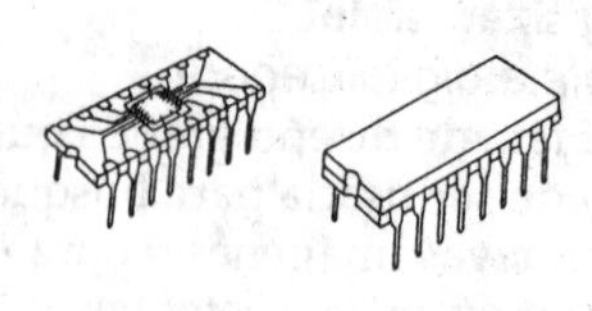

DIP

DIP switch (**D**ual **I**n-line **P**ackage switch)
conmutador de paquete en línea doble
Conjunto de pequeños interruptores incorporados en un DIP, montados sobre una tarjeta de circuito impreso. ¡Recuerde! *Open* (abierto) significa "off" (apagado), y *closed* (cerrado), "on" (encendido).

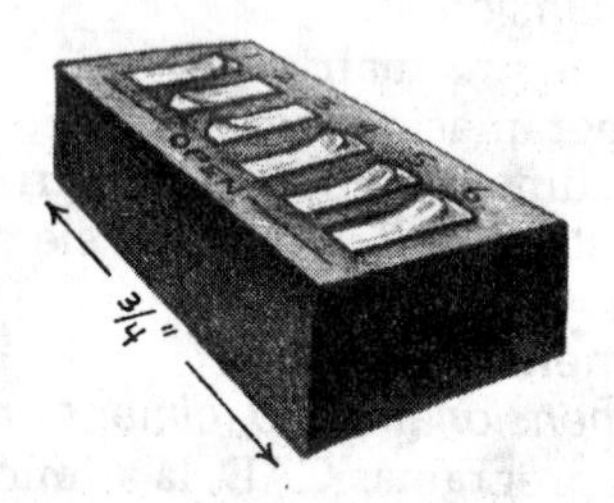

CONMUTADOR DIP

DIR (**DIR**ectory)
directorio
Comando de CP/M, DOS y OS/2 que lista los nombres de los archivos en el disco.

direct access
acceso directo
Capacidad de tener acceso directamente a una locación de almacenamiento específica sin tener que pasar a través de lo que está en frente de ésta. Las memorias (RAM, ROM, PROM, etc.) y los discos son los principales dispositivos de acceso directo.

direct access method
método de acceso directo
Técnica para encontrar datos en un disco, al derivar su dirección de almacenamiento a partir de una clave identificadora en el registro, como número de cuenta. Al utilizar una cuenta, el número de cuenta se convierte en una dirección de sector, que es más rápida que comparar entradas en un índice. Este método funciona mejor cuando las teclas están numéricamente cerca: 100, 101, 102.

directory
directorio
Cajón de archivador simulado en disco. Los programas y los datos para cada aplicación se guardan, por lo general, en un directorio separado (hojas de cálculo, procesadores de palabras). Los directorios crean la ilusión de compartimientos, pero son en realidad índices que apuntan a los archivos que pueden estar dispersos por todo el disco.

directory tree
árbol de directorios
Representación gráfica de una jerarquía de directorios.

dirty power
energía sucia
Energía de corriente alterna no uniforme (fluctuaciones en el voltaje, ruido y picos de corriente), que proviene de la empresa de servicios eléctricos o del equipo electrónico en la oficina.

disable
inhabilitar, desactivar
Suspender el trabajo de una función. Inhabilitado significa apagado, no roto. Nótese la diferencia con *enable.*

disc
disco
Forma alternativa de deletrear *disk* (disco). Los discos compactos y los videodiscos se denotan con una "c" (disc). Los discos de la mayor parte de los computadores se denotan con una "k" (disk).

discrete
discreto
Componente o dispositivo separado y diferente que se considera una sola unidad.

discrete component
componente discreto
Dispositivo electrónico elemental que se construye como una unidad única. Antes de los circuitos integrados (*chips*), todos los transistores, resistencias y diodos eran discretos. Los componentes discretos se utilizan ampliamente en aplicaciones de alta capacidad y todavía se emplean en tarjetas de circuitos combinados con los *chips.*

dish
plato
Antena con forma de plato que recibe, o transmite y recibe, señales de un satélite.

disk
disco
Dispositivo de almacenamiento de acceso directo. *Véanse magnetic disk* y *optical disk.*

disk array
matriz de disco; array de disco
Dos o más unidades de disco combinadas en una sola unidad para

incrementar la capacidad, operación rápida y/o tolerante a fallas. *Véase RAID.*

disk based
con base en disco
- Sistema computacional que usa discos como medio de almacenamiento.
- Aplicación que recupera datos del disco en la medida en que se requiera. Nótese la diferencia con *memory based.*

disk cache
caché de disco
Véase cache.

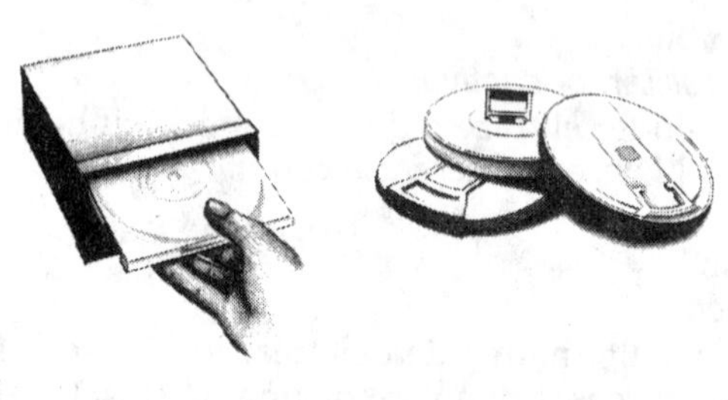

CARTUCHOS DE DISCO

disk cartridge
cartucho de disco
Módulo de discos removibles que contiene un único plato de disco duro o un disco flexible.

disk controller
controlador de disco
Circuito que controla la recepción y transmisión de señales a la unidad de disco. En un computador personal, el controlador de disco es una tarjeta de expansión que se conecta en la respectiva ranura del *bus. Véanse ESDI, IDE* y *SCSI.*

disk drive
unidad de disco; manipulador de disco
Dispositivo periférico de almacenamiento que contiene, rota, lee y graba discos magnéticos u ópticos. La unidad de disco puede ser un receptáculo para cartuchos de discos, paquetes de discos o discos flexibles, o puede contener platos de disco no removible como la mayor parte de los discos duros de los computadores personales.

disk format
formato de disco
Disposición de almacenamiento de un disco, como está determinado por su medio físico e inicializado por un programa de formateo. Por ejemplo, un disco flexible de 5.25" de 360KB *versus* uno de 3.5" de 1.44MB o un DOS *versus* uno de Macintosh. *Véanse low-level format, high-level format* y *file format.*

disk management
administración de discos
Mantenimiento y control de un disco duro. Puede referirse a una variedad

de utilitarios que proveen funciones de formato, copia, diagnóstico, administración de directorios y defragmentación.

disk mirroring
espejamiento de discos; doble escritura en discos
Grabación de datos redundantes para la operación tolerante a fallas. Los datos son grabados en dos particiones del mismo disco, o en dos discos separados dentro del mismo sistema o en dos sistemas computacionales separados.

disk operating system
sistema operativo en disco
Véase DOS.

disk pack
paquete de discos
Módulo removible de discos duros utilizado en mini y *mainframe* que contiene dos o más platos; éstos se guardan en un envase libre de polvo. Para montarlo, se saca la parte inferior del envase. Después de insertarse en la unidad, se quita la parte superior.

PAQUETES DE DISCOS

disk striping
separación de disco
Datos difundidos en múltiples unidades de disco. Los datos se entrelazan por medio de *bytes* y sectores a través de las unidades.

diskette
disquete
Lo mismo que *floppy disk.*

diskless workstation
estación de trabajo desprovista de disco
Estación de trabajo sin un disco. Los programas y los datos se recuperan del servidor de la red.

display adapter
adaptador de presentación
Lo mismo que *video display board.*

display list
lista de presentación
Conjunto de vectores que forman una imagen de gráficas vectoriales.

display terminal
terminal de presentación
Véase video terminal.

DisplayWrite
Programa procesador de palabras para PC de IBM. Su nombre se deriva del sistema de procesamiento de palabras orientado a máquinas de escribir DisplayWriter, introducido originalmente en 1980. *Véase XyWrite III Plus.*

distributed computing
computación distribuida
Lo mismo que *distributed processing.*

distributed database
base de datos distribuida
Base de datos que está físicamente almacenada en dos o más sistemas computacionales. Aunque se encuentra geográficamente dispersa, un sistema de base de datos distribuida administra y controla toda la base de datos como un conjunto único de datos. Si se almacenan datos redundantes en bases de datos separadas, las actualizaciones de un conjunto de datos se hacen de manera automática en los conjuntos adicionales en el momento oportuno.

distributed file system
sistema distribuido de archivos
Software que realiza un seguimiento de los archivos almacenados a través de múltiples redes. Convierte nombres de archivo en locaciones físicas.

distributed processing
procesamiento distribuido
Sistema de computadores conectado entre sí por una red de comunicaciones. En forma amplia, el término se utiliza para referirse a cualquier computador que puede comunicarse entre éstos. Sin embargo, en un verdadero ambiente de procesamiento distribuido, se escoge cada sistema computacional para manipular su carga local de trabajo, y la red se diseña para dar soporte a todo el sistema. Nótese la diferencia con *centralized processing* y *decentralized processing.*

dithering
agitación; fusionado
En gráficas por computador, creación de colores y tonalidades adicionales a partir de una paleta existente. En las presentaciones monocromáticas, los tonos de grises son creados mediante la variación de patrones y de la densidad de los puntos. En las presentaciones de color, los colores y patrones se crean mediante la mezcla y variación de los puntos de colores existentes.

El fusionado se utiliza para crear una amplia variedad de patrones para usar como colores de base de fondo, rellenos y sombreados, así como para crear medios tonos para impresión. También se utilizan en suavización.

DMA (**D**irect **M**emory **A**ccess)
acceso directo a memoria
Colección de circuitos especializados o un microprocesador dedicado que transfiere datos de memoria a otra memoria sin utilizar la CPU. Aunque el DMA pueda robar periódicamente ciclos de la CPU, los datos se transfieren mucho más rápido que utilizando la CPU para cada *byte* de transferencia.

docking station
estación de acoplamiento
Estación base de un *laptop* que incluye fuente de alimentación y ranuras de expansión así como conectores del monitor y del teclado.

docs
documentos
Forma abreviada para "documentos" o "documentación".

document
documento
- Cualquier formulario de papel que ha sido diligenciado.
- En procesamiento de texto, archivo de texto.
- En Macintosh, cualqúier archivo de texto, datos o gráficas creados en el computador. En este libro, el término documento se refiere sólo a archivos de texto.

document handling
manipulación de documentos
Procedimiento para el transporte y manejo de documentos de papel para el ingreso de datos en los *scanner*.

documentation
documentación
Descripción narrativa y gráfica de un sistema.

domain
dominio
- En administración de bases de datos, todos los valores posibles que puede contener un campo en particular para cada registro en el archivo.
- En comunicaciones, todos los recursos que están bajo el control de un solo sistema de computación.
- En dispositivos de almacenamiento magnético, grupo de moléculas que constituyen un *bit*.

D

- En una jerarquía, grupo al que se le asigna un nombre y que tiene control sobre los grupos que se encuentran bajo éste, el cual puede ser un dominio sobre ellos mismos.

DOS
- (**D**isk **O**perating **S**ystem)
sistema operativo en disco
Término genérico para sistema operativo.
- Sistema operativo monousuario para las series PC, PS/1 y PS/2 de IBM. El DOS se denomina también PC-DOS, para diferenciarlo del MS-DOS, la versión para PC no IBM. El DOS y el MS-DOS fueron desarrollados por Microsoft, y son casi idénticos y a ambos se los llama DOS. IBM ha participado en el desarrollo del DOS en diversos grados.
En este libro, DOS se refiere tanto a PC-DOS como a MS-DOS.

DOS 5.0
Principal mejoramiento del DOS presentado en 1991 que incluye *shell* muy mejorado del DOS con intercambio de tareas, una utilidad para restaurar archivos borrados y discos formateados, un editor de texto de pantalla completa y ayuda en línea. Utiliza menos memoria cargando controladores y parte del mismo dentro de la memoria alta, además soporta discos duros de 2GB y discos flexibles de 2.88MB.

DOS 6.0
Sucesor del DOS 5.0, que incluye compresión en tiempo real y administración de memoria mejorada. También suministra nuevos utilitarios.

DOS extender
ampliador del DOS
Software que se combina con una aplicación DOS para que corra en memoria extendida (superior a 1MB). Algunos ampliadores del DOS trabajan con 80286 y superiores, otros requieren como mínimo un 386.

DOS file
archivo del DOS
- Cualquier archivo de computador creado bajo DOS.
- Archivo de texto ASCII.

DOS memory manager
administrador de memoria del DOS
Software que administra las memorias extendida y expandida (EMS) en un PC bajo DOS. Permite que los TSR y los controladores salgan del área más baja de memoria de 640K y se introduzcan en el área de memoria alta (UMA). En 386 y superiores, convierte la memoria ampliada en memoria EMS y automáticamente puede asignar cuando se desee ambos tipos de memoria.

DOS prompt
indicador del DOS
Mensaje del DOS que indica que el sistema operativo está listo para aceptar una orden del usuario. El *prompt* por defecto (C:>, D:>...) indica la unidad actual pero no el directorio actual. Los PC se configuran usualmente en la línea del **`prompt $p$g`** en el archivo AUTOEXEC.BAT, que agrega el nombre del directorio; por ejemplo: C:\BUDGETS>.

DOS shell
cáscara, caparazón, cápsula del DOS
Los *shell* suministran la interfaz de usuario en el DOS, o la manera como se interactúa con el sistema. El COMMAND.COM es el programa que provee la interfaz de usuario dirigida por comandos. El COMMAND.COM puede sustituirse con los *shell*.

dot matrix
matriz de puntos
Patrón de puntos que forman los caracteres y las imágenes gráficas en las pantallas de video y en las impresoras. Las pantallas de presentación usan una matriz (filas y columnas) de puntos al igual que los aparatos de televisión. Las impresoras seriales usan una o dos columnas de martillos de puntos que se mueven a través del papel. Las impresoras láser "pintan" puntos de luz a razón de una línea a la vez sobre un tambor fotográfico sensible a la luz. Cuantos más puntos haya por pulgada cuadrada, mejor será la resolución de los caracteres y gráficas.

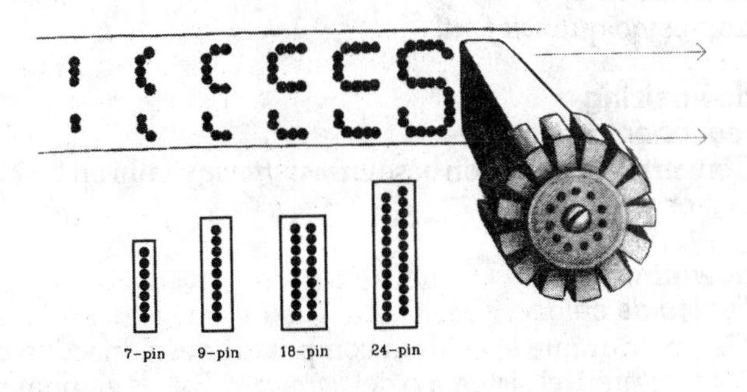

CONFIGURACIONES DE AGUJAS
DE IMPRESORAS DE MATRIZ DE PUNTOS

dot pitch
densidad de puntos
Distancia entre puntos rojos (verdes o azules) y el punto rojo más cercano (verde o azul) en un monitor a color (generalmente de 0.28 a 0.51mm; monitores de representación grande pueden llegar hasta 1.0mm). Cuanto más pequeña sea la densidad del punto, más resolución tendrá la imagen. Una densidad de puntos de 0.31 o menos proporciona una imagen clara, especialmente en texto.

double click
doble click
Presionar el botón del *mouse* dos veces en sucesión rápida.

double density disk
disco de doble densidad
Disco con doble de capacidad de almacenamiento que el formato anterior. Los discos flexibles de 5.25" de 360KB y de 3.5" de 720KB son algunos ejemplos.

download
descargar, bajar; carga descendente
Transmitir un archivo de un computador a otro. Cuando se ejecuta la sesión, descargar significa recibir, y cargar, transmitir. Descargar implica enviar un bloque de datos en vez de interactuar en modo conversacional.

downloadable font
torsión doble
Lo mismo que *soft font*.

downsizing
reducción de tamaño
Convertir sistemas con base en *mainframe* y mini en LAN de computadores personales.

downtime
tiempo de caída
Tiempo durante el cual un computador está inactivo debido a una falla del *software*, del sistema o del *hardware*. Ése es el momento cuando se cae en la cuenta de lo importante que es contar con *hardware* confiable.

downward compatible
compatible hacia abajo
También llamado *backward compatible* (compatible hacia atrás). Se refiere al *hardware* o *software* compatibles con versiones anteriores. Nótese la diferencia con *upward compatible*.

DP
Véanse data processing y *dot pitch*.

dpi (Dots Per Inch)
puntos por pulgada
Medida de resolución de impresora. Una impresora de 300 dpi significa que en una pulgada cuadrada pueden imprimirse 90,000 puntos (300x300).

DR DOS (Digital Research DOS)
Sistema operativo compatible con DOS, de Novell, destacado por sus muchas características. La versión 5.0 incluye ayuda incorporada,

passwords, caché de disco, transferencia de archivos de puertos seriales, capacidad de autoalmacenarse y controladores en memoria alta, además de una interfaz gráfica opcional. La versión 6.0 incluye compresión de archivos que duplica la capacidad del disco duro.

draft mode
modo de borrador
Modo de impresión a muy alta velocidad y de la peor calidad.

drag
arrastrar
Mover un objeto en pantalla, donde puede observarse esta acción completa desde su ubicación de origen hasta su destino. El movimiento puede activarse mediante un buril, un *mouse* o el teclado.

drag & drop
arrastrar y soltar
Habilidad de ejecutar gráficamente una función sin teclear un comando. Por ejemplo, en el Macintosh, seleccionar un icono de disco flexible e introducirlo en un icono de cubo de basura, hace que salga el disquete.

DRAM, D-RAM
Véase dynamic RAM.

drawing program
programa de dibujo
Software gráfico que permite al usuario diseñar e ilustrar productos y objetos. Los programas de dibujo mantienen una imagen en formato de gráficas vectoriales; esto permite que todos los elementos del objeto gráfico puedan aislarse y manipularse en forma individual.

Los programas de dibujo y CAD son similares; sin embargo, los de dibujo habitualmente proveen una mayor cantidad de efectos especiales para ilustraciones de fantasía, mientras que los programas CAD suministran un dimensionamiento y posicionamiento precisos de cada elemento gráfico, con el fin de poder transferir los objetos a otros sistemas para análisis de ingeniería y manufactura. Nótese la diferencia con *paint program*.

drill down
búsqueda
Ir de la información de resumen a los datos detallados que lo crearon.

drive
manipulador; manipular; unidad, controlador
- Dispositivo electromecánico que gira discos y cintas a una velocidad especificada. También se refiere a la unidad periférica completa, como *disk drive* (manipulador de disco) o *tape drive* (manipulador de cinta).
- Proporcionar energía y señales a un dispositivo. Por ejemplo: "esta unidad de control puede manipular (*drive*) hasta 15 terminales".

drive bay
compartimiento de la unidad
Ranura para una unidad de disco en la caja de un computador.

drive door
compuerta de unidad, puerta de unidad
Panel, puerta o palanca que se utilizan para asegurar un disco en un manipulador. En una unidad de discos flexibles de 5.25", la puerta es una palanca que se baja sobre la ranura después de insertar el disco.

driver
controlador, conductor
- También llamado *device driver* (controlador de dispositivos), es una rutina de programa que conecta un dispositivo periférico o una función interna al sistema operativo. Contiene el lenguaje de máquina necesario para activar todas las funciones del dispositivo e incluye la información detallada de sus características, como sectores por pista o la cantidad de *pixels* de la resolución de la pantalla.
- Dispositivo que provee señales o corrientes eléctricas para activar una línea de transmisión o una pantalla de presentación.

DS/DD (**D**ouble **S**ided/**D**ouble **D**ensity)
doble cara/doble densidad
Se refiere a los discos flexibles, como los formatos de 5.25" de 360KB y de 3.5" de 720KB para PC y de 800KB para Macintosh.

DS/HD (**D**ouble **S**ided/**H**igh **D**ensity)
doble cara/alta densidad
Se refiere a los discos flexibles, como los formatos de 5.25" de 1.2MB y de 3.5" de 1.4MB para PC y Macintosh.

DSS (**D**ecision **S**upport **S**ystem)
sistema de soporte de decisiones
Sistema de información y planeación que suministra la capacidad para consultar a través de los computadores sobre una base *ad hoc*, analizar la información y pronosticar el impacto de las decisiones antes de tomarlas. *Véase EIS.*

DTE (**D**ata **T**erminating **E**quipment)
equipo de terminación de datos
Por lo general, una terminal o un computador, es un dispositivo de comunicaciones que representa la fuente o destino de señales en una red. Nótese la diferencia con *DCE*.

DTP
Véase desktop publishing.

dual boot
arranque dual
Computador que puede ser inicializado con uno o cualquiera de dos sistemas operativos diferentes.

dual in-line package
paquete dual en línea
Véase DIP.

dumb terminal
terminal no inteligente
Terminal de presentación sin capacidad de procesamiento. Depende enteramente del computador principal para el procesamiento. Obsérvese la diferencia con *smart terminal* e *intelligent terminal.*

dump
volcar
Imprimir el contenido de la memoria, disco o cinta sin formato alguno de informe. *Véase memory dump.*

duplex channel
canal dúplex
Véase full-duplex.

duplexed system
sistema duplicado
Dos sistemas que son funcionalmente idénticos. Ambos pueden ejecutar las mismas funciones, o uno de éstos puede permanecer en *standby*, listo para entrar en acción si falla el otro.

duplicate keys
claves duplicadas
Datos claves idénticos en un archivo. Las claves primarias, como número de cuenta, no pueden duplicarse, puesto que no debe haber dos clientes o empleados que tengan el mismo número. Las claves secundarias, como fecha, producto o ciudad pueden duplicarse en el archivo o base de datos.

DVI (**D**igital **V**ideo **I**nteractive)
video interactivo digital
Técnica de Intel de compresión de datos, audio y video de pleno movimiento. En un CD ROM, ésta proporciona hasta 72 minutos de video de pantalla completa, 2 horas de video a media pantalla, 40,000 imágenes de resolución media y 7,000 de alta resolución. Comprime el video de pleno movimiento a proporciones mayores de 100 a 1, e imágenes estáticas, 10 a 1.

Las capacidades de pantalla dividida permiten la yuxtaposición de imágenes estáticas y en movimiento. Por ejemplo, un curso de capacitación podría mostrar la ejecución de una operación conjuntamente con imágenes de los componentes en uso.

Dvorak keyboard
teclado Dvorak

DISPOSICIÓN DEL TECLADO DVORAK

Disposición de teclado diseñado en los años treinta por August Dvorak, de la University of Washington, y por su cuñado, William Dealey. El teclado Dvorak está establecido para que el 70% de las palabras se introduzcan desde la línea central, comparado con el 32% del teclado *qwerty* y, además, se teclean más palabras usando ambas manos. En ocho horas, los dedos de un mecanógrafo en un teclado *qwerty* recorren unas 16 millas, pero sólo 1 milla en un teclado Dvorak.

DX
Véase 386 y *486.*

DX2
Véase 486.

dyadic
diádico
Dos. Se refiere a dos componentes que se están utilizando.

dynamic
dinámica
Se refiere a operaciones que se realizan mientras se corre el programa. La expresión: "los *buffer* están creados en forma dinámica" significa que el espacio se creó cuando realmente se necesitaba, no reservado de antemano.

dynamic RAM
Tipo más común de memoria de computadores, también llamado D-RAM y DRAM. Habitualmente utiliza un transistor y un condensador o capacitador para representar un *bit.* Los condensadores deben ser energizados cientos de veces por segundo para mantener las cargas. A diferencia de los *chips* de *firmware* (ROM, PROM, etc.), las dos principales variedades de RAM (dinámica y estática) pierden su contenido cuando se corta el suministro de energía. Nótese la diferencia con *static RAM.*

En la publicidad de memoria, RAM dinámico con frecuencia se menciona erróneamente como un tipo de paquete; por ejemplo: "DRAM, SIMM y SIP para la venta". Debería ser "DIP, SIMM y SIP" como tres paquetes que por lo general incluyen *chips* de RAM dinámico.

dynamic range
rango dinámico
Rango de señales que va de la más débil a la más fuerte.

E

earth station
estación terrena
Estación transmisora / receptora para comunicaciones por satélite. Su antena tiene forma de plato y se usa para transmisión de micro-ondas.

EBCDIC (**E**xtended **B**inary **C**oded **D**ecimal **I**nterchange **C**ode)
código binario ampliado de intercambio decimal codificado
Son los códigos de datos utilizados en *mainframe* IBM y en la mayor parte de los computadores de rango medio. Es un código de ocho *bit* (256 combinaciones) que almacena un carácter alfanumérico o dos dígitos decimales dentro de un *byte*. EBCDIC y ASCII son los principales métodos para la codificación de datos.

EDI (**E**lectronic **D**ata **I**nterchange)
intercambio de datos electrónicos
Comunicación electrónica de transacciones entre organizaciones, como pedidos, confirmaciones y facturas.

edit
editar
Hacer modificaciones a datos existentes. *Véase update.*

edit checking
comprobación de edición
Igual a *validity checking*.

editor
editor
Véase text editor.

EDP (**E**lectronic **D**ata **P**rocessing)
procesamiento electrónico de datos
Primera sigla que se usó para identificar el campo de la computación.

EEPROM (**E**lectrically **E**rasable **P**rogrammable **R**ead **O**nly **M**emory)
memoria de sólo lectura programable y borrable eléctricamente
Chip de memoria que retiene su contenido sin energía. Puede ser borrado, tanto dentro del computador como externamente, y usualmente requiere más voltaje para el borrado que el común de + 5 voltios usado en los circuitos lógicos.

EGA (**E**nhanced **G**raphics **A**dapter)
adaptador de gráficas mejorado
Estándar de exhibición de video de IBM que provee textos y gráficas de resolución media. Ha sido remplazado por los VGA.

EIS (**E**xecutive **I**nformation **S**ystem)
sistema de información ejecutiva
Sistema de información que consolida y resume las transacciones que están en marcha dentro de la organización. Un EIS debe ser capaz de proporcionar a la gerencia toda la información que ésta requiera en todo momento, tanto de fuentes internas como externas. *Véase DSS*.

EISA (**E**xtended **ISA**)
arquitectura estándar industrial extendida
Estándar de *bus* para PC que extiende el *bus* AT (*bus* ISA) a 32 *bits* y permite el control del *bus*. EISA fue anunciado en 1988 como una alternativa de 32 *bits* a Micro Channel que preservaría la inversión en las tarjetas existentes. Las tarjetas de PC y AT (tarjetas ISA) pueden enchufarse a una ranura EISA.

Electroluminescent
electroluminiscente
Exhibición en panel plano que provee una imagen clara y nítida y un amplio ángulo de visualización. Utiliza fósforo que, por lo general, emite luz ámbar o verde.

electronic
electrónico(a)
Uso de electricidad en dispositivos provistos de inteligencia, como radios, televisores, instrumentos, computadores y de telecomunicaciones. La electricidad que se usa como energía para calefacción, iluminación y motores, es considerada eléctrica, no electrónica.

electronic mail
correo electrónico
Transmisión de memorandos y mensajes mediante una red. Los sistemas de correo electrónico se implementan en redes de área local de *mainframe*, minicomputadores y computadores personales.

electrophotographic
electrofotográfico
Técnica de impresión usada en máquinas láser y fotocopiadoras. Una

imagen negativa hecha de puntos de luz es pintada sobre una correa o tambor fotosensible que ha sido cargado eléctricamente. Cada vez que se aplica luz, el tambor queda descargado. Un *toner* (tinta seca) es aplicado y se adhiere a las áreas cargadas del tambor. El tambor transfiere el *toner* al papel, y la presión y el calor fijan el *toner* al papel de modo permanente.

e-mail
Véase electronic mail.

embedded system
sistema insertado
Computador especializado que se usa para controlar un mecanismo como un automóvil, un electrodoméstico o vehículos espaciales.

EMI (**E**lectro**M**agnetic **I**nterference)
interferencia electromagnética
Ondas electromagnéticas que se emiten desde un dispositivo eléctrico. EMI generalmente se refiere tanto a ondas de baja frecuencia de dispositivos electromecánicos como a ondas de alta frecuencia (RFI) de *chips* y de otros dispositivos electrónicos. FCC regula los límites permitidos.

EMM (**E**xpanded **M**emory **M**anager)
administrador de memoria expandida
Software que administra la memoria expandida (EMS). En XT y AT, deben instalarse tarjetas de memoria expandida. En 386 y superiores, el EMM convierte la memoria extendida en EMS.

EMS (**E**xpanded **M**emory **S**pecification)
especificación de memoria expandida
Técnica para expandir la memoria más allá de los 32MB en los PC. Amplía la memoria convencional (la

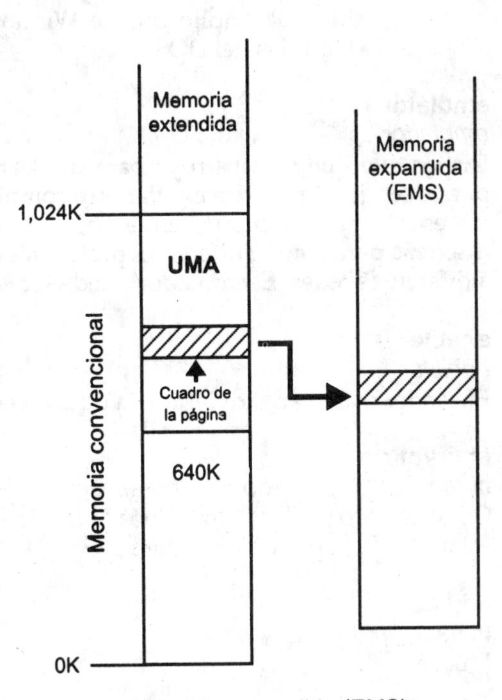

Memoria expandida (EMS)
El DOS sólo puede llegar al primer *megabyte* de memoria (memoria convencional). Cuando se utiliza el EMS, un trozo de 64K del UMA (área de memoria superior) se reserva para el cuadro de la página de EMS, el cual sirve como una ventana al banco de memoria EMS. Los circuitos en la tarjeta EMS vuelven a "mapear" el área EMS de 64K requerida en el área del cuadro de página hacia el cual puede direccionarse el DOS.

memoria con la que las aplicaciones del DOS pueden trabajar) al combinar los segmentos de la memoria EMS al área de memoria convencional, según se requiera.

En XT y AT, el EMS se instala conectando una tarjeta de memoria EMS y agregando un controlador EMS. En 386 y superiores, el EMS se genera mediante un *software* administrador de memoria expandida (EMM) que convierte la memoria extendida en EMS.

Para usar EMS, la aplicación se escribe para soportarla directamente (Lotus 1-2-3 versión 2.x, AutoCAD, etc.) o se ejecuta en un entorno que la soporta, como el DESQview.

Memoria expandida *versus* memoria extendida

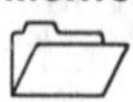

Memoria expandida (EMS) y memoria extendida no son lo mismo. La EMS puede ser instalada en máquinas del tipo XT y superiores, mientras que la memoria extendida requiere al menos un 286. La EMS rompió la barrera de la memoria de 1MB en un comienzo; sin embargo, ahora que los 286 son las CPU de límite inferior, la memoria extendida finalmente se está utilizando debido al amplio uso de Windows 3.x y de las aplicaciones extendidas del DOS.

emulator
emulador
Dispositivo que se construye para trabajar como otro. Un computador puede ser diseñado para emular otro computador y ejecutar *software* que fue escrito para ejecutarse en la otra máquina. Una terminal puede ser diseñada para emular diferentes protocolos de comunicación y conectarse a diferentes redes. El emulador puede ser *hardware, software* o ambos.

enable
habilitar
Encender o activar. Adviértase la diferencia con *disable*.

encryption
cifrado, criptografiado, criptograficación
Codificación de datos con propósito de seguridad, convirtiendo el código estándar de datos en un código propio. *Véase DES.*

end user
usuario final
Igual a *user*.

endless loop
bucle, lazo sin fin
Serie de instrucciones que se repiten constantemente. Un lazo sin fin puede ser causado por un error en el programa o puede ser intencional; por ejemplo, una demostración de pantalla en continua repetición.

engine
máquina
- Procesador especializado, como uno de gráficas. Como cualquier máquina, cuanto más rápidamente funcione, más pronto se hace el trabajo.
- *Software* que ejecuta una función principal y bastante repetitiva; por ejemplo, una máquina de base de datos o una de gráficas.

enter key
tecla de entrada
Véase return key.

enterprise network
red de empresa
Redes dispersas geográficamente bajo la jurisdicción de una organización que generalmente contiene sistemas de varios proveedores.

entity
entidad
En una base de datos, cualquier cosa acerca de la cual se pueda almacenar información; por ejemplo, una persona, un concepto, un objeto físico o un hecho. Usualmente se refiere a una estructura de registro.

entity relationship model
modelo entidad/relación
En una base de datos, modelo de datos que describe atributos de entidades y relaciones entre éstas.

environment
entorno, ambiente
Configuración de un computador que incluye el modelo de CPU y el *software* de sistemas (sistema operativo, comunicaciones de datos y sistemas de base de datos). Este establece los estándares para las aplicaciones que se ejecutan en el mismo. Puede incluir también el lenguaje de programación usado. A menudo, el término se refiere sólo al sistema operativo; por ejemplo, "este programa está ejecutándose en un entorno UNIX".

EPROM (**E**rasable **P**rogrammable **R**ead **O**nly **M**emory)
memoria únicamente de lectura programable y borrable
Chip PROM reutilizable que conserva su contenido hasta ser borrado bajo luz ultravioleta. *Véase PROM programmer.*

Epson emulation
emulación de Epson
Compatible con las impresoras de matriz de puntos Epson. Conjunto de comandos de las impresoras Epson MX, RX y FX que se ha convertido en estándar de la industria.

EPSS (**E**lectronic **P**erformance **S**upport **S**ystem)
sistema electrónico de soporte de rendimiento
Sistema de computadores que proporciona asistencia e información rápida generalmente sin ningún entrenamiento previo. Puede incorporar todas las formas de entrega multimedia, así como también técnicas de IA (inteligencia artificial), por ejemplo, sistemas expertos y reconocimiento de lenguaje natural.

ergonomics
ergonomía, ergonómico
Ciencia de las relaciones hombre-máquina. Un producto diseñado ergonómicamente implica que el dispositivo se combina armónicamente con el cuerpo o con las acciones de una persona.

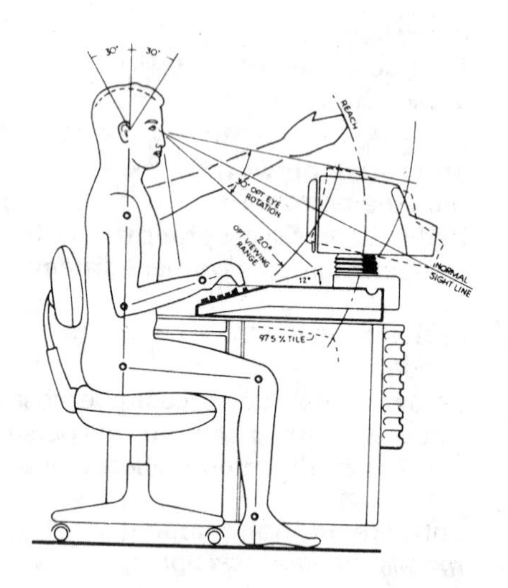

ERGONOMÍA
(Cortesía de Hewlett-Packard)

error checking
verificación de errores
- Comprobación de la transmisión precisa de datos sobre una red de comunicaciones, o internamente dentro de un sistema de computación. *Véanse parity checking* y *CRC.*
- Lo mismo que *validity checking.*

error control
control de errores
Lo mismo que *error checking.*

error detection & correction
detección y corrección de errores
Véanse error checking y *validity checking.*

error-free channel
canal libre de errores
Interfaz (tendido, alambre, cable, etc.) entre dispositivos que no está sujeta a interferencias externas; específicamente no es el sistema telefónico de marcación manual.

error handling
manejo de errores
Rutinas en un programa que responden a errores. La medida de calidad en el manejo de errores está basada en cómo el sistema informa al usuario de tales condiciones o qué alternativas provee para tratarlas.

error rate
tasa de errores
Medida de la calidad de un canal de comunicaciones. Es la relación de la cantidad de unidades erróneas de datos que se encuentran en la cantidad total de unidades de datos transmitidos.

ES/9000
Véase IBM mainframes.

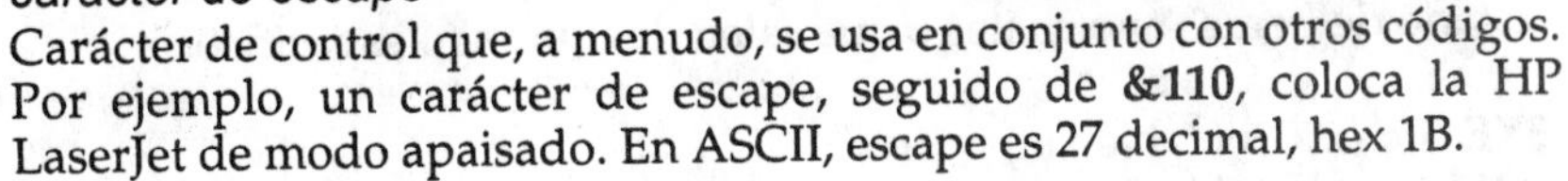

esc
Véanse escape key y *escape character.*

escape character
carácter de escape
Carácter de control que, a menudo, se usa en conjunto con otros códigos. Por ejemplo, un carácter de escape, seguido de **&110**, coloca la HP LaserJet de modo apaisado. En ASCII, escape es 27 decimal, hex 1B.

escape key
tecla de escape
Tecla que se usa comúnmente para salir o cancelar el modo u operación en curso.

escape sequence
secuencia de escape
Orden de máquina que comienza con un carácter de escape. En impresoras se utilizan secuencias de escape. *Véase escape character.*

ESDI (**E**nhanced **S**mall **D**evice **I**nterface)
interfaz resaltada de pequeños dispositivos
Interfaz de disco duro que transfiere datos en el rango de uno a tres *MByte*/seg. Considerado siempre como una interfaz de disco de alto rendimiento y de alta calidad para computadores pequeños. Las unidades IDE incorporan ahora una tecnología similar y rivalizan con el rendimiento ESDI.

Ethernet
Red de área local (IEEE 802.3) que transmite a 10*Mbits*/seg y puede conectarse en total hasta 1,024 nodos. El Ethernet estándar o "thick Ethernet" (10 base 5) usa una topología de *bus* con una longitud de segmento máxima de 1,640 pies y 100 dispositivos. El "Thin Ethernet" o "ThinNet" o "CheaperNet" (10 base 2) emplea una topología de *bus* con una longitud de segmento de 607 pies y 30 dispositivos. El "Twisted pair Ethernet" (10 base T) utiliza alambres telefónicos y conecta dos dispositivos por segmentos hasta 328 pies. El "Fiber Optic Ethernet" (10 base F) extiende la distancia a 1.3 millas y es impenetrable a radiación externa. Estos dos últimos métodos usan una topología en estrella, que se considera mucho más fácil de depurar cuando se expanden las redes.

event driven
controlado por eventos
Aplicación que responde a la entrada del usuario o de otra aplicación a intervalos irregulares. Se controla mediante las elecciones del usuario (seleccionar menú, pulsar botón, etc.).

Excel
Hoja de cálculo con múltiples características de Microsoft para PC y Macintosh. Este programa permite enlazar varias hojas de cálculo para su consolidación; además provee una amplia variedad de gráficas y diagramas comerciales para producir materiales de presentación.

exception report
informe de excepciones
Listado de ítemes anormales o que salen de un rango específico.

EXE file (EXEcutable file)
archivo ejecutable
Programa ejecutable del DOS, OS/2 y VMS. En DOS, programa que cabe en 64K, éste puede ser un archivo COM.

executable
ejecutable
Programa en lenguaje de máquina que está listo para ejecutar en un entorno computacional específico.

execute
ejecutar
Seguir las instrucciones de un programa. Igual a *run*.

execution time
tiempo de ejecución
Tiempo en el cual se ejecuta una sola instrucción.

executive
ejecutivo
Igual a *operating system*.

exit
salida, salir
- Salir del modo actual o abandonar el programa.
- En programación, salir de un lazo, rutina o función en la que está actualmente el computador.

expanded memory
memoria expandida
Véanse EMS y EMM.

expanded memory emulator
emulador de memoria expandida
Administrador de memoria para 386 y superiores que convierte la memoria extendida en memoria EMS. *Véase EMM.*

expansion board
tarjeta de expansión
Tarjeta de circuito impreso que se conecta a una ranura de expansión.
Véase bus extender.

expansion bus
bus de expansión
El *bus* del computador compuesto de una serie de receptáculos o ranuras donde se conectan las tarjetas de expansión (presentación de video, controlador de disco, etc.).

expansion slot
ranura de expansión
Receptáculo dentro de un computador u otro sistema electrónico que acepta las tarjetas de circuito impreso. La cantidad de ranuras determina la futura expansión. En computadores personales, las ranuras de expansión están conectadas al *bus*.

expert system
sistema experto
Aplicación de inteligencia artificial que usa una base de conocimiento de la experiencia humana para ayudar a la solución de problemas. Su éxito se basa en la calidad de los datos y reglas que se obtienen por parte del experto humano. En la práctica, los sistemas expertos rinden más o menos que una persona experta.

export
exportar
Convertir un archivo de datos creado por el programa actual en un formato requerido por otro programa de aplicación.

expression
expresión
En programación, una sentencia que describe datos y procesamiento. Por ejemplo, `valor = 2 * costo` y `producto = "sombrero"` y `color = "gris"`.

extended ASCII
ASCII extendido
Segunda mitad del grupo de caracteres ASCII (caracteres 128 a 255). Los símbolos están definidos por ANSI, por IBM para PC y por otros proveedores para usos propios. Es ASCII no estándar.

E

extended memory
memoria extendida
En los computadores 286 y superiores, memoria por encima de un *megabyte*. *Véase Expanded Memory versus Extended Memory* en *EMS*.

extensible
extensible
Susceptible de ser expandido.

extension
extensión
Categoría de archivos creada bajo DOS y OS/2, agregada al final del nombre del archivo con un punto. Una extensión puede tener hasta tres letras o dígitos; por ejemplo, los archivos ejecutables utilizan las extensiones .EXE, .COM y .BAT.

Todos los programas y la mayor parte de los archivos de datos usan extensiones. Sin embargo, muchos archivos de procesamiento de texto no lo hacen, caso en el cual el usuario puede configurar su propio sistema de archivos; por ejemplo, CAP1.NOV y CAP2.NOV, podrían ser los capítulos de una novela.

F

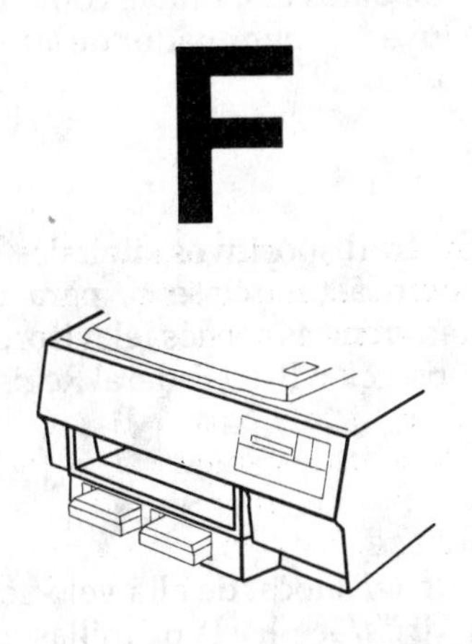

facilities management
administración de instalaciones
Administración de la instalación de computador de un usuario por parte de otra organización externa. Todas las operaciones incluyendo sistemas, programación y el centro de datos, pueden ser realizadas por la organización administradora de las instalaciones en el local del usuario.

Fast Fourier Transform
transformada rápida de Fourier
Clase de algoritmos usados en procesamiento de señales digitales que descomponen señales complejas en sus componentes elementales.

fatal error
error fatal
Condición que prohíbe continuar el procesamiento debido a errores de lectura, de programas, o cualquier otra anomalía.

fault tolerant
tolerante a fallas
Operación continua en caso de falla. Un sistema tolerante a fallas puede ser creado usando dos o más computadores que duplican todo el procesamiento, o contando con un sistema como respaldo en caso de que falle el otro. También pueden construirse con procesadores redundantes, unidades de control y periféricos integrados a nivel de arquitectura desde el principio (Tandem, Stratus, etc.).

fax board
tarjeta de fax
Transmisión de *fax* en una tarjeta de expansión. Ésta utiliza *software* que genera señales de *fax* directamente de los archivos del disco o de la pantalla y transmite una imagen

más nítida que un *fax*, la cual obtiene su imagen mediante *scanning*. Los *fax* que entran se imprimen en la impresora del computador.

fax/modem
modem de fax
Combinación entre tarjeta de *fax* y *modem* de datos disponible como una unidad externa o tarjeta de expansión. Incluye un conmutador de *fax* que remite la llamada al *fax* o al *modem* de datos.

FCC Class
Clase FCC
Certificación FCC de límites de radiación en dispositivos digitales. La certificación de clase A es para uso comercial. La clase B, para uso residencial, es más rigurosa para evitar interferencias con los televisores y otras recepciones caseras. *Véase* parte 15, subsección B del Federal Register (CFR 47, partes 0-19).

FDDI (**F**iber **D**istributed **D**ata **I**nterface)
interfaz de distribución de datos de fibra óptica
Conjunto de normas de ANSI para redes de área local de alta velocidad que utiliza fibra óptica y transmite a 100 *Mbits*/seg hasta 62 millas. Las especificaciones del FDDI se aplican a las capas 1 y 2 del modelo OSI.

FDM (**F**requency **D**ivision **M**ultiplexing)
multiplexado por división de frecuencias
Método que se utiliza para transmitir múltiples señales en un solo canal. Cada señal transmitida (datos, voces, etc.) es modulada sobre una onda portadora de frecuencia diferente y todas las señales viajan simultáneamente en el canal. Compárese con *TDM* (*Time Division Multiplexing*). *Véase baseband*.

FDX
Véase full-duplex.

feasibility study
estudio de factibilidad
Análisis de un problema para decidir si puede solucionarse de manera efectiva. Los aspectos operacionales (¿va a funcionar?), económicos (costos y beneficios) y técnicos (¿puede hacerse?), son parte del estudio. Los resultados de un estudio de factibilidad determinan si debe implementarse o no la solución.

field
campo
Unidad física de datos que ocupa uno o más *bytes*. Una colección de campos forma un registro. Un campo también define una unidad de datos en un documento fuente, pantalla o informe. Ejemplos de campos son NOMBRE, DIRECCIÓN, CANTIDAD e IMPORTE POR PAGAR.

El campo es el común denominador entre el usuario y el computador. Cuando se consulta y actualiza interactivamente una base de datos, se hace referencia a los datos por el nombre del campo.

Un campo es la unidad física de almacenamiento, mientras que un dato se refiere al dato en sí mismo. Por ejemplo, los ítemes: Chicago, Dallas, Phoenix se almacenan en el campo CIUDAD. Los términos, *campo, elemento de dato, ítemes* y *variables* se refieren a la misma unidad de datos y con frecuencia se identifican entre sí.

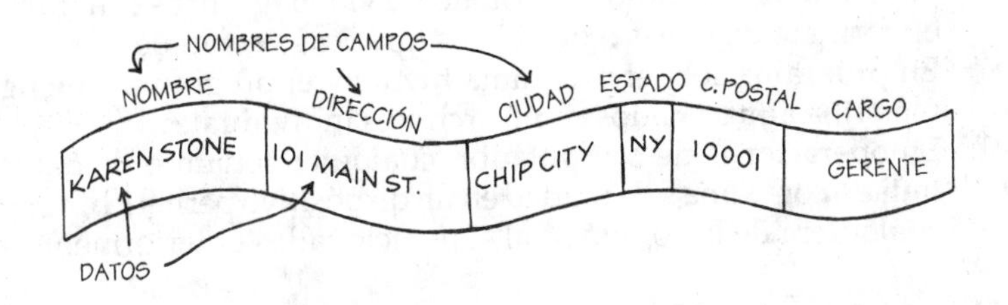

CAMPOS DE UN REGISTRO

field engineer
ingeniero de campo
Individuo responsable de la instalación, mantenimiento y reparación del *hardware*. El entrenamiento formal se hace en electrónica, aunque muchas personas aprenden directamente en el trabajo.

field name
nombre de campo
Nombre asignado a un campo (NOMBRE, DIRECCIÓN, CIUDAD, ESTADO, etc.) que será el mismo en cualquier registro.

field separator
separador de campo
Coma, Tab u otro carácter que se usa para marcar la separación de campos en un registro. *Véase comma delimited.*

field service
servicio de campo
Véase field engineer.

field squeeze
compresión de campo
En una inserción de texto para correspondencia, función que elimina espacios extras en blanco que hay entre palabras cuando se insertan campos prolongados y fijos en el texto del documento. *Véase line squeeze.*

fifth-generation computer
computador de quinta generación
Computador diseñado para aplicaciones de inteligencia artificial. Puesto

F

que estos sistemas aparecerán a finales de los años noventa, van a representar el próximo salto en la tecnología del computador.

file

archivo

- En administración de datos, colección de registros relacionados.
- En procesamiento de textos, único documento de texto.
- En gráficas por computador, conjunto de descriptores de imágenes para una figura, tanto en formato de video (gráficas con trama) como en formato de líneas o de objetos (gráficas vectoriales).
- En programación, el programa fuente y el programa en lenguaje de máquina almacenados como archivos individuales.
- En operaciones de computador, cualquier conjunto de datos que es tratado como una sola unidad en un dispositivo periférico, por ejemplo, cualquiera de los puntos 1 al 4, mencionados anteriormente.

file and record locking

bloqueo de archivos y registros

Técnica de primeros en venir, primeros en ser atendidos, para el manejo de datos en un entorno multiusuario. El primer usuario en tener acceso al primer archivo o registro, impide o bloquea el acceso de los demás usuarios. Una vez actualizado el archivo o registro se desbloquea y queda disponible.

file attribute

atributo de archivo

Clasificación de acceso a archivos que permite recuperar o borrar un archivo. Los atributos comunes son leer/escribir, sólo lectura, archivo y oculto.

file format

formato de archivo

Estructura de un archivo. Hay centenares de formatos propios para archivos de base de datos, procesamiento de texto y gráficas. *Véase record layout.*

file layout

disposición, organización de archivo

Lo mismo que *record layout.*

file maintenance

mantenimiento de archivos

- Actualización periódica de los archivos maestros. Por ejemplo, agregar y suprimir empleados y clientes, realizar cambios en direcciones y modificar los precios de un producto. No se refiere al procesamiento de transacciones diarias de una organización ni al procesamiento por lote (procesamiento de pedidos, facturación, etc.).

- Reorganización periódica de los discos. Los datos que se actualizan de manera continua, se fragmentan físicamente sobre el espacio del disco, y requieren reagrupamiento. Un programa optimizador se ejecuta diaria, semanalmente, etc., y reescribe todo el archivo en forma contigua.

file manager
administrador de archivos

- *Software* que maneja archivos de datos. A menudo mal llamados administradores de bases de datos, los administradores de archivos tienen la capacidad de crear, ingresar, cambiar, consultar y producir informes en un archivo a la vez. No tienen capacidad relacional y usualmente no incluyen un lenguaje de programación.
- *Software* que se usa para administrar archivos en un disco. Suministra funciones para borrar, copiar, mover, renombrar y ver archivos, como también para crear y administrar directorios.

file name
nombre de archivo
Nombre asignado por el usuario o programador, que se usa para identificar un archivo.

file protect ring
anillo de protección de archivo
Anillo plástico insertado en un carrete de cinta magnética para la protección de archivos.

file protection
protección de archivos
Prevención del borrado accidental de datos. La protección física de archivos se consigue en el medio de almacenamiento, generando un *switch*, moviendo una palanca, cubriendo una muesca o insertando un anillo en el carrete de la cinta. La protección lógica de archivos se consigue mediante el sistema operativo, el cual puede designar a un archivo como de solo lectura. Este método permite que ambos archivos comunes (lectura/escritura) y sólo lectura se almacenen en el mismo volumen de disco. También pueden designarse como archivos ocultos, haciéndose invisibles a la mayor parte del *software*.

file recovery program
programa de recuperación de archivos
Software que recupera los archivos de discos borrados o dañados accidentalmente.

file server
servidor de archivos
Computador de alta velocidad en una red de área local (LAN) que almacena los programas y archivos de datos compartidos por los usuarios

en la red. También llamado *network server* (servidor de red), actúa como una remota unidad de disco.

file size
tamaño de archivo
Magnitud de un archivo en *bytes.*

file spec (file **SPEC**ification)
especificación de archivo
Referencia a la ubicación de un archivo en un disco, que incluye la unidad de disco, nombre del directorio y nombre del archivo. Por ejemplo, en DOS y OS/2, `c:\wordstar\books\chapter` es una especificación de archivo para el archivo CHAPTER en el subdirectorio BOOKS del directorio WORDSTAR en la unidad C.

file viewer
visualizador de archivos
Software que muestra el contenido de un archivo como se presentaría normalmente mediante la aplicación que lo creó. Por lo general, es capaz de mostrar una variedad de formatos comunes.

fill
llenar
- En un programa para dibujar, cambiar el color del área rebordeada.
- En una hoja de cálculo, introducir los valores comunes o repetitivos en un grupo de celdas.

fill pattern
patrón de relleno
- Color, sombra o modelo utilizados para rellenar un área de una imagen.
- Señales transmitidas por una estación LAN (red de área local) cuando no se reciben o transmiten datos para mantener la sincronización.

film recorder
grabador de película
Dispositivo que toma una diapositiva de 35mm a partir de un archivo de gráficas, el cual ha sido creado en un paquete de gráficas CAD, para dibujo o comercial. Genera una resolución muy alta, por lo general de 2,000 a 4,000 líneas.

filter
filtro
- Proceso que cambia datos, como una rutina de ordenamiento que modifica la secuencia de los ítemes, o una rutina de conversión (filtro importador o exportador) que modifica un formato de datos, de texto o de gráficas a otro.

Modelo o máscara a través de la cual pasan sólo los datos seleccionados. Por ejemplo, en dBASE, `SET FILTER TO FILE OVERDUE`, compara todos los datos con las condiciones de comparación almacenadas en OVERDUE.

financial planning system
sistema de planificación financiera
Software que ayuda al usuario en la evaluación de alternativas. Están un peldaño más arriba que las hojas de cálculo, suministrando herramientas adicionales de análisis; sin embargo, algunas de estas condiciones están siendo agregadas a las hojas de cálculo. Por ejemplo, un análisis de sensibilidad asigna un rango de valores a un elemento de dato, lo que ocasiona que el dato sea destacado si alguna vez excede ese rango.

La búsqueda de metas es una característica que provee cálculo automático. Por ejemplo, si se introduce: `margen bruto = 50%`, así como los máximos y los mínimos de las diversas entradas, el programa va a calcular una mezcla óptima de las entradas para cumplir el objetivo (salida).

fingerprint reader
lector de impresiones digitales
Scanner que se usa para identificar huellas digitales individuales con propósitos de seguridad.

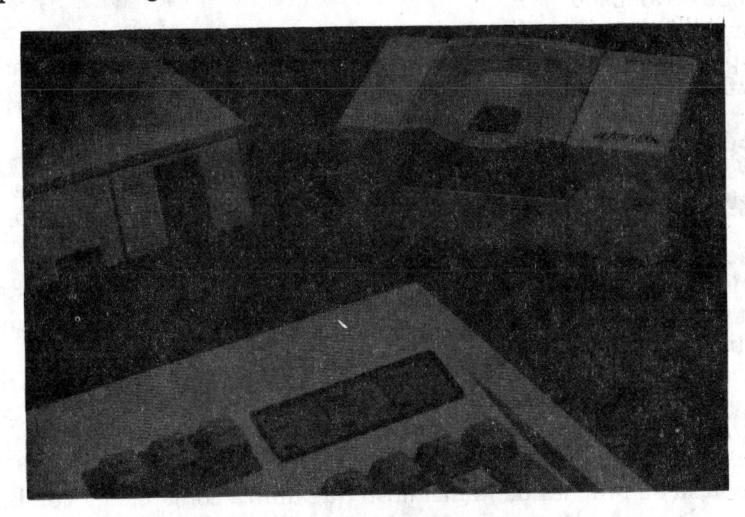

LECTOR DE IMPRESIONES DIGITALES
(Cortesía de Identix Inc.)

firmware
Categoría de *chips* de memoria que conservan su contenido sin energía eléctrica; incluye las tecnologías ROM, PROM, EPROM y EEPROM. El *firmware* se vuelve "*software* duro" cuando contiene código de programas.

first-generation computer
computador de primera generación
Computador que usaba tubos de vacío como elementos de conmutación, por ejemplo, el UNIVAC I.

fixed disk
disco duro (fijo)
Disco duro no removible como se encuentra en la mayor parte de los computadores personales. Los programas y datos son copiados al disco duro y desde él.

fixed-frequency monitor
monitor de frecuencia fija
Monitor que acepta un tipo de señal de video, como VGA. *Véase* la diferencia con *multiscan monitor.*

fixed head disk
disco de cabezal fijo
Dispositivo de almacenamiento de acceso directo, como un disco o tambor que tiene un cabezal lector/grabador para cada pista. Puesto que no hay movimiento del brazo de acceso, los tiempos de entrada mejoran significativamente.

fixed length field
campo de longitud fija
Campos de longitud fija, por ejemplo, un campo de nombre con 25 *bytes* ocupa siempre 25 *bytes* en cada registro. Adviértase la diferencia con *variable length field.*

fixed length record
registro de longitud fija
Registro de datos que contiene campos de longitud fija.

fixed point
punto fijo
Método de almacenamiento y cálculo de números en el cual el punto decimal está siempre en el mismo lugar. Obsérvese la diferencia con *floating point.*

fkey (Function **key**)
tecla de función
Secuencia de órdenes de Mancintosh que utiliza comandos y combinaciones de teclas de opción y mayúsculas (*shift*). Por ejemplo, Fkey 1 (comando *Shift-1*) expulsa el disquete interno.

flag
bandera, indicador
En comunicaciones, código en el mensaje transmitido que indica que los siguientes caracteres son un código de control y no datos.

En programación, un indicador "sí/no" incorporado en cierto *hardware* o creado y controlado por el programador.

flame
llama
Jerga que se refiere a la comunicación emocional y/o excesiva por medio del correo electrónico.

flash memory
memoria flash
Chip de memoria que mantiene su contenido sin energía, pero que se debe borrar completamente. Como los diseños futuros proporcionan borrado de *chips* no en su totalidad, y últimamente, borrado *byte* por *byte*, la memoria *flash* puede proporcionar una alternativa al RAM actual.

flat file
archivo plano
Archivo de datos que no tiene vínculos predefinidos o apunta a ubicaciones de datos en otros archivos.

flat panel display
presentación de panel plano
Pantalla de presentación delgada que usa alguna tecnología como LCD, electroluminiscencia o plasma de gas.

flatbed plotter
trazador plano
Trazador de gráficas que dibuja en hojas de papel colocadas en un tablero. El tamaño del tablero determina la dimensión máxima de la hoja que puede dibujarse.

flexible disk
disco flexible
Igual a *floppy disk*.

flip-flop
Circuito electrónico que alterna entre dos estados.

MANTISA	EXPO-NENTE		VALOR REAL
6508	0	=	6508
6508	1	=	65080
6508	-1	=	650.8

PUNTO FLOTANTE

floating point
punto flotante
Método para el almacenamiento y el cálculo de números en el cual los puntos decimales no se alinean como en los números de punto fijo. Los dígitos significativos son almacenados como una unidad denominada mantisa, y la ubicación del punto radical (coma decimal en base 10) es almacenada en una unidad separada llamada exponente. Los métodos de punto flotante se usan para calcular rápidamente un gran rango de números.

Las operaciones de punto flotante pueden ser implementadas en el *hardware* (coprocesador matemático) o pueden hacerse en el *software*.

floating point processor
procesador de punto flotante
Unidad aritmética que está diseñada para realizar operaciones de punto flotante.

floppy disk
disco flexible, disquete
Medio de almacenamiento magnético reutilizable. También llamado disquete. Es el principal método para distribuir *software* para computadores personales. También se utiliza para transferir datos entre usuarios, aunque las redes de área local (LAN) eliminan en gran parte esta "red de bribones".

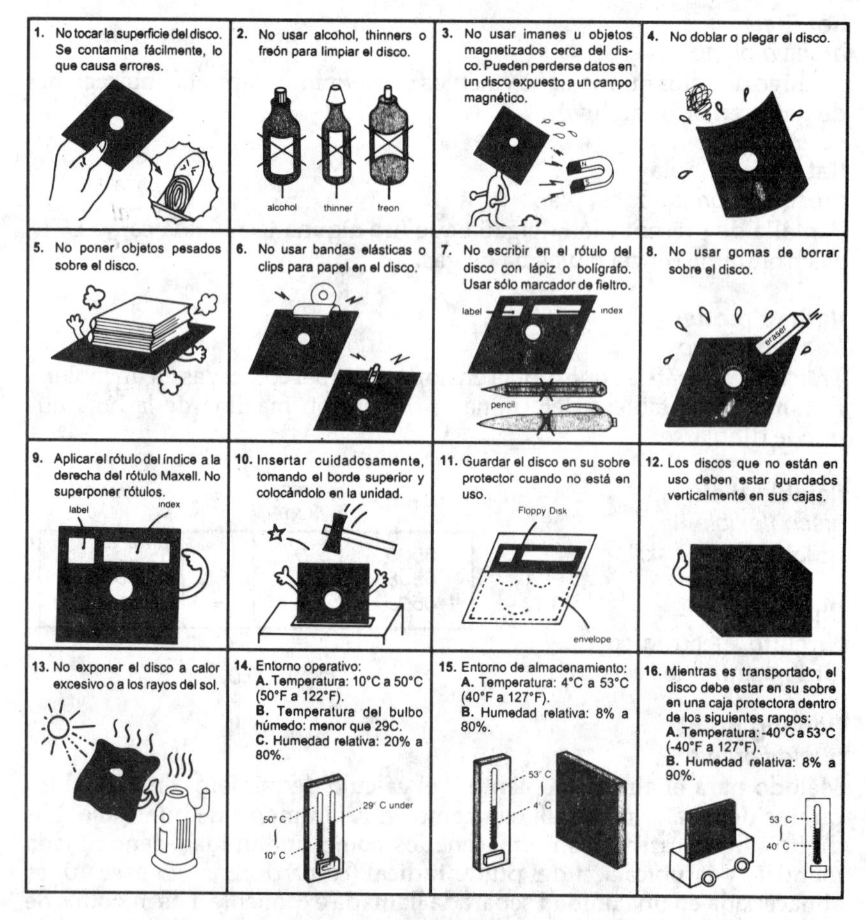

MANEJO Y ALMACENAMIENTO DE DISQUETES
(Cortesía de Maxell Corporation)

Los dos principales formatos son un sobre cuadrado de 5.25" y cartuchos rígidos de 3.5". Utiliza un disco flexible con una superficie de grabación magnética como la cinta. La unidad de disco toma el disco por su centro y lo hace girar dentro de su sobre, y la cabeza de lectura/escritura hace el contacto con la superficie a través de una abertura en el sobre, caja o cartucho del disco flexible.

Aunque los discos flexibles se ven iguales, lo que se graba en éstos determina su capacidad y compatibilidad. Cada disco flexible nuevo debe "formatearse", con lo cual se registran los sectores en el disco que contendrán los datos. Los formatos para PC, Mac, Apple II, Amiga y Atari son diferentes, aunque la mayor parte lee y escribe disquetes para PC (DOS). *Véanse format program* y *Floptical disk.*

FLOPS (**FL**oating point **O**perations **P**er **S**econd)
operaciones de punto flotante por segundo
Unidad de medida de cálculos de punto flotante. Por ejemplo, 100 *megaflops* son 100 millones de operaciones de punto flotante por segundo.

Floptical disk
Disco flexible de Insite Peripherals, Inc., San José, CA, que registra los datos en forma magnética, pero los surcos en el disco se usan para alinear ópticamente la cabeza sobre las pistas. La primera unidad *floptical* de 3.5" utiliza disquetes de 21MB y también puede leer y escribir discos de 720K y 1.44MB.

flow chart
diagrama de flujo
Representación gráfica de la secuencia de operaciones en un sistema de información o programa.

flow control
control de flujo
- En comunicaciones, gestión de la transmisión de datos. Ésta asegura que la estación de recepción pueda procesar los datos antes de que se envíe el siguiente bloque.
- En programación, sentencias *if-then* y *loop* que componen la lógica del programa.

flush
vaciar
Vaciar los contenidos del *buffer* de memoria en un disco.

FM (**F**requency **M**odulation)
modulación de frecuencia
Técnica de transmisión de comunicaciones que modula una señal de datos en una frecuencia portadora fija, modificando (modulando) la frecuencia portadora. *Véase modulate.*

Fn key (FuNction key)
tecla de función
Tecla que trabaja como la tecla *shift* para activar la segunda función en una tecla de doble propósito y se encuentra comúnmente en computadores portátiles para reducir el tamaño del teclado. La tecla Fn es diferente de las teclas de funciones F1, F2, etc.

folder
carpeta
En Macintosh, carpeta de archivo simulada que contiene documentos (textos, datos o gráficas), aplicaciones y otras carpetas. Una carpeta es análoga a un directorio del DOS, mientras que una carpeta dentro de otra carpeta es análoga a un subdirectorio del DOS.

CARPETAS DEL MACINTOSH
En Macintosh, las carpetas están representadas por figuras diminutas (iconos) con leyendas. La carpeta glosario es la seleccionada.

font
tipo, clase de caracteres tipográficos
Conjunto de caracteres tipográficos de un diseño y tamaño particular. Cada estilo de letra (Times Roman, Helvetica, etc.) incluye peso normal y variaciones de negrilla, itálica y negrilla-itálica del estilo de letra, que constituyen cuatro clases del tipo. *Véanse bitmapped font* y *scalable font*.

font cartridge
cartucho de tipos
Conjunto de tipos por mapas de *bits* o por entornos para uno o más estilos de letras, contenido en un módulo que se inserta en una ranura de la impresora. Los tipos están almacenados en un *chip* ROM dentro del cartucho. Obsérvese la diferencia con *soft font* e *internal font*.

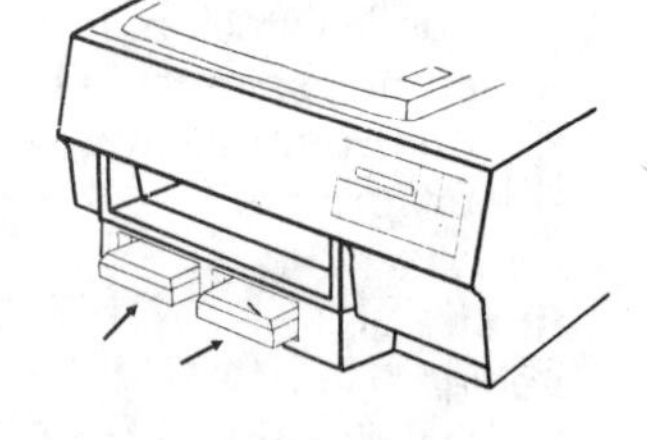

CARTUCHO DE TIPOS

font compiler
compilador de tipos
Igual a *font generator*.

font editor
editor de tipos
Software que permite diseñar y modificar tipos.

font family
familia de tipos
Conjunto de tipos del mismo estilo de letra en diferentes tamaños, que incluye variaciones de negrilla, itálica y negrilla-itálica.

font generator
generador de tipos
Software que convierte un contorno de tipo de letra en un mapa de *bits* (el patrón de puntos preciso que se requiere para un tamaño de tipo de letra en particular). La generación de tipos implica crear tipos y almacenarlos en disco. *Véase font scaler.*

font metric
medidas de tipos
Información tipográfica (ancho, alto y *kerning*) para cada carácter en cualquier tipo.

font scaler
escalador de tipos
Software que convierte tipografías escalables en mapas de *bits* en el *fly* (guarda) según se requiera para su presentación o impresión. Entre algunos ejemplos se incluyen TrueType, Adobe Type Manager y los Bitstream Facelift. *Véanse font generator* y *scalable font.*

font style
estilo de tipo
Variación de estilo de letra (normal, negrilla, itálica y negrilla-itálica).

footprint
huella
Cantidad de espacio geográfico cubierto por un objeto. La huella de un satélite es el área geográfica en la tierra que está cubierta por su transmisión (enlace descendente).

foreground/background
prioritario/no prioritario; preferente/subordinado (de fondo)
Prioridad asignada a los programas que corren en un entorno de multitareas. Los programas *foreground* tienen mayor prioridad, mientras que ésta es menor para los programas *background.* A los usuarios en línea se les asigna el frente, y a las actividades de procesamiento en lotes (ordenamientos, actualizaciones, etc.) se les asigna el fondo. *Véase background processing.*

format
formato
Estructura o disposición de un ítem. Los *screen format* (formatos de pantalla) representan la disposición de campos en la pantalla. Los *report format*

(formatos de informe) son la disposición de la página impresa, que incluye columnas, encabezamientos y los pies de página.

Los *record format* (formatos de registro) representan la disposición de los campos dentro de un registro. Los formatos de archivo son la estructura de los archivos de datos, de los documentos de los procesadores de palabra y de los archivos de gráficas (listados de presentación y mapas de *bits*) y todos los códigos asociados.

format program
programa de formato
Software que inicializa un disco. Existen dos niveles de "formateo". El nivel bajo inicializa la superficie del disco creando pistas físicas y almacenando la identificación del sector de éstas. Los programas de formato de nivel bajo se adaptan a la tecnología de la unidad que se emplea (IDE, SCSI, etc.).

El formato de nivel alto muestra los índices utilizados por el sistema operativo (DOS, Mac, etc.) para mantener el seguimiento de los datos almacenados en los sectores.

Los programas de formato de discos flexibles ejecutan ambos niveles en un disquete.

FORTRAN (FORmula TRANslator)
Véase programming languages.

fourth-generation computer
computador de cuarta generación
Computador que se compone casi por completo de *chips* con cantidades limitadas de componentes discretos.

fourth-generation language
lenguaje de cuarta generación
Lenguaje de computador que es más avanzado que los tradicionales lenguajes de programación. Por ejemplo, en dBASE, el comando LIST muestra todos los registros de un archivo de datos. Los programas de consulta y los escritores de informes son algunos ejemplos.

FoxBASE+, FoxPro
Los programas Fox son DBMS compatibles con dBASE para Macintosh y PC que corren en DOS. Originalmente desarrollado por Fox Software, el *software* de la base de datos Fox es conocido por su velocidad y compatibilidad.

fps
(**F**rames **P**er **S**econd)
cuadros por segundo
Véase frame.

- FPS
  (**F**loating **P**oint **S**ystems, Inc., Beaverton, OR)
  Fabricante de supercomputadores.

FPU (**F**loating **P**oint **U**nit)
unidad de punto flotante
Circuito dentro de un computador que maneja las operaciones de punto flotante.

fractals
Técnica para describir y comprimir en gran parte imágenes, especialmente objetos naturales, como árboles, nubes y ríos. Los *fractals* o matemáticas fraccionarias, vienen de la ciencia del "caos". Convierten una imagen en un conjunto de datos y en un algoritmo, para volver a ampliarla a su estado original.

fractional T1
Servicio que suministra menos de la capacidad total del T1. Se proveen uno o más subcanales de 64Kbps.

fragmentation
fragmentación
Almacenamiento no contiguo de datos en un disco. A medida que se actualizan los archivos, se almacenan nuevos datos en el espacio libre disponible, los cuales pueden no ser contiguos. Los archivos fragmentados generan un movimiento extra del cabezal, haciendo más lento el acceso al disco. Un programa de mantenimiento de disco u optimizador se utiliza para volver a escribir o reordenar todos los archivos.

frame
marco, cuadro
- En gráficas por computador, contenido de una pantalla de datos o su espacio equivalente de almacenamiento.
- En comunicaciones, grupo de *bits* que constituyen un bloque elemental de datos para su transmisión mediante ciertos protocolos.
- En inteligencia artificial, estructura de datos que contiene una descripción general de un objeto, que se deriva de los conceptos básicos y de la experiencia.

frame buffer
almacenamiento transitorio de cuadros
Componente individual de la memoria que contiene una imagen gráfica. Los *buffer* de cuadros pueden tener un plano de memoria para cada *bit* en el *pixel;* por ejemplo, si se usan ocho *bits* por *pixel*, hay ocho planos individuales de la memoria.

frame grabber
tomador de cuadros
Dispositivo que convierte imágenes de video en el computador. El *frame grabber* acepta señales estándares de televisión y digitaliza el cuadro actual de video transformándolo en una imagen gráfica de computador.

frame relay
relay de cuadro o trama
Protocolo de conmutación de paquetes de alta velocidad que proporciona una transmisión más rápida que X.25. Es más adecuado para la transferencia de datos y de imágenes que para la voz.

FrameMaker
Programa de autoedición de Frame Technology Corp., San José, CA, que se ejecuta en plataformas UNIX, Macintosh y Windows. Se destacan sus capacidades integradas de texto y gráficas.

frequency division multiplexing
multiplexado mediante división de frecuencias
Véase FDM.

frequency modulation
modulación de frecuencia
Véase FM.

front end processor
procesador frontal
Computador que maneja el procesamiento de comunicaciones en *mainframe*. Se conecta a las líneas de comunicaciones en un extremo y al *mainframe* en el otro. Transmite y recibe mensajes, ensambla y desensambla paquetes y corrige errores.

FUD factor (**F**ear **U**ncertainty **D**oubt factor)
factor de miedo, incertidumbre y duda
Estrategia de mercadeo de una organización dominante o privilegiada que restringe la competencia al no revelar planes futuros.

full-duplex
dúplex completo o simultáneo
Transmisión y recepción simultánea.

full featured
con todas las características
Hardware o *software* que provee capacidades y funciones comparables a los modelos o programas más avanzados en la misma categoría.

full path
vía de acceso completa
Nombre de la vía de acceso que incluye la unidad, directorio inicial o raíz,

todos los subdirectorios incluidos y el final con el archivo o nombre del objeto.

full project life cycle
ciclo vital completo de un proyecto
Proyecto, desde su comienzo hasta su finalización.

full screen
pantalla completa
Capacidad de programación que permite que los datos sean presentados en cualquier fila o columna de la pantalla. Obsérvese la diferencia con modo *teletype.*

fully populated
completamente poblado
Tarjeta de circuito cuyo enchufe hembra o zócalo está ocupado totalmente con *chips.*

function
función
En programación, rutina de *software* que hace una tarea particular. Cuando el programa pasa el control a una función, ésta realiza la tarea y devuelve el control a la instrucción siguiente que la llamó.

function keys
teclas de función
Conjunto de teclas que se usan para dar órdenes al computador (marcadas F1, F2, etc.). F1 usualmente es la tecla de ayuda, pero el propósito de cualquier tecla de función está determinado por el *software* que se corre en ese momento.

TECLAS DE FUNCIÓN PARA PROPÓSITOS ESPECIALES

TECLAS DE FUNCIÓN PARA PROPÓSITOS GENERALES

functional specification
especificación funcional
Proyecto para el diseño de un sistema de información. Provee documentación para los procedimientos de base de datos, humanos y de máquina, y todos los detalles de introducción, procesamiento y salida para cada entrada, consulta o actualización de datos y programas de informes en el sistema.

fuzzy computer
computador difuso
Computador diseñado especialmente, que emplea lógica difusa y es empleado en aplicaciones de inteligencia artificial.

fuzzy logic
lógica difusa
Técnica matemática que puede tratar con valores entre 0 y 1, y es más parecida a la lógica humana que a la lógica digital. Los resultados pueden ser en su mayor parte verdaderos y en su mayor parte falsos, en vez de verdaderos y falsos.

fuzzy search
búsqueda difusa
Búsqueda inexacta de datos para encontrar respuestas parecidas a los datos deseados. Las búsquedas difusas pueden lograr resultados cuando no se conoce el deletreo exacto de un texto, o ayudar a los usuarios a obtener información no relacionada con un tema.

G

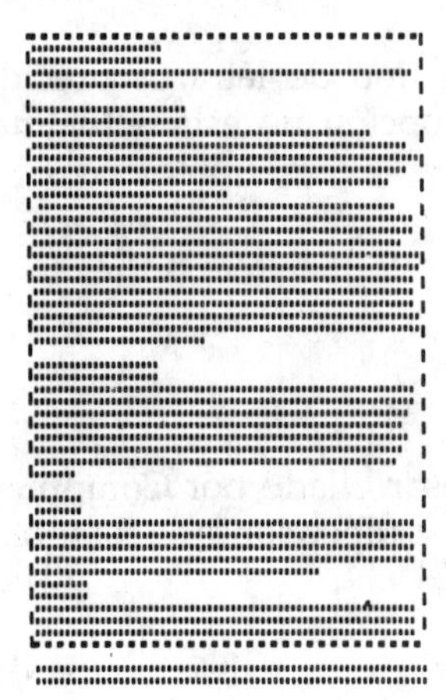

G
Véase giga.

game port
puerto para juegos
Conector I/O (*Input/Output*) que se conecta a un *joy stick*. Por lo general en un zócalo de 15 pines en la parte posterior de un PC.

gate
puerta, compuerta
Conmutador abierto/cerrado o patrón de transistores que conforman una puerta.

gateway
puerta de acceso
Computador que interconecta y realiza la conversión de protocolos entre dos tipos de redes. Por ejemplo, una puerta de acceso entre una red LAN de computadores personales y una red de *mainframe*. *Véase bridge.*

GB, Gb
Véanse gigabyte y *gigabit.*

Gbit
Véase gigabit.

Gbits/sec (**G**iga**BITS** per **SEC**ond)
gigabits por segundo
Miles de millones de *bits* por segundo.

GBps, Gbps (**G**iga**B**ytes **P**er **S**econd, **G**iga**B**its **P**er **S**econd)
gigabytes por segundo, gigabits por segundo
Miles de millones de *bytes* por segundo. Miles de millones de *bits* por segundo.

GByte
Véase gigabyte

Gbytes/sec (GigaBYTES per SECond)
gigabytes por segundo
Miles de millones de *bytes* por segundo.

GeoWorks Ensemble
Popular entorno operativo gráfico para DOS de GeoWorks, Inc., Berkeley, CA, que incluye procesamiento de textos, dibujos, comunicaciones, archivo de tarjetas y aplicaciones de calendario. Los usuarios pueden introducir todas las aplicaciones a partir de Ensemble.

ghost
fantasma; imagen desdoblada
- Segunda imagen débil que aparece cerca de la imagen primaria en una presentación o impresión.
- Mostrar una opción de menú con un tipo de letra oscurecido y borroso, con el fin de indicar que la opción no está actualmente disponible.

GHz (GigaHertZ)
Mil millones de ciclos por segundo.

GIF (Graphics Interchange Format)
formato de intercambio de gráficas
Popular formato de archivos de rastreo desarrollado por CompuServe que maneja color de 8 *bits* (256 colores) y utiliza proporciones de compresión aproximadamente de uno a dos (1 : 2).

giga
Mil millones. Se abrevia "G". Con frecuencia se refiere al valor preciso de 1,073,741,824, puesto que las especificaciones del computador son usualmente números binarios.

gigabit
Mil millones de *bits*. También Gb, Gbit y G-bit. *Véanse giga* y *space/time*.

gigabyte
Mil millones de *bytes*. También GB, Gbyte y G-byte. *Véanse giga* y *space/time*.

gigaflops (GIGA FLoating point OPerations per Second)
gigaoperaciones de punto flotante por segundo
Mil millones de operaciones de punto flotante por segundo.

GIGO (Garbage In Garbage Out)
entra basura, sale basura
"Un *input* malo genera un *output* malo". El ingreso de datos es fundamental. Todas las pruebas posibles deben realizarse en los datos introducidos en un computador.

GIGO también significa *"Garbage In, Gospel Out"* (entra basura, sale evangelio). ¡Las personas confían demasiado en "las salidas del computador"!

GIS (**G**eographic **I**nformation **S**ystem)
sistema de información geográfica
Mapas digitales utilizados para la exploración, demografía, despacho y rastreo.

glare filter
filtro de resplandor
Fina pantalla reticulada que se ubica sobre una pantalla de CRT para reducir el resplandor de la luz de arriba y del ambiente.

glitch
interferencia; falla aleatoria
Cualquier mal funcionamiento temporal o aleatorio en el *hardware*.

global
Perteneciente a todo un archivo, base de datos, volumen, programa o sistema.

goal seeking
búsqueda de metas
Capacidad para calcular una fórmula a partir de su forma final para obtener la entrada adecuada. Por ejemplo, dada la meta `margen bruto = 50%`, así como también la gama de entradas posibles, la búsqueda de metas trata de obtener una entrada óptima.

gooey
Véase GUI.

GPIB (**G**eneral **P**urpose **I**nterface **B**us)
bus de interfaz de propósitos generales
Interfaz paralela estándar IEEE 488 que se utiliza para conectar sensores e instrumentos programables a un computador, que además utiliza un conector de 24 pines. La versión de Hewlett Packard es HPIB.

GPS (**G**lobal **P**ositioning **S**ystem)
sistema de posicionamiento global
Serie de satélites que transmiten en forma continua y que se utilizan para identificar ubicaciones en la tierra. Mediante una triangulación de estos tres satélites, una unidad receptora puede señalar dónde se encuentra en la tierra.

GPSS (**G**eneral **P**urpose **S**imulation **S**ystem)
sistema de simulación de propósitos generales
Lenguaje de programación para la simulación de eventos discretos, utilizado para desarrollar modelos de operaciones, como entornos de manufactura, sistemas de comunicaciones y patrones de tráfico. Originalmente desarrollado por IBM para los *mainframe*, las versiones para PC están ahora disponibles.

grabber hand
mano "cogedora"
Puntero con la forma de una mano que se mueve con un *mouse* para "coger" y recolocar objetos en una pantalla.

graceful degradation
degradación elegante
Sistema que continúa la ejecución a un nivel de desempeño reducido cuando falla uno de sus componentes.

graceful exit
salida elegante
Habilidad para salir de una situación problemática en un programa, sin tener que apagar el computador.

grammar checker
verificador gramatical
Software que comprueba la gramática de una oración. Puede verificar y destacar oraciones incompletas, frases difíciles, palabrería y gramática deficiente.

graphics
gráficas
Usualmente se refiere a "computación gráfica", esto es la creación de dibujos mediante el computador. *Véanse raster graphics, vector graphics, imaging, scanner, digitizer tablet, drawing program, paint program* y *CAD*.

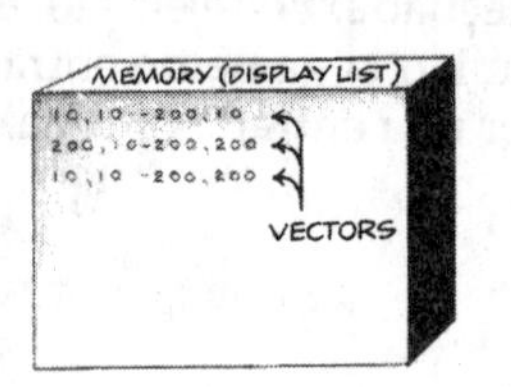

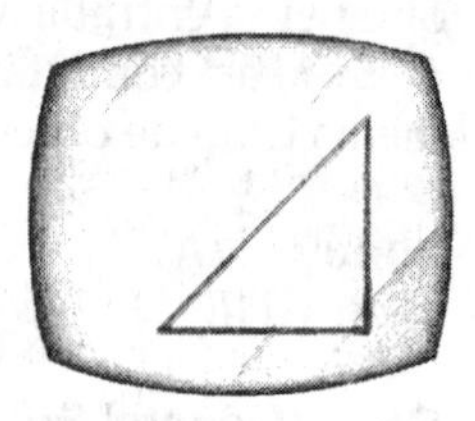

GRÁFICAS DE VECTORES

graphics accelerator
acelerador de gráficas
Tarjeta de presentación de video de alto desempeño que es optimizada para interfaces gráficas de usuario y que realiza

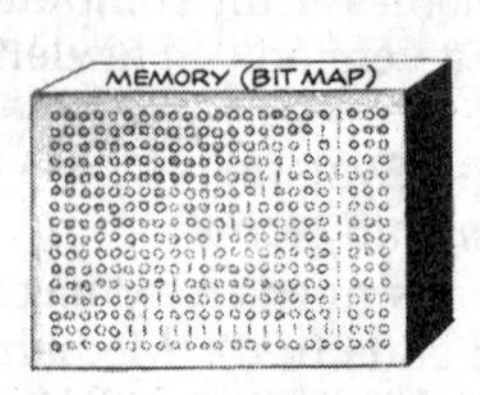

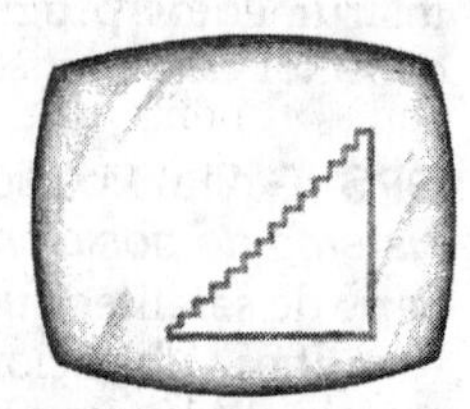

GRÁFICAS CON TRAMA

varias funciones de dibujo dentro del propio *hardware* de la tarjeta. *Véase Winmark.*

graphics adapter
adaptador gráfico
Lo mismo que *video display board.*

graphics card
tarjeta gráfica
Lo mismo que *video display board.*

graphics engine
máquina de gráficas
Hardware que realiza el procesamiento de gráficas, independientemente de la CPU del computador. Por lo general, está diseñada para sistemas CAD y es más especializada que un acelerador de gráficas.

graphics file
archivo de gráficas
Archivo que contiene sólo datos de gráficas. Compárese con *text file* y *binary file.*

graphics interface
interfaz gráfica
Véanse graphics language y *GUI.*

graphics language
lenguaje de gráficas
Lenguaje de alto nivel usado para crear imágenes gráficas. El lenguaje se traduce a imágenes gráficas mediante *software* o *hardware* especializados. *Véase graphics engine.*

graphics mode
modo gráfico
Modo de visualización de pantalla que presenta sólo gráficas. Adviértase la diferencia con *text mode.*

gray scale
escala de grises
Serie de matices que va del blanco al negro. Cuantos más niveles tenga la escala de grises, más realista podrá ser la presentación de una imagen, especialmente una fotografía trabajada con *scanner.* Los *scanner,* por lo general, diferencian desde 16 hasta 256 niveles de grises.

greek
griego (en el sentido de "ininteligible")
Exhibir texto en forma representativa en la cual las letras existentes no son discernibles, porque la resolución de la pantalla no es lo suficientemente

alta para mostrarlas en forma apropiada. Los programas de publicaciones de escritorio permiten fijar cuáles tamaños de tipos deben mostrarse en "griego".

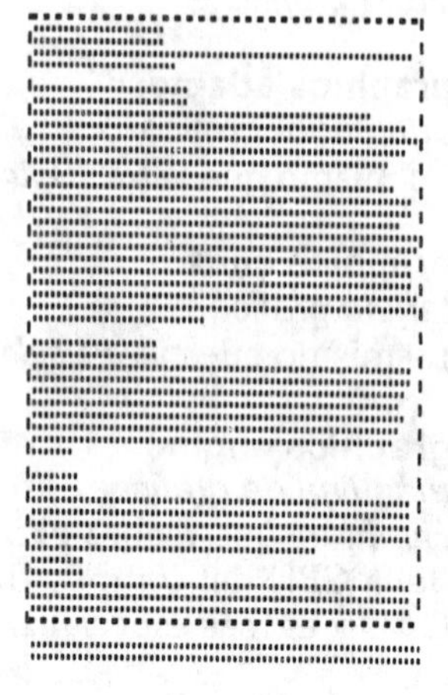

GREEKING
(Tipografía "ininteligible")

groupware
software de grupos
Software que está diseñado para utilizar en una red y servir a un grupo de usuarios que trabajan interrelacionados con un proyecto.

GUI (**G**raphical **U**ser **I**nterface)
interfaz gráfica de usuarios
Interfaz de usuario basada en gráficas que incorpora iconos, menúes desplegables y un *mouse*. Macintosh, Windows y Presentation Manager (OS/2) son algunos ejemplos.

GUI accelerator
acelerador GUI
Véase graphics accelerator.

H

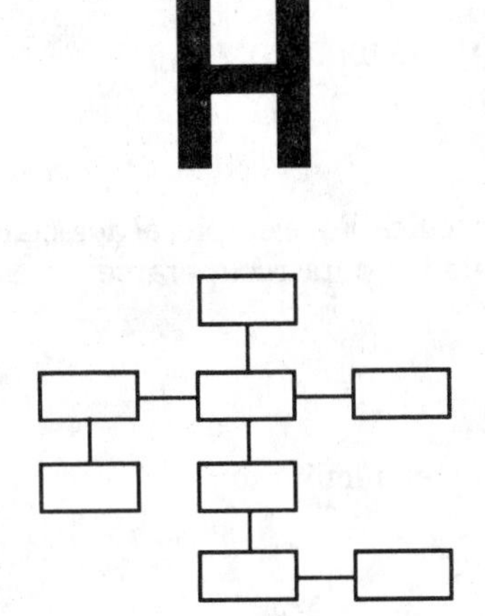

h (Hexadecimal)
hexadecimal
Símbolo que se refiere a un número hexadecimal (hex). Por ejemplo, 09h tiene un valor numérico de 9, mientras que 0Ah tiene un valor de 10.

hacker
pirata informático, intruso informático
Persona que escribe programas en lenguaje ensamblador o en lenguajes a nivel de sistemas, como C. Si bien esto puede referirse a cualquier programador, implica un "desmenuzamiento" muy tedioso de *bits* y *bytes*.

half-duplex
semidúplex
Transmisión de datos en ambas direcciones, pero una sola dirección a la vez. Compárese con *full-duplex*.

half height drive
unidad de media altura
Unidad de disco de 5.25" que ocupa la mitad del espacio vertical que las unidades de la primera genera-ción. Tiene 1.625" de alto por 5.75" de ancho.

halftone
medio tono
En impresión, simulación de una imagen de tono continuo (dibujo sombreado, fotografiado) con puntos. En medios tonos generados en forma fotográfica, una cámara dispara la imagen a través de una pantalla de medio tono, generando puntos pequeños para áreas más iluminadas y puntos más grandes para aquellas áreas más oscuras. La impresión compuesta a nivel digital imprime sólo un tamaño de puntos. Con el propósito de simular puntos

de diferentes tamaños se utiliza el fusionado (*dithering*), que genera grupos de puntos en una "celda de medio tono".

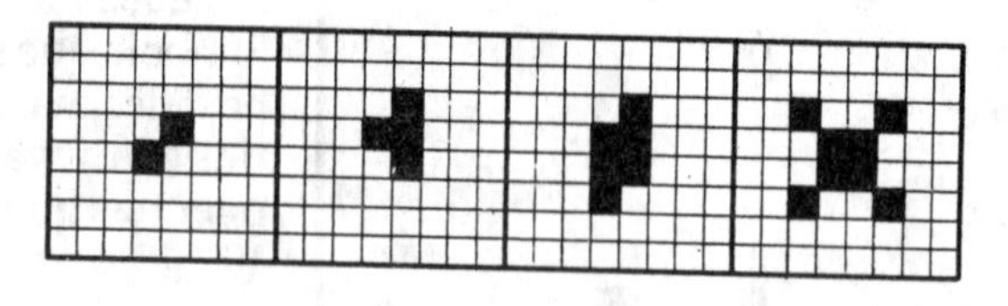

MEDIO TONO

handler
manipulador
Rutina de *software* que realiza una tarea específica. Por ejemplo, al detectarse un error, se llama al respectivo manipulador para recuperarse de esta condición.

handset
aparato telefónico
Parte del teléfono que contiene el altavoz y el micrófono.

handshaking
inicio de comunicación
Señales transmitidas, de ida y vuelta, por una red de comunicaciones que establecen una conexión válida entre las dos estaciones.

hardcard
Familia de discos duros de Plus Development Corp., Milpitas, CA, que aloja la unidad de disco y la electrónica de control en una tarjeta de expansión conectada al PC. Permite una instalación más sencilla y no utiliza todo el compartimiento de la unidad de disco. Muchos computadores pequeños, de escritorio, no tienen compartimientos adicionales para unidades de disco.

hard disk
disco duro
Principal medio de almacenamiento de los computadores que tienen discos rígidos con una superficie de grabación magnética. Los discos duros de los computadores personales contienen desde 20MB hasta 1GB. Los discos duros de los mini y los *mainframe* pueden contener varios gigabytes.

Los discos duros están sellados en forma permanente en la unidad. Los discos duros removibles vienen en paquetes de discos o módulos de cartucho de discos que pueden trasladarse entre los computadores con los mismos tipos de unidades.

Los discos duros, por lo general, se formatean a nivel bajo en la fábrica, donde se registra la identificación original del sector. *Véanse floppy disk* y *format program*.

hard return
retorno duro
Código que se introduce en un documento de texto presionando la tecla *return* (*enter*). Los archivos de texto del DOS y OS/2 utilizan un par CR/LF (*carriage return/line feed* - retorno del carro/salto de línea) pero éste no es estándar [WordPerfect utiliza un solo salto de línea (LF)]. En Macintosh, se usa CR y en UNIX, LF.

hardware
Maquinaria y equipo (CPU, discos, cintas, *modem*, cables, etc.). En una operación, un computador es tanto el *hardware* como el *software*. El uno no sirve sin el otro. El diseño de *hardware* especifica los comandos que puede seguir y las instrucciones que le dicen qué debe hacer.

hardwired
cableado
- Circuito electrónico que está diseñado para realizar una tarea específica.
- Dispositivos que están acoplados estrechamente o en proximidad. Por ejemplo, una terminal cableada se conecta en forma directa a un computador sin pasar a través de una red conmutada.

Harvard Graphics
Popular programa de gráficas de negocios para PC de Software Publishing Corp., Mountain View, CA. Fue uno de los primeros paquetes de gráficas de negocios y tiene la capacidad de generar diagramas de texto en columnas y en formato libre.

hash total
total de verificación; total de control
Método para asegurar la exactitud de los datos procesados. Es un total de varios campos de datos en un archivo, incluyendo campos que normalmente no se utilizan en cálculos, como el número de cuenta. En varias etapas del proceso, el total de verificación es recalculado y comparado con el original. Si se pierde o cambia algún dato, la falta de coincidencia indicará un error.

Hayes compatible
compatible con Hayes
Se refiere a los *modem* controlados por el lenguaje de comandos Hayes. *Véase AT command set.*

Hayes Smartmodem
Familia de los *modem* inteligentes para computadores personales de Hayes Microcomputer Products, Inc., Atlanta, GA. Hayes desarrolló el *modem* inteligente para computadores personales de la primera generación en 1978, y su lenguaje de comandos (Hayes Standard AT Command Set) para el control de *modem* se ha convertido en un estándar de la industria.

HD

🖱 **(High Density)**
alta densidad
Se refiere a los disquetes flexibles de 1.2MB de 5.25" y a los de 1.44MB de 3.5". *Véase high density.*

🖱 **(Hard Disk)**
disco duro
Por ejemplo, FD/HD se refiere al dispositivo de disco flexible o de disco duro como un controlador.

HDX
Véase half-duplex.

head
cabeza o cabezal
Véase read/write head.

head crash
choque del cabezal
Destrucción física de un disco duro. La desalineación o la contaminación con polvo pueden hacer que el cabezal de lectura/escritura choque con la superficie de grabación del disco. Los datos son destruidos, y tanto el plato del disco como el cabezal generalmente deben ser remplazados.

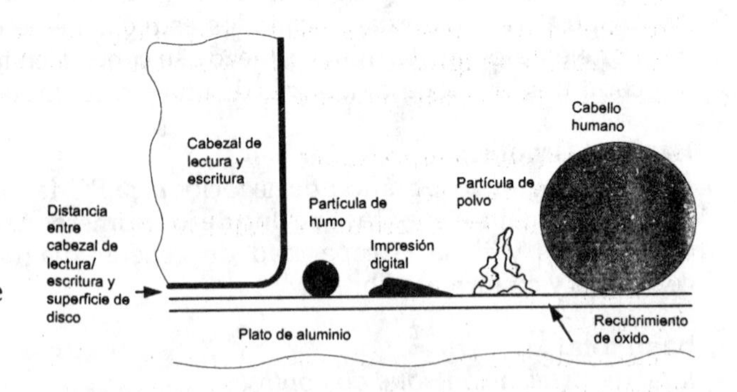

El cabezal de lectura/escritura toca la superficie de un disco flexible, pero en un disco duro se desplaza sin tocar su superficie a una distancia que es menor que el diámetro de un cabello humano.

header
iniciador; encabezamiento, cabecera

🖱 En procesamiento de datos, primer registro de un archivo que se utiliza para la identificación. El nombre del archivo, fecha de la última actualización y varios otros datos de estado se almacenan en éste.

🖱 En un documento o informe, texto común que se imprime al principio de cada página.

🖱 En comunicaciones, la primera parte del mensaje, que contiene datos de control, como estaciones de origen y destino, tipo de mensaje y nivel de prioridad.

🖰 Cualquier título o descripción utilizada como cabecera.

help
ayuda
Instrucción de pantalla con respecto al uso de un programa. En un PC, presionar F1 es el estándar para obtener ayuda. Con las interfaces basadas en gráficas (Mac, Windows, etc.) accionando el *mouse* en "?" o *HELP* se obtiene ayuda. *Véase context sensitive help.*

Hercules Graphics
Estándar de exhibición por video común, de Hercules Computer Technology Inc., Berkeley, CA, incorporada en todas las tarjetas de presentación monocromática para los PC. El primer video monocromático para PC de IBM era sólo para texto. Hercules rápidamente desarrolló un adaptador que combinaba las gráficas y los textos.

Hertz
Frecuencia de vibraciones eléctricas (ciclos) por segundo. Abreviado "Hz", un Hz es igual a un ciclo por segundo. En 1883, Heinrich Hertz detectó las ondas electromagnéticas.

heterogeneous environment
entorno heterogéneo
Equipo de una gran variedad de fabricantes.

heuristic
heurístico
Método de resolver problemas utilizando exploración y métodos de ensayo y error. El diseño heurístico de programas provee un marco para resolver determinado problema en contraste con un conjunto fijo de reglas (algoritmo) que no puede variar.

Hewlett-Packard
Véase vendors.

hex (HEXadecimal)
hexadecimal
Hexadecimal significa 16. Sistema numérico de base 16 usado como forma abreviada para representar números binarios. A cada medio *byte* (cuatro *bits*) se le asigna un dígito hex.

Dec	Hex	Binario	Dec	Hex	Binario	Dec	Hex	Binario
0	0	0000	6	6	0110	10	A	1010
1	1	0001	7	7	0111	11	B	1011
2	2	0010	8	8	1000	12	C	1100
3	3	0011	9	9	1001	13	D	1101
4	4	0100				14	E	1110
5	5	0101				15	F	1111

hexadecimal
Véase hex.

hi res
alta resolución
Lo mismo que *high resolution.*

hidden file
archivo oculto
Clasificación de archivos que impide el acceso a un archivo. El archivo oculto, por lo general, es un archivo del sistema; sin embargo, los programas utilitarios permiten que los usuarios oculten archivos para evitar acceso no autorizado.

hierarchical
jerárquico
Estructura compuesta por diferentes niveles, como el organigrama de una compañía. Los niveles más altos tienen control o prioridad sobre los niveles más bajos. Las estructuras jerárquicas son una relación de uno a muchos; cada elemento tiene uno o más elementos debajo de éste.

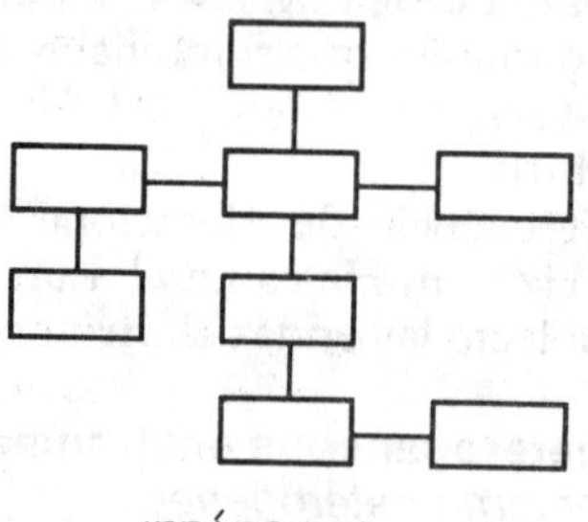
JERÁRQUICO

En comunicaciones, una red jerárquica se refiere a un solo computador que tiene el control sobre todos los nodos conectados a éste.

hierarchical communications
comunicaciones jerárquicas
Red controlada por un computador central que es el responsable de dirigir todas las conexiones. Compárese con *peer-to-peer communications.*

hierarchical file system
sistema jerárquico de archivos
Método de organización de archivos que almacena datos en una estructura organizacional descendente. Todo acceso a los datos comienza desde arriba (el directorio raíz en el DOS y OS/2; la ventana del disco en un Mac) y procede a lo largo de los niveles de la jerarquía.

high color
color de alta densidad
Capacidad de generar 32,768 colores (15 *bits*) o 65,536 colores (16 *bits*). *Véase true color.*

high density
alta densidad
Se refiere al aumento de la capacidad de almacenamiento en *bits* y/o pistas por pulgada cuadrada. *Véase HD.*

high DOS memory
memoria alta de DOS
Lo mismo que *UMA*.

high-level format
formato de alto nivel
Información (índices, tablas, etc.) grabada en un disco que necesita un sistema operativo específico. *Véase low-level format*.

high-level language
lenguaje de alto nivel
Lenguaje de programación independiente de la máquina, como FORTRAN, COBOL, BASIC, Pascal y C. Los lenguajes de alto nivel permiten que los programadores se concentren en la lógica de los problemas por resolver, en vez de hacerlo en la intrincada arquitectura de la máquina, como se requiere en los lenguajes de ensamblador de bajo nivel.

high memory
memoria alta
- Memoria última y más alta.
- En los PC, el área entre 640K y 1M, o el área de memoria alta *(HMA)* de 64K entre 1,024K y 1,088K.

high resolution
alta resolución
Imagen de alta calidad en una pantalla de presentación o en un formato impreso. Cuantos más puntos se utilicen por pulgada cuadrada, mejor será la calidad. Para presentar imágenes totalmente realistas que incluyan las tonalidades de la piel humana se requiere aproximadamente 1,000 x 1,000 *pixels* en una pantalla de 12" de diagonal. Las impresoras láser de oficina imprimen textos y gráficas respetables a 300 dpi, pero las máquinas de composición tipográfica imprimen 1,270 y 2,540 dpi.

High Sierra
Primer estándar CD ROM denominado así por una zona cerca del Lago Tahoe donde se concibió en 1985. Posteriormente evolucionó al estándar ISO 9660.

high tech
alta tecnología
Se refiere a los últimos avances en computadores y electrónica, así como al ambiente político y social y a las consecuencias originadas por las máquinas.

highlight
destacar, resaltar
Identificar un área en la pantalla con el fin de seleccionarla, moverla, borrarla o cambiarla de alguna manera.

highlight bar
barra resaltada
Elemento del menú que se destaca en ese momento. La selección se hace moviendo la barra al ítem deseado y presionando *Enter* o el botón del *mouse*. La barra es de color diferente en las pantallas a color o en video inverso en las pantallas monocromáticas; por ejemplo, negro sobre ámbar si normalmente es ámbar sobre negro.

HiJaak
Programa de conversión de archivos gráficos y de captura de pantallas para PC de Inset Systems Inc., Brookfield, CT. Respalda una gran variedad de formatos de tarjeta de *fax*. También puede realizar la conversión entre formatos de PC y Mac.

HIMEM.SYS
Unidad de memoria extendida (XMS) en DOS 5.0 y Windows 3.x que permite a los programas asignar de manera cooperativa la memoria extendida en máquinas 80286 y superiores.

hints
indicaciones
Adiciones especiales a los tipos de caracteres PostScript que instruyen al dispositivo de imágenes para alterar el espacio y otras características del tipo, basándose en el tamaño, especialmente para los tipos pequeños.

HMA (High Memory Area)
área de memoria alta
En los PC, los primeros 64K de memoria extendida desde 1,024K hasta 1,088K, que pueden tener acceso mediante el DOS en modo real. El controlador HIMEM.SYS utiliza esta memoria.

Hollerith machine
máquina de Hollerith
Primer sistema de procesamiento automático de datos. Se utilizó para hacer el conteo del censo de 1890 en los Estados Unidos. Desarrollado por Herman Hollerith, un estadístico que había trabajado en el Census Bureau, este sistema utilizaba una perforadora manual para registrar los datos en una tarjeta perforada del tamaño de un billete de un dólar, y una máquina tabuladora para contabilizarlos.

HERMAN HOLLERITH
(Cortesía de Library of Congress)

MÁQUINA TABULADORA HOLLERITH
(Cortesía de The Smithsonian Institution)

horizontal scan frequency
frecuancia de exploración horizontal
Cantidad de líneas iluminadas en una pantalla de video en un segundo. Por ejemplo, una resolución de 400 líneas renovadas 60 veces por segundo requiere una velocidad de exploración por lo menos de 24Hz. Compárese con *vertical scan frequency*.

host
anfitrión
Computador central en un entorno de procesamiento distribuido. Por lo general, se refiere a un gran computador de tiempo compartido o un computador central que controla una red.

hotkey
tecla caliente
Tecla o combinación de teclas que hace que alguna función se ejecute en el computador, sin importar qué otra cosa se esté llevando a cabo en ese momento. Las "teclas calientes" se usan comúnmente para activar un programa residente en memoria (TSR).

hot link
enlace caliente
Conexión predefinida entre programas, de tal manera que cuando se cambia la información en una base de datos o en un archivo, también se actualiza la información relacionada en otras bases de datos y archivos. *Véanse compound document* y *OLE*.

hot spot
punto caliente
Localización exacta del cursor en pantalla y que afecta el objeto de la pantalla cuando se presiona el *mouse*. Por lo general, es la punta de una flecha o un puntero como un dedo, pero puede ser cualquier elemento con otros diseños.

housekeeping
preparación inicial de un programa
Conjunto de instrucciones que se ejecutan al principio de un programa. El *housekeeping* pone todos los contadores y señales a sus valores iniciales, y generalmente deja listo el programa para ejecutarlo.

HP (Hewlett-Packard Company)
Véase vendors.

hub
eje, centro
Dispositivo de comunicación central para líneas de comunicaciones en una topología de estrella. Es posible que no agregue nada a la transmisión (eje pasivo) o puede contener dispositivos electrónicos que regeneren las señales para incrementar la fuerza, así como la actividad del monitor (eje pasivo, eje inteligente).

HyperCard
Sistema de desarrollo de aplicaciones de Apple que corre en Macintosh. Mediante las herramientas visuales, los usuarios construyen "pilas" de "tarjetas" que contienen datos, texto, gráficas, sonido y video con uniones de hipertexto entre éstos. El lenguaje de programación HyperTalk permite desarrollar aplicaciones complejas.

hypercube
hipercubo
Arquitectura de procesamiento paralelo formada por múltiplos binarios de computadores (4, 8, 16, etc.). Los computadores se interconectan de modo que el recorrido de los datos se reduce a un mínimo. Por ejemplo, en dos cubos de ocho nodos, cada nodo en un cubo estaría conectado al nodo que es su correspondiente en el otro cubo.

hypertext
hipertexto
Vincular información relacionada. Por ejemplo, al seleccionar una palabra en una frase, se recupera información sobre esa palabra, si existe, o se encuentra la próxima vez que aparezca la palabra. En las versiones Windows e HyperCard de *Electronic Computer Glossary*, el usuario puede marcar con el *mouse* o resaltar un término del glosario dentro de la definición que esté leyendo, y aparecerá la definición para dicho término.

I

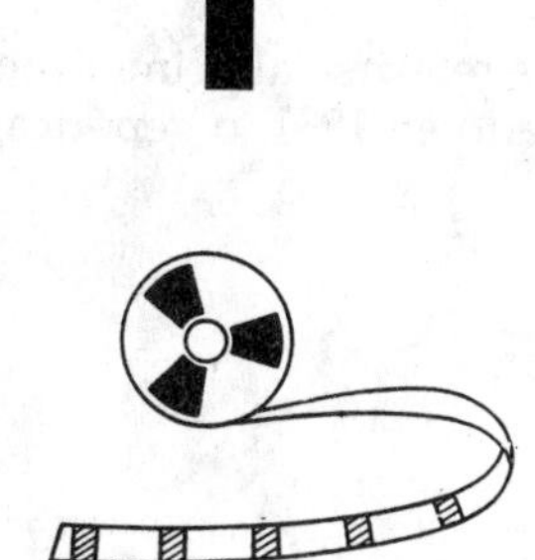

IBM (International **Business Machines Corporation)**
Véase vendors.

IBM-compatible PC
PC compatible con IBM
Computador personal que es compatible con los estándares PC y PS/2 de IBM.

IBM mainframes
los mainframe de IBM
Computadores de gran escala de IBM. La siguiente serie de computadores procede de la arquitectura del System/360, introducida en 1964.

Fecha de lanzamiento	Nombre de la serie y modelos
1964	System/360 (Modelos 20 al 195)
1970	System/370 (Modelos 115 al 168)
1977	Serie 303x (3031, 3032, 3033)
1979	Serie 43xx (4300 al 4381, ES/4381)
1980	Serie 308x (3081, 3083, 3084)
1986	Serie 3090 (Modelos 120 al 600, ES/3090)
1986	Serie 9370 (Nivel de entrada; 9370, ES/9370)
1990	System/390 (ES/9000 Modelos 120 al 900)

IBM minicomputers
minicomputadores de IBM
Computadores de tamaño mediano de IBM. Las siguientes series incluyen los minicomputadores de IBM durante los últimos años.

Fecha de lanzamiento	Nombre de la serie	Fecha de lanzamiento	Nombre de la serie
1969	System/3	1978	8100
1975	System/32	1983	System/36
1976	Series/1	1985	System/88
1977	System/34	1988	AS/400
1978	System/38		

IBM PC
Computadores personales de IBM. Puede referirse al primer modelo de computador personal (PC) de IBM lanzado en 1981, o genéricamente a toda la línea de PC, PS/1 y PS/2.

IC
Véanse integrated circuit e *information center.*

IC card
tarjeta IC
Véanse PC card y *memory card.*

icon
icono
Diminuta representación pictórica de un objeto en la pantalla (archivo, programa, disco, etc.) utilizada en interfaces gráficas. Por ejemplo, para borrar un archivo en Macintosh, el icono del archivo puede ser desplazado y colocado sobre el icono de una papelera.

IDE (Integrated Drive Electronics)
electrónica de unidades integradas
Disco duro que contiene un controlador incorporado. Las tarjetas base preparadas para IDE tienen un zócalo de 40 pines que se conecta directamente a una unidad IDE, eliminando el uso de la ranura de expansión. En las máquinas no preparadas para IDE, la unidad se conecta a un adaptador de un computador central IDE, que se enchufa a la ranura.

if-then-else
si-entonces-de lo contrario
Sentencia de lenguaje de programación de alto nivel que compara dos o más conjuntos de datos y verifica los resultados.

image processing
procesamiento de imágenes
Análisis de una figura empleando técnicas que pueden identificar sombras, colores y relaciones que el ojo humano no es capaz de percibir. Se utiliza para resolver problemas de identificación, como en medicina forense, o en la creación de mapas meteorológicos a partir de fotografías tomadas por satélites; además trabaja con imágenes en

formato de gráficas con trama, que hayan sido trabajadas con *scanner* o capturadas con cámaras digitales.
- Mejoramiento de una imagen, como la depuración de una figura por medio de un programa para colorear, que haya sido "escaneada" o introducida por medio de una fuente de video.
- Lo mismo que *imaging*.

imagesetter
componedora de imágenes
Véase phototypesetter.

imaging
registro de imágenes
Grabación de imágenes en formato de máquina: microfilme, cinta de video o computador. Se refiere a formatos de gráficas con tramas generados mediante el *scanner* o por medio de la toma de fotografías de figuras, en contraposición con las gráficas vectoriales generadas en CAD y en programas de dibujo. También incluye el uso de *software* OCR para convertir un texto trabajado con *scanner* en código de máquina (ASCII, EBCDIC).

imaging model
modelo de imágenes
Conjunto de reglas para representar imágenes.

impact printer
impresora de impacto
Modelo que utiliza un mecanismo de impresión que hace impactar la imagen del carácter en una cinta y sobre el papel. Las impresoras de línea, de matriz de puntos y de margarita son algunos ejemplos.

incremental backup
copia de seguridad incremental
Hacer copias de seguridad sólo de los archivos que se hayan modificado desde la última copia de seguridad, en vez de copiar todo.

CLAVE	UBICACIÓN
BETTY	PISTA 12 SECTOR 5
CHARLES	PISTA 26 SECTOR 3
DON	PISTA 15 SECTOR 12
EDMUND	PISTA 33 SECTOR 6
FRAN	PISTA 19 SECTOR 4

ÍNDICE DEL DISCO

TABLA

DOM	LUN	MAR	MIE	JUE	VIE	SAB

00005
REGISTRO ÍNDICE

ÍNDICE DE PROGRAMACIÓN

index
índice
En administración de datos, método más común para llevar un seguimiento de los datos en disco. Los índices son listados de directorios que mantiene el sistema operativo, el DBMS o la aplicación.

inference engine
máquina de inferencia
Programa de procesamiento en un sistema experto. Deduce una conclusión a partir de los hechos y las reglas contenidas en la base que almacena el conocimiento y mediante diversas técnicas de inteligencia artificial.

information
información
Resumen de datos. *Véase data.*

information appliance
mecanismo de información
Tipo de dispositivo futuro para la oficina o el hogar, que puede transmitir o conectarse a redes comunes, públicas o privadas. Imaginar o concebir algo es un "camino digital" como redes telefónicas y redes de energía eléctrica.

information center
centro de información
División dentro de la compañía responsable de la capacitación de los usuarios en aplicaciones de computador, y de la solución de problemas relacionados con computadores personales.

information engineering
ingeniería de información
Conjunto integrado de metodologías y productos, utilizado para guiar y desarrollar el procesamiento de información dentro de una organización. Comienza con la planeación estratégica a nivel de toda la empresa y termina con la ejecución de aplicaciones.

information industry
industria de la información
- Publicación de información. Organizaciones que suministran información mediante servicios en línea, o por medio de la distribución de disquetes o de CD ROM.
- Todas las organizaciones de computadores, comunicaciones y relacionadas con la electrónica, incluyendo *hardware, software* y servicios.

information management
administración de la información
Disciplina que analiza la información como un recurso de la organización. Cubre las definiciones, los usos, el valor y la distribución de todos los datos e información dentro de una organización, bien sea procesados o no por un computador. *Véase data administration.*

information processing
procesamiento de la información
Lo mismo que *data processing.*

information resource management
administración de recursos de información
Véanse Information Systems e *information management.*

information science
ciencia de la información
Lo mismo que *information management.*

information service
servicio de información
Cualquier recuperación de información, edición, tiempo compartido o característica de BBS.

Information Services
Véase Information Systems.

information system
sistema de información
Aplicación comercial para el computador. Está constituida por la base de datos, los programas de aplicación, los procedimientos manuales y automatizados, e incluye los sistemas computacionales que realizan procesamiento. A continuación se muestra cómo este sistema se ajusta al mundo de los computadores.

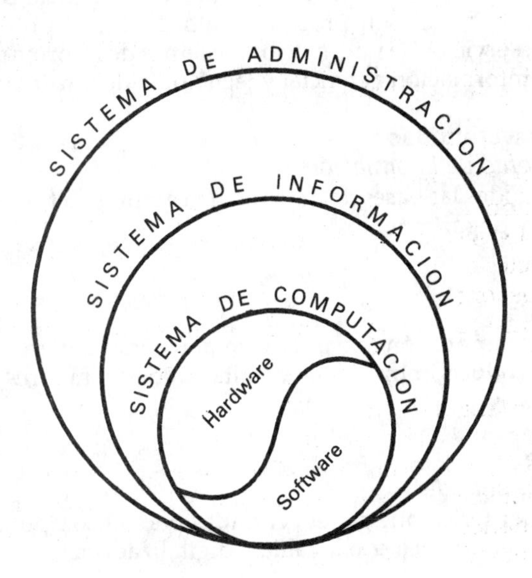

CÓMO SE RELACIONAN LOS SISTEMAS

ESTRUCTURA (es)	FUNCIÓN (hace)
Sistema de gestión o administración	
1. PERSONAS 2. MÁQUINAS	Establece las metas y objetivos, estrategias y tácticas, planes, programas y controles de la organización
Sistema de información	
1. BASE DE DATOS	Define las estructuras de los datos
2. PROGRAMAS DE APLICACIÓN	Ingreso, actualización, consulta e informes de los datos
3. PROCEDIMIENTOS	Define el flujo de los datos
Sistema computacional	
1. CPU	Procesa (calcula, compara, copia)
2. PERIFÉRICOS	Almacenan y recuperan
3. SISTEMA OPERATIVO	Administra el sistema computacional

Information Systems
sistemas de información
Título formal que se da al departamento de sistemas/computadores. Otras denominaciones son procesamiento de datos, procesamiento de información, servicios de información, sistemas de información gerencial, servicios de información gerencial y tecnología de información.

information warehouse
almacenamiento de información
Conjunto de todas las bases de datos en una empresa a través de todas las plataformas y departamentos.

ink jet
chorro de tinta
Mecanismo de impresión que pulveriza uno o más colores de tinta sobre el papel, y produce impresiones de alta calidad similares a las de una impresora láser.

input device
dispositivo de entrada
Dispositivo periférico que genera entradas para el computador, como el teclado, el *scanner*, el *mouse* o la tableta digitalizadora.

input/output
entrada/salida
Véase I/O.

input program
programa de entrada
Lo mismo que *data entry program.*

install program
programa de instalación
Software que prepara un paquete de *software* para su ejecución en el computador, copiando los archivos de los disquetes en el disco duro. Puede descomprimir archivos y/o personalizar la nueva instalación para el entorno del usuario.

instruction
instrucción
Sentencia en un lenguaje de programación o una instrucción en lenguaje de máquina.

instruction set
conjunto de instrucciones
Conjunto completo de instrucciones en lenguaje de máquina que un computador puede seguir (desde una pequeña cantidad hasta varios cientos de instrucciones). El conjunto de instrucciones es uno de los componentes principales de su arquitectura y está incorporado a un microcódigo. Este tipo de instrucciones generalmente tiene una longitud de uno a cuatro *bytes.*

integer
entero
Número entero. Una función entera generaría el valor 123 a partir de 123.898.

integrated circuit
circuito integrado
Nombre formal con que se denomina un *chip.*

integrated software package
paquete integrado de software
Varias aplicaciones en un programa, generalmente administración de base de datos, procesamiento de texto, hoja de cálculo, gráficas comerciales y comunicaciones. Los paquetes Framework, Apple Works y Microsoft Works son algunos ejemplos.

Intel (Intel Corporation)
Véase vendors.

intelligence
inteligencia
Capacidad de procesamiento. ¡Todo computador es inteligente!

intelligent modem
modem inteligente
Modem que no sólo convierte señales, sino que acepta y ejecuta comandos del *modem. Véase AT command set.*

intelligent terminal
terminal inteligente
Terminal con capacidad de procesamiento incorporada, pero desprovista de almacenamiento local en disco o cinta. Adviértase la diferencia con *dumb terminal.*

interactive
interactivo
Diálogo bilateral entre el usuario y un computador.

interactive cable TV
televisión interactiva por cable
Servicio en el cual los televidentes pueden tomar parte en un programa de televisión, respondiendo consultas. Se requiere decodificador y teclado especiales.

interactive session
sesión interactiva
Diálogo bilateral entre el usuario y un computador. Obsérvese la diferencia con *batch session.*

interactive video
video interactivo
Uso de un videodisco o CD ROM que esté controlado por computador, para un programa interactivo de educación o de entretenimiento. *Véanse videodisc* y *CD ROM.*

interface
interfaz
Conexión e interacción entre *hardware, software* y el usuario.

Las interfaces de *hardware* son los conectores, zócalos y cables que transportan las señales eléctricas en un orden prescrito. Las interfaces de *software* o programación (API) son los lenguajes, códigos y mensajes que utilizan los programas para comunicarse entre sí y con el *hardware.* Las interfaces del usuario son los teclados, el *mouse,* caja de diálogos, lenguajes de comandos y menúes utilizados para la comunicación entre éste y el computador.

interlaced
entrelazado
Iluminar una CRT visualizando líneas pares y luego líneas impares (primero línea por línea; y luego llenando los espacios vacíos). Las señales de TV se entrelazan (60 medios cuadros/seg), así como también

los sistemas de visualización de los computadores de alta resolución a muy bajo costo. El entrelazado utiliza la mitad de la información de las señales, que utiliza el no entrelazado, y es menos costoso de generar.

La animación constante de la televisión proporciona una visión aceptable, pero el centelleo puede ser molesto en las pantallas de computador entrelazadas. Compárese con *non-interlaced.*

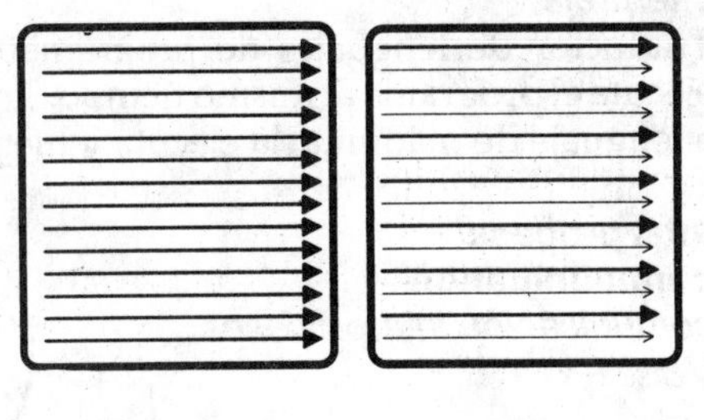

interleave
intercalación
Véanse sector interleave y *memory interleaving.*

internal font
tipografía interna
Conjunto de caracteres de un estilo particular incorporados en una impresora. Obsérvese la diferencia con *font cartridge* y *soft font.*

internet
- Red extensa compuesta por una cantidad de redes más pequeñas.
- (Internet) Red nacional orientada a la investigación que comprende más de 3,000 redes gubernamentales y académicas en 40 países.

Internet address
dirección de Internet
Formato para dirigir un mensaje a un usuario de Internet. Por ejemplo, la dirección de Free Software Foundation es **gnu@prep.ai.mit.edu**, que significa la transmisión a un buzón GNU mediante nodos PREP, AI y MIT. EDU es la especialidad, en este caso "educación".

internetwork
intercomunicar redes
Ir de una red a otra.

interoperable
interoperable
Capacidad de un sistema para comunicar u operar otro.

interpret
interpretar
Ejecutar un programa de una línea a la vez. Cada línea de lenguaje fuente es traducida a lenguaje de máquina y luego ejecutada.

interpreter
intérprete
Traductor de lenguajes de programación de alto nivel que traduce y ejecuta el programa al mismo tiempo. Traduce una sentencia de programa a lenguaje de máquina, la ejecuta y luego pasa a la sentencia siguiente.

interprocess communication
comunicación interprocesos
Véase IPC.

interrecord gap
separación entre registros
Espacio generado entre bloques de datos en cinta, creado por los arranques y paradas del carrete de cinta.

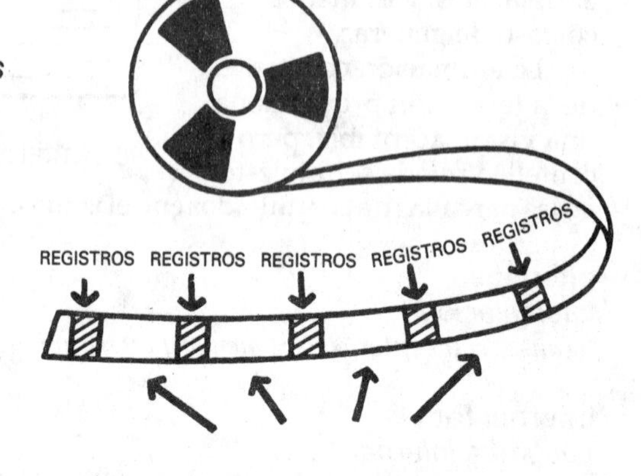

SEPARACIÓN ENTRE REGISTROS
(ENTRE BLOQUES)

interrupt
interrupción
Señal que capta la atención de la CPU y que se genera habitualmente cuando se requiere una I/O (*input/output*). Por ejemplo, cuando se presiona una tecla o se desplaza el *mouse*, se produce una interrupción por el *hardware*. Las interrupciones por *software* son generadas por un programa que requiere *input* o *output* en el disco.

I/O (**I**nput/**O**utput)
entrada/salida
Transferencia de datos entre la CPU y un dispositivo periférico. Toda transferencia es una salida de un dispositivo y una entrada en otro.

I/O bound
limitado por I/O
Se refiere a una cantidad excesiva de tiempo que se utiliza en transferir datos desde y hacia el computador, con relación al tiempo de procesamiento empleado por el mismo. Las unidades de disco más rápidas mejorarán el rendimiento de un computador limitado por I/O.

I/O card
tarjeta de I/O
Véanse expansion board y *PC card.*

I/O interface
interfaz de I/O
Canal o vía entre la CPU y un dispositivo periférico. *Véanse port* y *expansion slot.*

IPC (InterProcess Communication)
comunicación interprocesos
Intercambio de datos entre un programa y otro, ya sea dentro del mismo computador o a través de una red. Implica un protocolo que garantiza la respuesta a una solicitud. Por ejemplo, Named Pipes del OS/2, DDE del Windows, SPX de Novell e IAC de Macintosh.

ips (Inches Per Second)
pulgadas por segundo
Medida de la velocidad de una cinta que pasa por una cabeza lectora/grabadora, o de un papel a través de un trazador.

IRMAboard
Tarjeta de comunicaciones de micro a los *mainframe* para PC, de DCA, Inc., Alpharetta, GA. Ésta emula una terminal común de *mainframe* IBM 3270, permitiendo que un PC tenga acceso a las aplicaciones centralizadas del *mainframe*. IRMA es el nombre comercial de DCA para una variedad de productos de comunicaciones. Es el nombre de una dama, no una sigla.

ISA (Industry Standard Architecture)
arquitectura industrial estándar
Se refiere a la arquitectura original del *bus* para PC, específicamente el *bus* AT de 16 *bits*. Compárese con *EISA* y *Micro Channel*.

ISAM (Indexed Sequential Access Method)
método de acceso secuencial indexado
Método común de acceso a disco que almacena los datos en forma secuencial, al tiempo que mantiene un índice de campos claves para todos los registros del archivo; esto otorga capacidad de acceso directo. El orden secuencial del archivo sería el más comúnmente usado para procesamiento e impresión de lotes (número de cuenta, nombre, etc.).

ISDN (Integrated Services Digital Network)
red digital de servicios integrados
Estándar internacional de telecomunicaciones para la transmisión de voz, video y datos mediante una línea de comunicaciones digitales. Emplea la señalización fuera de banda, que provee un canal separado para la información de control.

ISO (International Standards Organization)
Véase standards bodies.

IT (Information Technology)
tecnología de información
Igual que *Information Systems.*

J

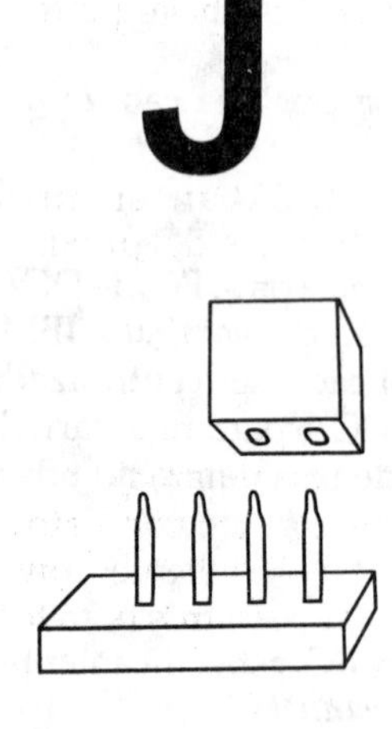

jaggies
irregularidades
Apariencia escalonada de las líneas diagonales en una pantalla gráfica de baja resolución.

GRÁFICAS DE BAJA RESOLUCIÓN

GRÁFICAS DE ALTA RESOLUCIÓN

JCL (Job Control Language)
lenguaje de control de trabajos
Lenguaje de comandos para sistemas operativos de mini y *mainframe* en ejecución de aplicaciones. Éste especifica prioridad, tamaño del programa y secuencia de la ejecución, así como también archivos y bases de datos utilizados.

JEDEC & JEIDA
Véase standards bodies.

jiff
Véase GIF.

jitter
inestabilidad, fluctuación
Señal de transmisión o imagen de presentación vacilantes.

job
trabajo, tarea
Unidad de trabajo que se ejecuta en el computador. Una tarea puede ser un programa o un grupo de programas que deben trabajar juntos.

job stream
flujo de trabajo
Serie de programas relacionados que se ejecutan en un orden preestablecido. La salida de un programa es la entrada del próximo, y así sucesivamente.

join
unir
En administración de base de datos relacional, combinar un archivo con otro con base en alguna condición, creando un tercero con datos de los archivos combinados. Por ejemplo, un archivo de clientes puede ser unido con uno de pedidos creando uno nuevo de registros para todos los clientes que compraron determinado producto.

Josephson junction
unión Josephson
Tecnología de circuitos microelectrónicos ultrarrápidos que emplea materiales superconductores, inicialmente concebida por Brian Josephson. Estos circuitos se sumergen en helio líquido para obtener una temperatura cercana al cero absoluto, requerida para la operación.

joy stick
palanca de juegos
Dispositivo que se utiliza como puntero para mover un objeto en la pantalla en cualquier dirección. Posee una palanca vertical montada sobre una base que tiene uno o dos botones. Se usa ampliamente en los juegos de video y en algunos sistemas CAD.

PALANCA DE JUEGOS

JPEG (**J**oint **P**hotographic **E**xperts **G**roup)
Estándar ISO/CCITT para comprimir imágenes que emplea la transformación discreta de coseno. Éste suministra compresión

en proporciones de 20 a 30:1 sin pérdidas notables. Las proporciones de 50:1 a 100:1 se utilizan si puede tolerarse la pérdida en imagen (compresión con pérdida apreciable).

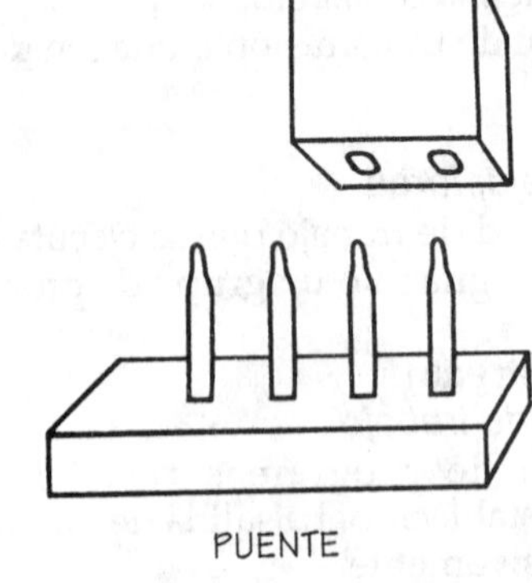
PUENTE

jumper
puente
Puente de metal que se usa para cerrar un circuito. Puede ser un tramo corto de alambre o un bloque de metal cubierto de plástico que se presiona sobre dos pernos (pines) en una tarjeta de circuito. A menudo se utiliza en vez de conmutadores DIP.

K
Véase kilo.

KB, Kb
Véanse kilobyte y *kilobit.*

Kbit
Véase kilobit.

Kbits/sec (KiloBITS per SECond)
kilobits por segundo
Miles de *bits* por segundo.

KBps, Kbps (KiloBytes Per Second, KiloBits Per Second)
kilobytes por segundo, kilobits por segundo
Miles de *bytes* por segundo, miles de *bits* por segundo.

Kbyte
Véase kilobyte.

Kbytes/sec (KiloBYTES per SECond)
kilobytes por segundo
Miles de *bytes* por segundo.

Kermit
Protocolo de transferencia de archivos desarrollado en la Universidad de Columbia, que se destaca por su precisión en líneas ruidosas. Existen varias extensiones, que incluyen el SuperKermit.

kernel
núcleo
Parte fundamental de un programa, como un sistema operativo, que reside en la memoria todo el tiempo.

key
llave, clave; tecla
- Botón en el teclado.
- Datos que identifican un registro. Por ejemplo, el número de cuenta, el código de producto y

el nombre de cliente son campos claves comunes utilizados para identificar un registro en un archivo o en una base de datos. Como identificador, cada valor de la clave debe ser único para cada registro. *Véase sort key.*

- Código numérico que se utiliza en un algoritmo con el propósito de crear un código para encriptar datos de seguridad.

key cap
funda, tapa de la tecla
Parte superior y remplazable de una tecla del teclado. Con el propósito de identificar códigos comúnmente utilizados, la parte superior de la tecla puede cambiarse por otra según las preferencias del usuario.

key click
sonido particular de la tecla
Retroalimentación audible cada vez que se presiona una tecla. A menudo, el usuario la ajusta.

key command
comando de teclas
Combinación de teclas (Alt-G, Ctrl-B, Command-M, etc.) que se utiliza como una orden al computador.

key driven
manejado por teclas
Cualquier dispositivo que se acciona presionando teclas.

key field
campo clave
Véase key.

key word
palabra clave
- Palabra utilizada en la búsqueda de un texto.
- Palabra de un documento de texto que se utiliza en un índice para describir mejor el contenido del documento.
- Palabra reservada en un lenguaje de programación o de comandos.

keyboard
teclado
Conjunto de teclas de entrada. Los teclados de las terminales y de los computadores personales contienen las teclas de una máquina de escribir estándar, además de cierta cantidad de teclas especiales y características como las teclas Ctrl y Alt en los PC, y las teclas *Apple* y *option* en los Macintosh.

keyboard buffer
memoria intermedia del teclado
Banco de memoria o área de memoria reservada que almacena pulsaciones de las teclas hasta que pueda aceptarlas el programa. Esto permite que los mecanógrafos rápidos puedan continuar escribiendo mientras el programa los "alcanza".

keyboard template
plantilla de teclado
Tarjeta de plástico que se ubica encima de las teclas de función, y se utiliza para identificar el uso de estas teclas para un programa de *software* en particular.

keypad
teclado numérico
Conjunto pequeño o suplementario de un teclado, por ejemplo, las teclas numéricas de una calculadora o el grupo de números/cursor en el teclado de un computador.

keypunch
perforación por teclado
Hacer agujeros en una tarjeta perforada. A veces usada para referirse a la digitación en un teclado de computador.

KHz (KiloHertZ)
kilohertzio
Mil ciclos por segundo. *Véase horizontal scan frequency.*

kilo
kilo
Mil. Se abrevia "K". Con frecuencia se refiere al valor preciso de 1,024, puesto que las especificaciones del computador por lo general son en números binarios. Por ejemplo, 64K significa 65,536 *bytes* cuando se refiere a memoria o almacenamiento (64x1,024). IEEE utiliza "K" para 1,024 y "k" para 1,000. *Véase space/time.*

kilobit
Mil *bits*. Además KB, Kb, Kbit o K-bit. *Véanse kilo* y *space/time.*

kilobyte
Mil *bytes*. Además KB, Kbyte y K-byte. *Véanse kilo* y *space/time.*

kludge
Sistema, componente o programa imperfecto o no elegante. Puede referirse a una solución de emergencia y temporal a un problema, como también a cualquier producto que está pobremente diseñado o que se vuelve difícil de manejar con el tiempo.

K

knowledge acquisition
adquisición de conocimientos
Proceso de adquisición de conocimientos de un experto humano para un sistema experto, el cual debe organizarse cuidadosamente con reglas IF-THEN o alguna otra forma de representación de conocimientos.

knowledge base
base de conocimiento
Base de datos de reglas acerca de un tema, que se usa en aplicaciones de inteligencia artificial. *Véase expert system.*

knowledge based system
sistema basado en conocimiento
Aplicación de inteligencia artificial que utiliza una base de datos de conocimiento sobre un tema. *Véase expert system.*

knowledge domain
dominio de conocimientos
Área específica de conocimientos de un sistema experto.

knowledge engineer
ingeniero del conocimiento
Persona que traduce el conocimiento de un experto a la base de conocimiento de un sistema experto.

knowledge representation
representación de conocimientos
Método utilizado para codificar el conocimiento en un sistema experto, generalmente una serie de reglas IF-THEN (IF, si se cumple esta condición, THEN, entonces actuar).

L

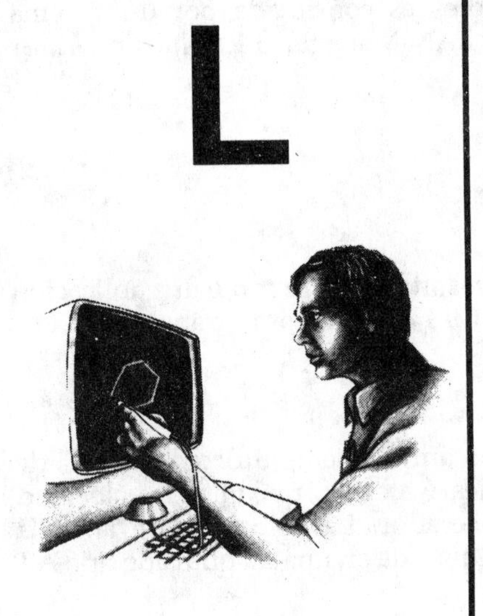

label
rótulo, etiqueta

- En administración de datos, nombre inventado que se asigna a un archivo, campo u otra estructura de datos.
- En hojas de cálculo, texto descriptivo que se introduce en una celda.
- En programación, nombre inventado que se usa para identificar una variable o una subrutina.
- En operaciones de computadores, rótulo autoadhesivo que se fija en el exterior del disco o cinta para identificarlos.
- En archivos de cinta magnética, registro utilizado para identificar el comienzo o el final del archivo.

LAN (Local Area Network)
red de área local

Red de comunicaciones que sirve a usuarios dentro de un área geográficamente limitada. La LAN está compuesta por servidores de archi-

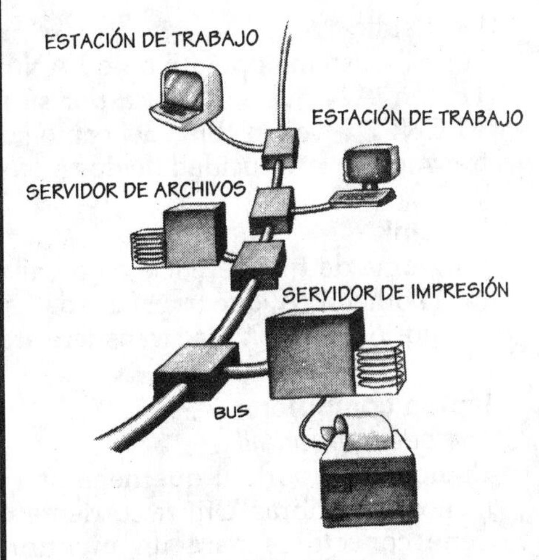

RED DE ÁREA LOCAL

vos, que contienen los programas y las bases de datos, y por computadores personales o estaciones de trabajo (clientes), que realizan el procesamiento de la aplicación. Todas las estaciones de la red están conectadas mediante un cable coaxial, un par de cable trenzado o una fibra óptica. La transmisión entre estaciones (nodos) es administrada por un método de acceso LAN, como el Ethernet o el Token Ring, y la interacción entre clientes y servidores es controlada por un sistema operativo de redes como NetWare, LAN Manager o LANtastic. *Véanse client/server, MAN* y *WAN.*

LAN administrator
Véase network administrator.

LAN Manager
Sistema operativo para LAN de Microsoft que corre como una aplicación bajo OS/2 en un servidor y soporta las estaciones de trabajo en DOS, OS/2 y UNIX.

Landmark rating
Prueba de desempeño o de ejecución ampliamente utilizada en PC, de Landmark Research International, Clearwater, FL, que mide la velocidad de la CPU, del video y del coprocesador. La velocidad de la CPU corresponde a la velocidad de reloj requerida en una máquina de tipo AT que suministraría un desempeño equivalente.

landscape
paisaje; apaisado
Orientación de impresión que imprime datos siguiendo el formato más ancho de la hoja. Lo contrario de *portrait.*

LANtastic
Popular sistema operativo de LAN par a par para PC, de Artisoft, Inc., Tucson, AZ, que se destaca por su facilidad de uso. Soporta Ethernet, ARCNET y Token Ring, así como su propio adaptador de pares cables trenzados a la velocidad de dos *Mbits*/seg.

LapLink
Programa de transferencia de archivos para PC de Traveling Software, Inc., Bothel, WA, que transfiere datos entre los *laptop* y computadores de escritorio. LapLink Mac transfiere archivos entre PC y Mac.

laptop computer
computador portátil
Computador portátil que tiene una pantalla plana y usualmente pesa menos de 12 libras. Utiliza corriente alterna y/o baterías. La mayor parte tiene conectores para un monitor externo que los transforma en computadores de escritorio. *Véanse notebook computer* y *pocket computer.*

laser (**L**ight **A**mplification from the **S**timulated **E**mission of **R**adiation)
ampliación de luz por emisión estimulada de radiación
Dispositivo que genera una luz muy uniforme (onda de longitud simple), que puede ser enfocada con precisión. Se utiliza en muchas aplicaciones, como comunicaciones, impresión y almacenamiento en disco. Los láser se utilizan para transmitir pulsaciones de luz sobre fibras ópticas que, a diferencia de los cables eléctricos, no son afectadas por interferencias eléctricas cercanas.

laser printer
impresora láser
Modelo que utiliza el método electrofotográfico usado en fotocopiadoras para imprimir una página cada vez. Un láser se usa para "pintar" los puntos de luz en un tambor o faja fotográfica. El *toner* se aplica al tambor o a la faja y luego se transfiere al papel. Las impresoras de escritorio utilizan hojas de papel cortadas como en una fotocopiadora. Grandes impresoras láser hacen uso de rollos de papel.

LaserJet
Familia de impresoras láser de escritorio de HP. Introducidas en 1984, a un precio de 3,495 dólares, la primera LaserJet revolucionó el mercado de impresoras láser de escritorio. La LaserJet imprime hasta 600 dpi (la LaserJet 4), aunque mejoramientos de terceros aumentan la resolución hasta 1,200 dpi. PCL es el lenguaje de comando de la impresora. A partir de la LaserJet III, también vienen incorporados los tipos escalables Intellifont de Agfa CompuGraphic. *Véase WinJet.*

LaserWriter
Familia de impresoras láser de escritorio de 300 *dpi*, introducida en 1985 por Apple. Todos los modelos manejan tipos por mapas de *bits* y, excepto los modelos SC, incluyen PostScript y conexiones incorporadas para AppleTalk.

latency
estado latente
Tiempo entre la iniciación de una solicitud de datos y el comienzo de la transferencia efectiva de datos. En un disco, es el tiempo que se necesita para que el sector seleccionado gire y se coloque bajo el cabezal de lectura/escritura.

launch
lanzar
Hacer que un programa sea cargado y ejecutado.

layer
capa
En gráficas por computador, una de las muchas "tarjetas de dibujo" en pantalla para crear elementos dentro de una imagen. Las capas

pueden manipularse de manera independiente, y la suma de todas las capas compone el total de la imagen.
- En comunicaciones, protocolo que interactúa con otros protocolos para ofrecer todos los servicios necesarios de transmisión. *Véase OSI.*

LCD (Liquid Crystal Display)
pantalla de cristal líquido
Tecnología para presentaciones que se usa comúnmente en los relojes digitales y en computadores portátiles. Puesto que utilizan menos energía, hace algunos años las LCD remplazaron a las LED (*Light Emitting Diodes* - diodos emisores de luz) en los relojes digitales. La energía se utiliza sólo para mover moléculas en vez de proveer energía a una sustancia emisora de luz.

leased line
línea alquilada, línea arrendada
Canal de comunicaciones privado que se adquiere en *leasing* a una empresa de telecomunicaciones. Las líneas en *leasing* pueden solicitarse por pares, proveyendo un canal de cuatro cables para asegurar una transmisión rápida en *full-duplex* (sistema de conmutación que suministra sólo líneas de dos cables). Para mejorar la calidad de la línea ésta también puede condicionarse.

Lempel Ziv
Algoritmo de compresión de datos que utiliza una técnica de compresión adaptable (método de cambios dinámicos con base en el contenido de los datos).

letter quality
calidad de carta
Calidad de impresión de una máquina de escribir eléctrica. Los modelos láser, los de chorro de tinta y los de margarita, proveen impresión con "calidad de carta". Las impresoras de matriz de puntos de 24 pines suministran *Near Letter Quality* (NLQ - calidad casi de carta) pero los caracteres no son tan oscuros y nítidos.

librarian
bibliotecario
Persona que trabaja con una biblioteca de datos.

library
biblioteca
- Colección de programas o archivos de datos.
- Colección de funciones (subrutinas) que se unen al programa principal cuando éste se compila.
- *Véase data library.*

light pen
lápiz óptico, lápiz luminoso
Varilla aguzada sensible a la luz, conectada por un cable a una terminal de video que se utiliza para trazar dibujos o seleccionar opciones de menú. El usuario lleva el lápiz de luz al punto deseado en la pantalla y presiona el botón respectivo para hacer contacto.

LÁPIZ ÓPTICO

lightwave system
sistema de ondas luminosas
Dispositivo que transmite pulsaciones de luz a través de fibras ópticas a velocidades extremadamente altas (rango *Gbits*/seg). Muchas troncales telefónicas interurbanas de las compañías telefónicas están siendo convertidas a sistemas de ondas luminosas.

LIM EMS (**L**otus/**I**ntel/**M**icrosoft **E**xpanded **M**emory **S**pecification)
Véase EMS.

linear
lineal
Secuencial o que tiene una gráfica que es una línea recta.

linear programming
programación lineal
Técnica matemática que se utiliza para obtener una solución óptima en problemas de asignación de recursos, como planeación de la producción.

line feed
avance de línea
- Código de caracteres que hace avanzar al cursor de la pantalla o la impresora a la línea siguiente. El avance de línea se utiliza como un código de fin de línea en UNIX. En archivos de texto del DOS y OS/2, el par retorno/avance de línea (ASCII 13 10) es el código estándar de fin de línea.
- Botón de impresora que avanza una línea en el papel.

line frequency
frecuencia de líneas
Cantidad de veces en cada segundo que una onda o algún conjunto repetible de señales se transmite en una línea. *Véase horizontal scan frequency.*

line load
carga de líneas
- En comunicaciones, porcentaje de tiempo que se utiliza un canal de comunicaciones.
- En electrónica, cantidad de corriente conducida en un circuito.

line of code
línea de código
Sentencia en un programa fuente. En lenguaje ensamblador, ésta normalmente genera una instrucción de máquina, pero en un lenguaje de alto nivel, puede activar una serie de instrucciones.

line printer
impresora de línea
Máquina que imprime una línea a la vez. Por lo general se conecta a los *mainframe* y a minicomputadores.

line segment
segmento de línea
En gráficas vectoriales, lo mismo que *vector.*

line squeeze
compresión de líneas
En una inserción de texto para correspondencia, eliminación de líneas en blanco, cuando se imprimen nombres y direcciones que no contienen datos en ciertos campos como cargo, compañía y segunda línea de dirección. *Véase field squeeze.*

link
unión, vínculo, enlace
- En comunicaciones, línea, canal o circuito sobre el cual se transmiten los datos.
- En administración de datos, puntero incluido en un registro que se refiere a datos o a la posición de los datos en otro registro.

linked list
lista encadenada, lista enlazada
En administración de datos, grupo de elementos en el que cada uno de estos apunta al próximo. Una lista encadenada permite la organización de un conjunto secuencial de datos en posiciones no contiguas de almacenamiento.

Lisa

Primer computador personal que incluyó *software* integrado y que usó una interfaz gráfica. Diseñado según el modelo de Xerox Star, fue introducido en 1983 por Apple, se anticipó a su tiempo pero nunca se impuso debido a su precio de 10,000 dólares y a su baja velocidad.

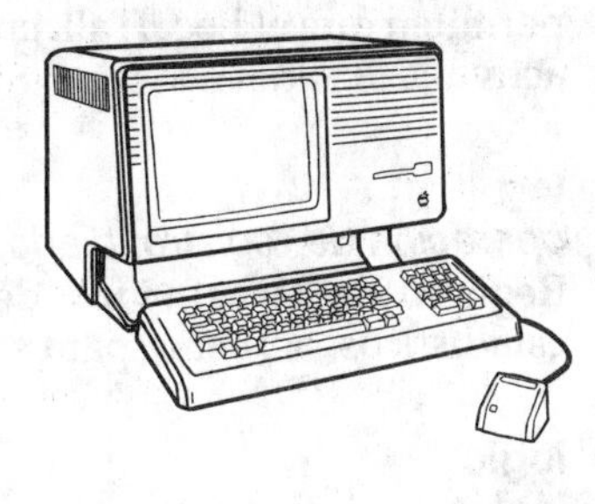

LISA

LISP

Véase programming languages.

list

lista; listar

- Conjunto distribuido de datos, pero a menudo en formato de fila y de columna.
- En lenguajes de cuarta generación, comando utilizado para exhibir o imprimir un grupo de registros seleccionados. Por ejemplo, en dBASE, el comando `LIST nombre, dirección` muestra todos los nombres y direcciones del actual archivo.

load

cargar; carga

- Copiar un programa desde alguna fuente, como un disco o cinta, a una memoria para su ejecución.
- Llenar un disco con datos o programas.
- Insertar un disco o cinta dentro de su unidad.
- En programación, almacenar datos en un registro.
- En medición de rendimiento, uso normal de un sistema como un porcentaje de la capacidad total.
- En electrónica, flujo de corriente a través de un circuito.

load high

cargar en alta

En PC, cargar programas en memoria alta entre 640KB y 1MB.

local bus

bus local

En un PC, canal de datos que va de la CPU a los periféricos, que corre a la velocidad más alta del reloj de la CPU, en vez de las velocidades más bajas de los *bus* de ISA, EISA y Micro Channel. Las primeras implementaciones utilizaban diseños patentados; sin embargo, VESA estandarizó el *bus* VL, e Intel lanzó su especificación PCI en 1993.

LocalTalk

Método de acceso a una red de área local (LAN) de Apple, que utiliza pares de cables trenzados y transmite a 230,400 bps. Corre bajo AppleTalk y utiliza una topología en cadena de margarita que puede conectar hasta 32 dispositivos en una distancia de 1,000 pies. Productos de terceros permiten que el LocalTalk enlace topologías de *bus*, y de estrella pasiva y activa.

log

operación de registro; diario, bitácora

Registro de la actividad del computador que se usa con propósitos estadísticos, así como para seguridad y recuperación.

logic

lógica

Secuencia de operaciones realizadas por el *hardware* o el *software*. La lógica del *hardware* está compuesta por los circuitos que realizan las operaciones. La lógica del *software* (lógica del programa) es la secuencia de instrucciones en un programa.

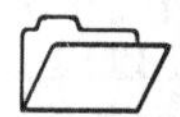

Nota: Lógica no es lo mismo que lógico(a). *Véanse logical vs physical* y *Boolean logic*.

logical field

campo lógico

Campo de datos que contiene una condición sí/no o verdadero/falso.

logical vs physical

lógico versus físico

Alto nivel *versus* bajo nivel. Lógico implica una visión más alta que lo físico. Por ejemplo, un mensaje transmitido de Phoenix a Boston lógicamente va a pasar entre las dos ciudades; sin embargo, el circuito físico podría ser Phoenix-Chicago-Philadelphia-Boston.

login

entrada de identificación; conexión

Lo mismo que *logon*.

Logo

Lenguaje de programación de alto nivel que se distingue por su facilidad de uso y sus capacidades gráficas que se originaron de un proyecto de la National Science Foundation. El Logo contiene muchas funciones de programación no numéricas que se encuentran en LISP, aunque la sintaxis de Logo es más entendible para los principiantes.

logoff

salir del sistema; desconexión

Salir o "firmar la salida" de un sistema computacional.

logon
identificación; identificarse; conexión
Obtener acceso o "firmar la entrada" a un sistema computacional. Si éste está restringido, requiere que los usuarios se identifiquen introduciendo un número y/o contraseña de identificación (*password*). Las oficinas de servicios basan sus tarifas en el tiempo entre un *logon* y un *logoff*.

logout
salir del sistema; desconexión
Lo mismo que *logoff*.

long-haul
largo recorrido
En comunicaciones, los *modem* o dispositivos de comunicaciones que son capaces de transmitir en grandes distancias.

long lines
líneas largas
En comunicaciones, circuitos que son capaces de mantener transmisiones en grandes distancias.

loop
bucle; ciclo; lazo
En programación, repetición dentro de un programa. Cada vez que deba repetirse un proceso, se establece un lazo para manejarlo. Un programa tiene un lazo principal y una serie de lazos menores, que están anidados dentro del lazo principal. Aprender a establecer los lazos es esencial con respecto a la técnica de programación.

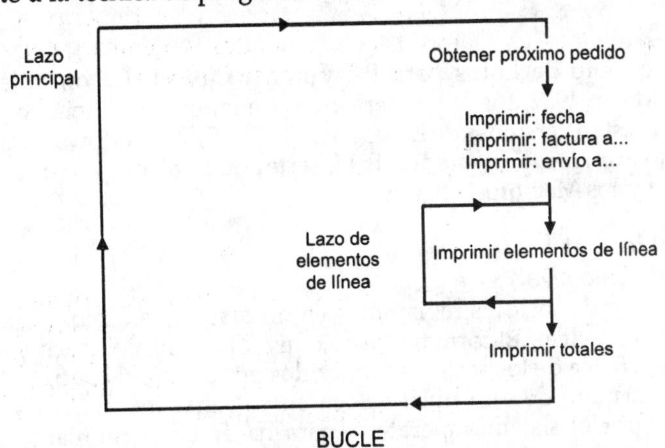

BUCLE

Este ejemplo imprime una factura. El ciclo principal lee los registros de pedidos e imprime la factura hasta que no haya más pedidos para leer. Después de imprimir la fecha, nombre y dirección, el programa imprime una cantidad variable de elementos de línea. El código que imprime los elementos de línea está en un bucle y se repite tantas veces como se requiera.

loosely coupled
con acople flojo, suelto
Se refiere a computadores independientes conectados por medio de una red. Los computadores con acople flojo procesan por su cuenta y pueden intercambiar datos si así se requiere. Obsérvese la diferencia con *tightly coupled.*

lossless compression
compresión sin pérdida; racimo, agrupamiento
Técnicas de compresión que descomprimen datos en un 100% a su original. Compárese con *lossy compression.*

lossy compression
compresión con pérdida
Técnicas de compresión que no descomprimen datos en un 100% a su original. Muestras de imágenes o de audio pueden proporcionar pequeñas pérdidas de resolución con el fin de aumentar la compresión. Adviértase la diferencia con *lossless compression.*

lost cluster
cúmulo perdido
Registros de disco que han perdido su identificación con un nombre de archivo. Esto sucede si un archivo no se cierra correctamente, que puede suceder algunas veces si el computador se apaga sin salir formalmente de una aplicación.

Lotus
Véase vendors.

Lotus 1-2-3
Hoja de cálculo de Lotus para PC y una variedad de computadores. Introducida en 1982, fue la primera, nueva e innovadora hoja de cálculo para PC. Existen versiones de Lotus para DOS, OS/2, Windows, estaciones de trabajo Sun, los *mainframe* de IBM, series de minicomputadores VAX de Digital y los Macintosh.

low-level format
formato de bajo nivel
Identificación de sectores registrados en un disco. Los discos tienen dos niveles de formateo. El formato de bajo nivel inicializa el disco y crea la disposición física de los sectores requeridos por parte del controlador del disco. El formato de alto nivel coloca en su lugar los índices y tablas utilizados por el sistema operativo, para hacer un seguimiento de los datos que escribe en los sectores.

low-level language
lenguaje de bajo nivel
Lenguaje de programación que está muy cerca del lenguaje de máquina.

Todos los lenguajes de ensambladores son de bajo nivel. Compárese con *high-level language.*

low radiation
radiación baja
Se refiere a los terminales de video que emiten menos radiación VLF (*Very Low Frequency* - frecuencia muy baja) y ELF (*Extremely Low Frequency* - frecuencia extremadamente baja). Este nivel de radiación no puede protegerse con particiones de oficina. Debe cancelarse desde la CRT. Los estudios de salud sobre este aspecto no son definitivos y ofrecen mucha controversia. *Véase MPR II.*

low resolution
baja resolución
Baja calidad de la imagen o impresión debido a una cantidad limitada de puntos o líneas por pulgada.

lpi (Lines Per Inch)
líneas por pulgada
Cantidad de líneas impresas en una pulgada vertical.

lpm (Lines Per Minute)
líneas por minuto
Cantidad de líneas que una impresora puede imprimir o que un *scanner* puede explorar en un minuto.

LPT1
Nombre lógico asignado al puerto en paralelo número 1 (#1) en DOS y OS/2 (generalmente conectado a una impresora). A un segundo dispositivo en paralelo se le asigna LPT2. Adviértase la diferencia con *COM1.*

LQ
Véase letter quality.

LU 6.2
Protocolo SNA que proporciona comunicaciones entre dos programas. Permite comunicaciones par a par así como la interacción entre programas que se ejecutan en el *host* (computador central o controlador) con PC y otros computadores de rango medio. También llamado APPC (*Advanced Program to Program Communications* - comunicaciones avanzadas de programa a programa).

M

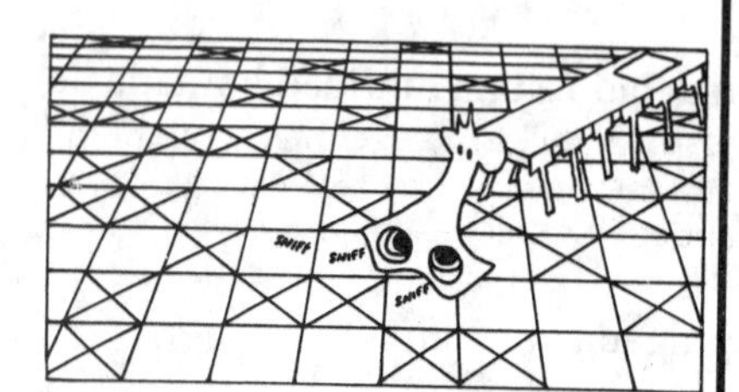

M
Véase mega.

Mac
Lo mismo que *Macintosh.*

machine
máquina
Cualquier unidad electrónica o electromecánica. Una máquina siempre es *hardware;* sin embargo, *engine* se refiere a *hardware* o a *software.*

machine dependent
dependiente de la máquina
Se refiere al *software* que accesa características de *hardware* específico y que corre en un solo tipo de computador. Nótese la diferencia con *machine independent. Véase device dependent.*

machine independent
independiente de la máquina
Se refiere al *software* que se ejecuta en una variedad de computadores. Las instrucciones específicas del *hardware* se encuentran en algún otro programa (sistema operativo, DBMS, etc.). Obsérvese la diferencia con *machine independent. Véase device independent.*

machine language
lenguaje de máquina
Lenguaje natural del computador. Para ejecutar un programa, éste debe estar en el lenguaje de máquina del computador que lo acciona. Aunque los programadores pueden modificar el lenguaje de máquina para ajustar un programa ejecutable, ellos no lo crean. Éste es creado por programas llamados *assemblers* (ensambladores), *compilers* (compiladores) e *interpreters*

(intérpretes), los cuales convierten el lenguaje de programación en lenguaje de máquina.

Macintosh

Serie de computadores personales de Apple, lanzada en 1984. Utiliza la familia de procesadores Motorola 68000, y un sistema operativo propio que simula el escritorio del usuario en la pantalla. Esta interfaz gráfica estándar de usuario, junto con su lenguaje de gráficas QuickDraw incorporado, ha suministrado una medida de consistencia y uniformidad que con frecuencia se copia pero que aún es única.

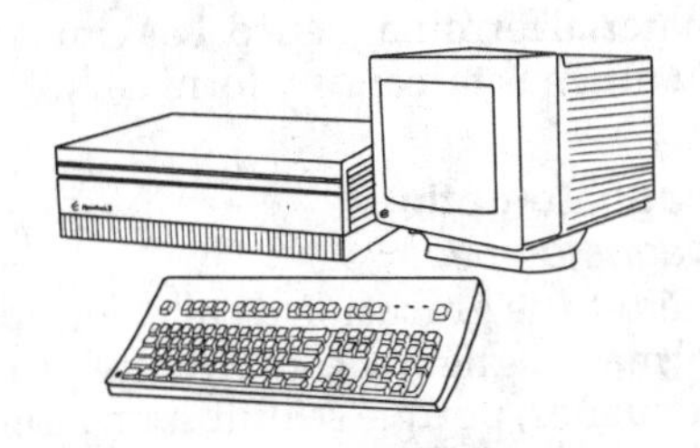

MAC II

En 1986, el Macintosh II fue la primera desviación de la alta caja inicial y de la pequeña pantalla incorporada de Mac.

macro

Serie de selecciones de menú, golpes de tecla y/o comandos que han sido registrados y asignados con un nombre o combinación de teclas. Cuando se llama el nombre o se presiona la tecla, el macro se ejecuta desde el comienzo hasta el fin. *Véase batch file.*

macro recorder

registrador de macros

Rutina de programa que convierte las selecciones de menú y los golpes de tecla en un macro. Con ésta un usuario activa el registro, llama un menú, selecciona una variedad de opciones, desactiva el registro y asigna un comando de tecla a la macro. Cuando se presiona el comando de tecla, se ejecutan las selecciones.

magnetic disk

disco magnético

Principal dispositivo de almacenamiento de computador que utiliza platos de disco magnético divididos en pistas concéntricas (círculos dentro de círculos). Al igual que la cinta magnética, puede volver a grabarse una y otra vez. *Véanse hard disk* y *floppy disk.*

magnetic stripe

banda magnética

Pequeño tramo de cinta magnética que se adhiere a las fichas contables, tarjetas de identificación y de crédito. Las bandas magnéticas son leídas por lectores especializados que pueden incorporarse a máquinas de contabilidad y terminales. Debido al intenso uso, los datos en la banda magnética se encuentran en un formato de baja densidad que puede duplicarse varias veces.

magnetic tape
cinta magnética
Medio de almacenamiento secuencial que se usa para recolección de datos, respaldo y propósitos históricos. Al igual que la videocinta, la cinta de computador está hecha de plástico flexible con un lado cubierto con un material ferromagnético. Las cintas vienen en carretes, cartuchos y casetes de muchos tamaños y formas.

magneto-optic
magneto-óptico
Método de grabación de alta densidad borrable. Los datos se registran en forma magnética como discos y cintas, pero los *bits* son mucho más pequeños, porque se utiliza un láser para señalar el *bit*. El láser calienta el *bit* aproximadamente a 300 grados Celsius, y a esa temperatura el *bit* es realineado cuando está sujeto a un campo magnético. Para grabar nuevos *bits* en la superficie, los *bits* existentes tienen que ser primero prealineados en una dirección. *Véase optical disk.*

mail merge
inserción por correspondencia
Impresión de cartas de formato personalizado. Característica común en un procesador de palabras; éste utiliza una carta y una lista de nombres y direcciones. En la carta: "Estimado A: Gracias por ordenar B de nuestro almacén C...", A, B y C son puntos de inserción en los cuales los datos son insertados a partir de la lista. *Véanse field squeeze* y *line squeeze.*

mainframe
macrocomputador
Computador grande. A mediados de los años sesenta, en la primera época de los computadores, todos estos se denominaban *mainframe*, puesto que el término se refería a un gran gabinete que contenía la CPU. En la actualidad se refiere a un gran sistema de computador.

maintenance
mantenimiento
- El mantenimiento de *hardware* es la prueba y limpieza del equipo.
- El mantenimiento de los sistemas de información es la actualización de programas de aplicación; por ejemplo, agregar y borrar empleados y clientes o cambiar los límites de créditos y los precios.
- El mantenimiento de programas o *software* es la actualización de programas de aplicación con el fin de satisfacer las cambiantes necesidades de información.
- El mantenimiento de discos o archivos es la reorganización periódica de los archivos en discos y en línea que han sufrido fragmentación debido a la actualización continua.

major key
clave principal
Clave primaria usada para identificar un registro, como número de cuenta o nombre.

MAN (Metropolitan Area Network)
red de área metropolitana
Red de comunicaciones que cubre un área geográfica como una ciudad o un suburbio. *Véanse LAN* y *WAN*.

management science
ciencia de la administración
Estudio de métodos estadísticos, como la programación lineal y la simulación, para analizar y resolver problemas organizacionales. También denominada *operations research*.

management support
apoyo a la administración
Véanse DSS y *EIS*.

map
mapa; mapear, proyectar
- Conjunto de datos que tiene una relación de correspondencia con otro conjunto de datos.
- Lista de datos u objetos como actualmente se almacenan en memoria o disco.
- Transferir un conjunto de objetos de un lugar a otro. Por ejemplo, los módulos de programas en disco son proyectados ("mapeados") en la memoria. Una imagen gráfica en memoria es proyectada en la pantalla del video. Una dirección es proyectada a otra dirección.

mark sensing
detección de marcas
Detección de líneas de lápiz en recuadros predefinidos en formularios de papel o tarjetas perforadas. El formulario está diseñado con límites para cada trazo de lápiz que representa un sí, un no, un dígito único o una letra, suministrando todas las respuestas posibles a cada pregunta.

mass storage
almacenamiento masivo
Almacenamiento externo de alta capacidad, como disco o cinta.

massively parallel
masivamente paralela
Arquitectura de procesamiento paralelo que usa cientos o miles de procesadores.

master file
archivo maestro
Conjunto de registros pertenecientes a uno de los principales temas de un sistema de información, como clientes, empleados, productos y proveedores. Los archivos maestros contienen datos descriptivos, como nombre y dirección, así como información resumida como monto por pagar y ventas brutas del año hasta la fecha. Adviértase la diferencia con *transaction file.*

master record
registro maestro
Conjunto de datos para un tema individual, como un cliente, empleado o proveedor. *Véase master file.*

EMPLEADO	Número de empleado	Nombre	Dirección	Fecha de ingreso	Fecha de nacimiento	Título	Clase de trabajo	Sueldo básico	Sueldo básico

CLIENTE	Número de cliente	Nombre	Factura a	Enviar a	Límite de crédito	Fecha de la primera orden	Ventas hasta la fecha

PROVEEDOR	Número de proveedor	Nombre	Dirección	Condiciones	Categoría de calidad

PRODUCTO	Número de producto	Nombre	Descripción	Cantidad disponible

REGISTROS MAESTROS TÍPICOS

master-slave communications
comunicaciones amo-esclavo
Comunicaciones en las que una parte, llamada el amo, inicia y controla la sesión. La otra parte (el esclavo) responde a las órdenes del amo.

math coprocessor
coprocesador matemático
Circuito matemático que realiza operaciones de punto flotante a alta velocidad. Mejora el rendimiento de las aplicaciones CAD, pero el programa CAD debe activar su uso. *Véanse array processor* y *vector processor.*

matrix
matriz
Serie de elementos en forma de filas y columnas. *Véase x-y matrix.*

maximize
maximizar
En un entorno de gráficas, ampliar una ventana a su tamaño máximo. Obsérvese la diferencia con *minimize.*

MB, Mb (MegaByte, MegaBit)
Véanse megabyte y *megabit.*

Mbit
Véase megabit.

Mbits/sec (MegaBITS per SECond)
megabits por segundo
Millones de *bits* por segundo.

MBps, Mbps (MegaBytes Per Second, MegaBits Per Second)
megabytes por segundo, megabits por segundo
Millones de *bytes* por segundo. Millones de *bits* por segundo.

Mbyte
Véase megabyte.

Mbytes/sec (MegaBYTES per SECond)
megabytes por segundo
Millones de *bytes* por segundo.

MCA (Micro Channel Architecture)
arquitectura de microcanal
Véase Micro Channel.

MDA (Monochrome Display Adapter)
adaptador para pantalla monocromática
Primer estándar de pantalla monocromática de video para PC de IBM, sólo para textos. Debido a que carece de tarjeta gráfica, las tarjetas MDA a menudo eran remplazadas por las tarjetas Hercules, las cuales tenían capacidad tanto para texto como para gráficas.

media
medios
Material que almacena o transmite datos, por ejemplo, discos flexibles, cinta magnética, cable coaxial y par de cables trenzados.

media failure
falla de medios
Condición de no poder leer a partir de o escribir a un dispositivo de almacenamiento, como disco o cinta, debido a un defecto en la superficie de grabación.

M

meg, mega
mega
- Millón. Se abrevia "M". Con frecuencia se refiere al valor preciso 1,048,576 puesto que las especificaciones de computador usualmente son números binarios. *Véanse binary numbers* y *space/time.*
- MEGA. Serie de computadores personales de Atari que utiliza una CPU Motorola 68000 e incluye una interfaz GEM, sistema operativo TOS con base en el ROM, interfaz MIDI y un *chip* de sonido de tres voces. Es compatible con ST.

megabit
Un millón de *bits*. También *Mb, Mbit* y *M-bit*. *Véanse mega* y *space/time*.

megabyte
Un millón de *bytes*. También *MB, Mbyte* y *M-byte*. *Véanse mega* y *space/time*.

megaflops (mega FLoating point OPerations per Second)
megaoperaciones de punto flotante por segundo
Un millón de operaciones de punto flotante por segundo.

megahertz
Un millón de ciclos por segundo. *Véase MHz*.

membrane keyboard
teclado de membrana
Teclado a prueba de polvo y suciedad construido con dos láminas (membranas) plásticas delgadas que contienen circuitos impresos flexibles hechos con tinta conductora de electricidad. La membrana superior es el teclado impreso, y en el medio hay una lámina espaciadora con orificios. Cuando el usuario presiona una tecla simulada, la membrana superior es empujada a través del orificio del espaciador y hace contacto con la membrana inferior, completando el circuito.

memo field
campo de memo
Archivo de datos que contiene una cantidad variable de texto. El texto puede almacenarse en un archivo "compañero", pero es tratado como si fuera parte del registro de datos. Por ejemplo, en el comando de dBASE: `LIST nombre, biografía`, el nombre está en el archivo de datos (archivo .DBF) y la biografía podría ser un campo de memo en el archivo de texto (archivo .DBT).

memory
memoria
Área de trabajo del computador (físicamente es una serie de *chips* RAM). Es un recurso importante, puesto que determina el tamaño y la cantidad de programas que pueden ejecutarse al mismo tiempo, así como también la cantidad de datos que pueden procesarse en forma instantánea.

La memoria es como una tarjeta de verificación electrónica donde cada cuadrado del tablero contiene un *byte* de datos o instrucción. Cada cuadrado tiene una dirección separada como una casilla postal y puede manipularse en forma independiente. Como resultado, el computador puede descomponer los programas en instrucciones para ejecución; y los registros de datos, en campos para procesamiento.

Otros términos para memoria son *RAM, main memory, main storage, primary storage, read/write memory, core* y *core storage*.

- Cada vez más el término se utiliza para referirse a discos así como a la memoria RAM. El uso del término, tanto para memoria de trabajo como memoria permanente, sólo agrega confusión a una industria ya confusa. En este libro, memoria se refiere a memoria RAM, y almacenamiento, a discos y cintas.

memory allocation
asignación de memoria
Reservar memoria para propósitos específicos. Los sistemas operativos reservan, por lo general, toda la memoria que necesitan para la inicialización. Los programas de aplicaciones toman la memoria cuando se cargan, y pueden asignar más memoria después de cargados. Si no hay suficiente memoria libre, no pueden correr.

memory bank
banco de memoria
- Sección física de memoria. *Véase memory interleaving.*
- Genéricamente se refiere a un sistema computacional que contiene datos.

memory based
basado en memoria
Programas que contienen todos los datos en memoria para procesamiento. Casi todas las hojas de cálculo se basan en la memoria, de manera que un cambio en un dato en un extremo de la hoja de cálculo pueda reflejarse instantáneamente en el otro extremo.

memory cache
caché de memoria
Véase cache.

memory card
tarjeta de memoria
- Módulo de memoria del tamaño de una tarjeta de crédito, que se usa como un disco alternativo en computadores portátiles. Las llamadas tarjetas IC, ROM y RAM, utilizan una variedad de tipos de *chips*, que incluyen memoria RAM, ROM, EEPROM y memoria *flash*. Las tarjetas RAM utilizan una batería para mantener cargadas las celdas. *Véanse PC card* y "PCMCIA" en *standards bodies.*
- Tarjeta de circuito impreso que contiene memoria.

memory chip
chip de memoria
Chip que contiene programas y datos, bien sea temporal (RAM) o permanentemente (ROM, PROM), o en forma constante hasta que se cambie (EPROM, EEPROM).

memory dump
volcado de memoria, vaciado de memoria
Exhibición o impresión de los contenidos de la memoria. Cuando un programa tiene un fin anormal, puede hacerse un "vuelco" de la memoria para examinar el estado de éste en el momento del estallido.

memory interleaving
entrelazamiento de memorias
Categoría de técnicas para incrementar la velocidad de la memoria. Por ejemplo, con bancos de memoria separados en direcciones pares e impares, se puede tener acceso al siguiente *byte* de memoria mientras se regenera el *byte* actual.

memory management
administración de memoria
Método usado para la memoria de control, que incluye la protección de memoria, memoria virtual y técnicas de intercambio de bancos. En PC se refiere a administración de memoria extendida y expandida, y a la capacidad para cargar aplicaciones en la UMA (*Upper Memory Area* - área superior de memoria). *Véanse EMS, XMS* y *EMM.*

memory mapped I/O
entrada/salida por mapas de memoria
Dispositivo periférico en el que cada elemento de *input* (entrada) o *output* (salida) se asigna a las correspondientes localizaciones de memoria. Por ejemplo, en una visualización del mapa de memoria, cada *pixel* o carácter de texto deriva sus datos de un *byte* o *bytes* específicos de memoria. En el instante que se actualiza esta memoria mediante *software,* la pantalla presenta los nuevos datos.

memory protection
protección de memoria
Técnica que prohibe que un programa afecte accidentalmente a otro que esté activo. Se crea una frontera protectora alrededor del programa, y las instrucciones dentro de éste prohiben hacer referencia a datos fuera de esa frontera.

memory resident
residente en memoria
Programa que permanece en memoria todo el tiempo. *Véase TSR.*

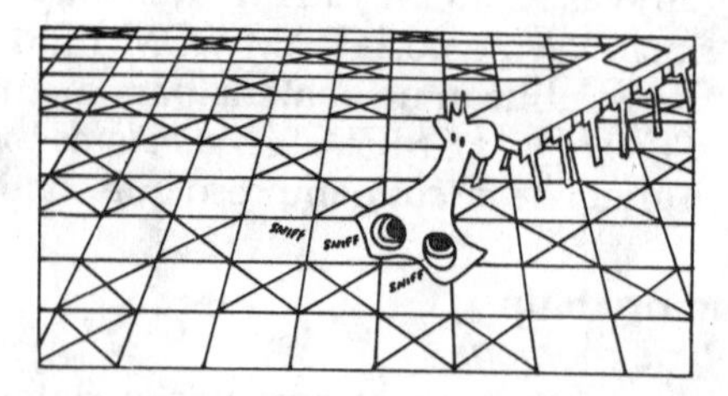

OLFATEO DE LA MEMORIA

memory sniffing
olfateo de memoria
Término acuñado por Data General, rutina de diagnóstico que continuamente comprueba la memoria del computador.

menu
menú
Lista de opciones y comandos disponibles en pantalla. La selección se efectúa resaltando la opción con el *mouse* o teclas del cursor y presionando el botón del *mouse* o la tecla *Enter*.

menu bar
barra de menú
Fila de opciones de menú en pantalla.

menu-driven
controlado por menú
El uso de menúes para dar órdenes al computador. Compárese con *command-driven*.

menuing software
software por menús
Software que proporciona un menú para correr aplicaciones y ejecutar órdenes del sistema operativo.

merge purge
eliminar inserción
Insertar dos o más listas y eliminar los elementos no deseados. Por ejemplo, puede agregarse una nueva lista de nombres y direcciones a una lista anterior mientras se borran los nombres duplicados o aquellos que cumplen ciertos criterios.

message
mensaje
En comunicaciones, conjunto de datos que se transmite en una línea de comunicaciones. Al igual que un programa se convierte en un trabajo cuando se ejecuta en el computador, los datos se convierten en mensaje cuando se transmiten en una red.

message switch
conmutador de mensajes
Computador que se utiliza para conmutar datos de un punto a otro. Los computadores siempre han sido conmutadores ideales de mensajes debido a sus capacidades de *input/output* (entrada/salida) y de comparación. Cuando un computador actúa como un conmutador de mensajes, éste introduce el mensaje, compara su destino con un conjunto de destinos almacenados, y luego lo envía a un canal seleccionado de comunicaciones.

metafile
metarchivo
Archivo que puede definir y almacenar más de un tipo de información. Por ejemplo, un metarchivo de Windows (WMF) puede contener imágenes en formatos de gráficas vectoriales y de rastreo, así como texto.

Mflops
Véase megaflops.

MFM (**M**odified **F**requency **M**odulation)
modulación de frecuencia modificada
Método de codificación de discos magnéticos, que se utiliza en discos flexibles y en la mayor parte de los discos duros de 40MB. Duplica la capacidad del primer método FM, transfiere datos a 625 *Kbytes* por segundo y utiliza la interfaz ST506.

MHz (**M**ega**H**ert**Z**)
Un millón de ciclos por segundo. Con frecuencia es usado con referencia a la velocidad del reloj de un computador, que representa una medida bruta de su velocidad interna. Por ejemplo, un computador 80286 de 12MHz procesa datos internamente (calcula, compara, etc.) con doble rapidez que un 80286 de 6MHz. Sin embargo, la velocidad del disco y el caché juegan un papel importante en el rendimiento efectivo del computador.

MICR (**M**agnetic **I**nk **C**haracter **R**ecognition)
reconocimiento de caracteres de tinta magnética
Reconocimiento de máquina de caracteres cargados en forma magnética que, por lo general, se encuentran en cheques bancarios y volantes de depósito. Los lectores MICR detectan los caracteres y los convierten en código digital.

micro
- Microcomputador o computador personal.
- Un millonésimo. *Véase space/time.*
- Microscópico o diminuto.

Micro Channel
También conocido como MCA (*Micro Channel Architecture*), es un *bus* de 32 *bits* de IBM usado en la mayor parte de los PS/2, la serie RS/6000 y ciertos modelos de ES/9370. Las tarjetas MCA pueden diseñarse para dominio del *bus* y también contienen una identificación incorporada que elimina las fijaciones manuales que, a menudo, se requieren en las tarjetas ISA. Las tarjetas MCA no son intercambiables con las tarjetas ISA o EISA.

micro manager
administrador de micros
Persona que administra las operaciones de computadores personales dentro de una organización y es responsable del análisis, selección, instalación, entrenamiento y mantenimiento del *hardware* y *software* de los computadores personales. *Véase information center.*

micro to mainframe
micro a mainframe
Interconexión de computadores personales a los *mainframe*. *Véase 3270.*

microchip
Lo mismo que *chip*.

microcircuit
microcircuito
Circuito electrónico miniaturizado, como se encuentra en un circuito integrado. *Véase chip.*

microcomputer
microcomputador
Lo mismo que *personal computer*.

microelectronics
microelectrónica
Miniaturización de circuitos electrónicos. *Véase chip.*

microfloppy disk
microdisco flexible
Disco flexible en una cubierta plástica rígida de 3.5" de ancho. Desarrollado por Sony, estos discos se han convertido en el medio de elección, puesto que contienen más datos y son mucho más fáciles de manipular que su contraparte de 5.25".

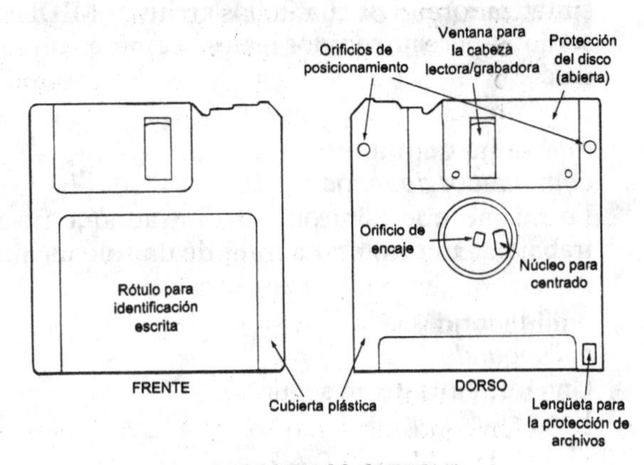

MICRODISCO FLEXIBLE

microprocessor
microprocesador
CPU en un solo *chip*. Para funcionar como un computador, requiere suministro de energía, reloj y memoria.

microsecond
microsegundo
Una millonésima de segundo. *Véase space/time.*

Microsoft
Véase vendors.

Microsoft Word

Programa de procesamiento de palabra completo para PC y Macintosh, de Microsoft. La versión para DOS provee interfaces basadas en gráficas y en texto para trabajar con un documento. Microsoft Word para Windows, con frecuencia llamado Word para Windows (Win Word), es un producto separado y diferente, diseñado para la interfaz de Windows.

Microsoft Works

Paquete de *software* integrado, para PC y Macintosh, de Microsoft. Suministra administración de archivos con capacidades de tipo relacional, procesamiento de palabra, hoja de cálculo, gráficas de negocios y capacidades de comunicación en un paquete.

MIDI (**M**usical **I**nstrument **D**igital **I**nterface)
interfaz digital de instrumentos musicales

Protocolo estándar para el intercambio de información musical entre instrumentos musicales, sintetizadores y computadores. Define los códigos para un evento musical, que incluye el comienzo de una nota, su tono, duración, volumen y atributos musicales como el *vibrato*. También define códigos para varios ajustes de botones, diales y pedales usados en sintetizadores. Por cuanto los archivos MIDI contienen descripciones de sonidos, pero no sonidos reales, requieren un espacio mucho menor en un disco.

midrange computer
computador de rango medio

Lo mismo que minicomputador, aunque no incluye las estaciones de trabajo de minicomputadores de un solo usuario.

millisecond
milisegundo

Una milésima de un segundo.
Véase space/time.

mini
Véase minicomputer.

minicomputer
minicomputador

Computador a mediana escala que funciona como una sola estación de trabajo, o como un sistema multiusuario de hasta varios cientos de terminales. En la actualidad, el término "rango medio" se está haciendo popular para computadores de tamaño medio. Los microcomputadores a gran escala y los *mainframe* a pequeña escala tienen una relación directa en cuanto a precio y desempeño de los minicomputadores.

minifloppy
disquete de 5.25"
Disco flexible de 5.25" de ancho con una cubierta plástica rígida. Introducido por Shugart en 1978, remplazó al disco flexible de 8" de IBM, y desde entonces se utiliza cada vez más.

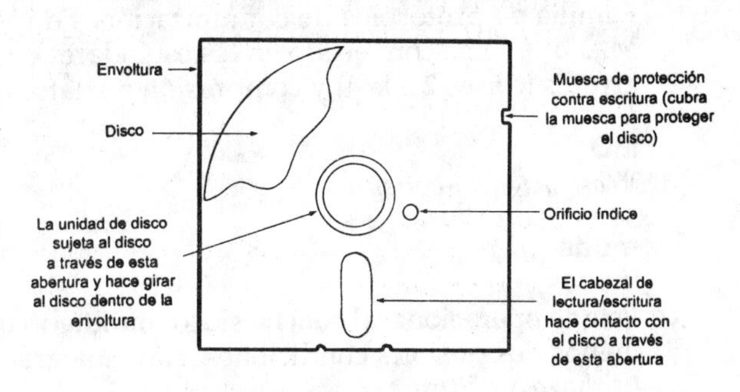

DISQUETE DE 5.25"

minimize
minimizar
En entornos de gráficas, reducir una ventana a un icono.

MIPS (**M**illion **I**nstructions **P**er **S**econd)
un millón de instrucciones por segundo
Velocidad de ejecución de un computador. Por ejemplo, 0.5 MIPS son 500,000 instrucciones por segundo. Un computador personal de alta velocidad y la CPU de una estación de trabajo pueden realizar de 20 a 50 MIPS. El *chip* Alpha de Digital tiene una velocidad máxima de 400 MIPS. Los microprocesadores baratos que se utilizan en juguetes y juegos pueden estar en el rango de 0.05 a 0.1 MIPS.

mirroring
Véase disk mirroring.

MIS (**M**anagement **I**nformation **S**ystem and **M**anagement **I**nformation **S**ervices)
sistema de información gerencial y servicios de información gerencial
Véanse information system e *Information Systems.*

mission critical
crítico(a) para la misión
Vital para la operación de una organización.

mixed object
objeto mixto
Lo mismo que *compound document.*

mnemonic
mnemotécnico
Significa una ayuda a memoria. Nombre asignado a una función de máquina. Por ejemplo, en DOS, COM1 es el mnemotécnico asignado al puerto serial 1 (#1). Los lenguajes de programación son casi totalmente mnemónicos.

MNP (**M**icrocom **N**etworking **P**rotocol)
protocolo de red de Microcom
Familia de protocolos de comunicaciones de Microcom, Inc., Norwood, MA, que se ha convertido en los estándares de hecho para corrección de errores (clases 2 a la 4) y compresión de datos (clase 5).

MO
Véase magneto-optic.

mode
modo
Estado operacional al cual ha sido conmutado un sistema. Esto implica al menos dos posibles condiciones. Hay una gran cantidad de modos para *hardware* y *software.*

model
modelo
- Estilo o tipo de dispositivo de *hardware.*
- Representación matemática de un dispositivo o proceso que se usa para análisis y planeación.

modem (**MO**dulator-**DEM**odulator)
modulador-demodulador
Dispositivo que adapta una terminal o computador a una línea telefónica. Convierte las pulsaciones digitales del computador en audio-frecuencias y vuelve a convertir éstas en pulsaciones en el lado receptor.

modular programming
programación modular
Descomponer el diseño de un programa en componentes (módulos) individuales que pueden programarse y probarse en forma independiente. La programación modular es una condición para el desarrollo y mantenimiento efectivos de grandes programas y proyectos.

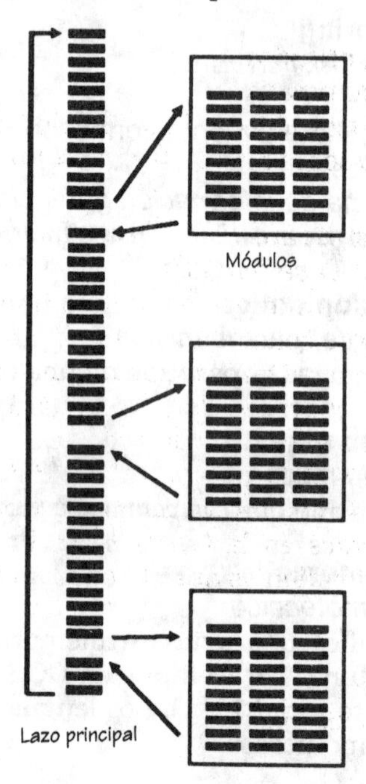

modulate
modular
Variar una onda portadora. La modulación fusiona una señal de datos (texto, voz, etc.) en una portadora para transmisión en una red. Los principales métodos son AM (*Amplitude Modulation* - modulación de

amplitud), donde se modula la altura de la onda portadora, FM (*Frequency Modulation* - modulación de frecuencia), donde se modula la frecuencia de la onda, y PM (*Phase Modulation* - modulación de fase), donde se modula la polaridad de la onda. *Véase carrier*.

module
módulo
Componente autónomo de *hardware* o *software* que interactúa con un sistema mayor. Los módulos de *hardware* se hacen a menudo para conectarse a un sistema principal. Los módulos de programas se diseñan para manejar una tarea específica dentro de un programa mayor.

monitor
monitor
- Pantalla de visualización que se utiliza para presentar la salida desde un computador, una cámara, un VCR u otro generador de video. *Véanse dot pitch, horizontal scan frequency* y *vertical scan frequency*.
- *Software* que proporciona utilidades y funciones de control como el establecimiento de parámetros de comunicaciones. Generalmente reside en un *chip* ROM y contiene rutinas de arranque y de diagnóstico.
- *Software* que monitorea el progreso de las actividades dentro de un sistema computacional.
- Dispositivo que reúne estadísticas de rendimiento de un sistema en ejecución mediante una conexión directa con las tarjetas de circuitos de la CPU.

monochrome
monocromático
Visualización de un solo color de frente y uno de fondo; por ejemplo, negro sobre blanco, blanco sobre negro, y verde sobre negro.

motherboard
tarjeta base o madre
Tarjeta principal de circuito impreso en un dispositivo electrónico, que contiene conectores que aceptan tarjetas adicionales. En un computador personal, la tarjeta base contiene el *bus*, los conectores (zócalos) de la CPU y del coprocesador, los conectores de la memoria, el controlador del teclado y los *chips* de soporte.

Los *chips* que controlan la visualización del video, los puertos seriales y paralelos, las unidades del *mouse* y de disco pueden encontrarse o no presentes en la tarjeta base. En caso de no ser así, son controladores independientes que se conectan en una ranura de expansión en la tarjeta base.

Motorola
Véase vendors.

mouse
ratón
Objeto semejante a un disco que se usa como un dispositivo para puntero y de dibujo. A medida que se hace rodar sobre el escritorio, en cualquier dirección, el cursor (puntero) de la pantalla se mueve en forma correspondiente.

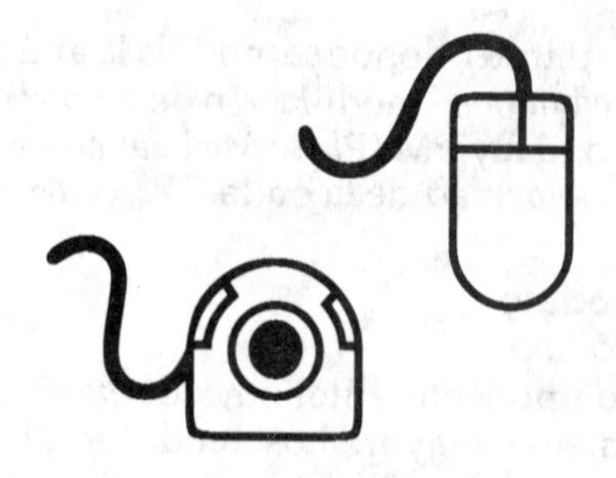

mouse port
puerto del mouse
Zócalo del computador donde se conecta el *mouse*.

MPC (**M**ultimedia **PC**)
PC multimedia
Los requisitos mínimos de Microsoft para un PC multimedia son los siguientes:

- CPU 80286 a 10Mhz, pantalla VGA, 2MB RAM, disco duro de 30MB, *mouse* de dos botones
- CD ROM con extensiones CD ROM 2.2
- Tarjeta de audio con muestreo lineal PCM de 8 *bits*, sintetizador musical y capacidades analógicas de mezcla
- Puertos para el *joystick*, MIDI, seriales y paralelos
- DOS 3.1, Windows 3.0 con extensiones multimedia

MPR II
Estándar del gobierno sueco de radiación máxima en terminales de video. El más antiguo, el MPR I, es menos riguroso.

ms (**M**illi**S**econd)
milisegundo
Véase millisecond. Véase además *vendors.*

MS-DOS (**M**icro**S**oft-**DOS**)
sistema operativo de Microsoft
Sistema operativo de un solo usuario para PC, de Microsoft. Es casi idéntico a la versión DOS de IBM, y ambas versiones se llaman DOS genéricamente.

MS-Windows (**M**icro**S**oft Windows)
Véase Windows.

MTBF (**M**ean **T**ime **B**etween **F**ailure)
tiempo medio entre fallas
Tiempo promedio que un componente trabaja sin fallas. Es la cantidad de fallas dividida entre las horas bajo observación.

Multifinder
La parte del sistema operativo de Macintosh que administra las múltiples aplicaciones en pantalla y de escritorio. El Finder de la primera generación maneja sólo una aplicación a la vez.

multifrequency monitor
monitor de multifrecuencia
Monitor que se ajusta a todas las frecuencias dentro de un rango (exploración múltiple) o a un conjunto de frecuencias específicas, como VGA o Super VGA.

multimedia
multimedios
Difusión de información en más de una forma. Incluye el uso de texto, audio, gráficas, gráficas animadas y video de movimiento pleno. *Véase MPC.*

multiplexing
multiplexar; multiplexado
Transmitir múltiples señales en una sola línea de comunicación o un canal de computador.

multiprocessing
procesamiento múltiple
Procesamiento simultáneo con dos o más procesadores en un computador, o dos o más computadores que están procesando juntos. Cuando se usan dos o más computadores, éstos se unen a un canal de alta velocidad y comparten entre sí la carga de trabajo general. En caso de que uno falle, el otro se hace cargo.

multiscan monitor
monitor de exploración múltiple
Monitor que se ajusta a todas las frecuencias dentro de un rango. El monitor de exploración múltiple fue popularizado por los monitores MultiSync de NEC Technologies. Véase *multifrequency monitor*.

multitasking
tarea múltiple
Ejecución de dos o más programas en un computador al mismo tiempo. La tarea múltiple se controla mediante el sistema operativo. La cantidad de programas que pueden realizar tareas múltiples efectivamente depende de la cantidad de memoria disponible, la velocidad de la CPU, capacidad y velocidad del disco duro, así como de la eficiencia del sistema operativo.

multithreading
lectura múltiple
Tarea múltiple dentro de un programa simple. Se utiliza para procesar múltiples transacciones o mensajes en forma simultánea. También se

requiere para crear aplicaciones sincronizadas de audio y de video. Con frecuencia, las funciones de multilectura se escriben en *reentrant code* (código reentrante).

multiuser
multiusuario
Computador compartido por dos o más usuarios.

MVS (Multiple Virtual Storage)
almacenamiento virtual múltiple
Introducido en 1974, el principal sistema operativo utilizado en los *mainframe* de IBM (los otros son VM y DOS/VSE). El MVS es un sistema operativo orientado al procesamiento por lotes que maneja grandes cantidades de memoria y espacio en disco. Las operaciones en línea se obtienen con CICS, TSO y otro *software* de sistemas.

N

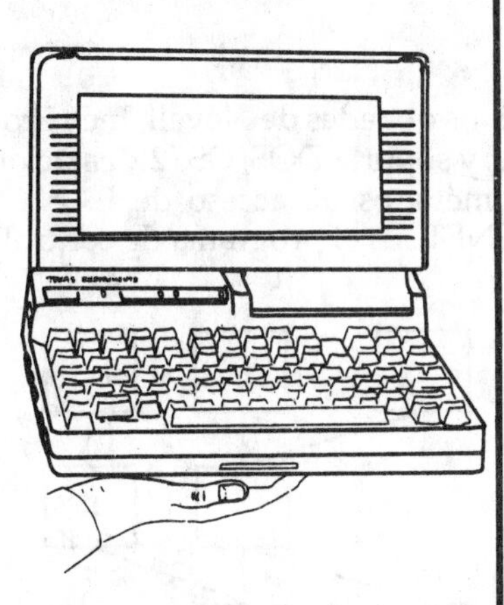

naming service
servicio de nombres
Software que convierte un nombre en una dirección física dentro de una red, suministrando una conversión lógica a una física. Los nombres pueden ser de usuarios, computadores, impresoras, servicios o archivos.

nanosecond
nanosegundo
Un mil millonésimo de segundo. Se usa para medir la velocidad de *chips* lógicos y de memoria, un nanosegundo puede visualizarse convirtiéndolo a distancia. En un nanosegundo, la electricidad viaja aproximadamente seis pulgadas en un cable. *Véase space/time.*

native mode
modo nativo
En un computador capaz de emular uno o más computadores remotos, es el principal modo de ejecución.

natural language
lenguaje natural
Inglés, español, francés, alemán, japonés, ruso, etc.

NCR Corp.
Véase vendors

NCR paper (No Carbon Required paper)
papel que no requiere carbón
Formulario de papel de copias múltiples que no contiene hojas de papel carbón. La tinta se adhiere al reverso de la hoja anterior.

NCSC (National Computer Security Center)
Dependencia de la U.S. National Security Agency que define los criterios para productos confiables

de computación. Los niveles de seguridad aparecen en el Orange Book (Trusted Computer Systems Evaluation Criteria, DOD Standard 5200.28 - criterios de evaluación de sistemas informáticos confiables). El nivel D es un sistema no seguro. El nivel C2 requiere que cada usuario haga *logon* (obtenga acceso) con los *passwords* (contraseñas) y con un mecanismo de auditoría. El A1 es el nivel más alto.

NetBIOS

Protocolo de transporte comúnmente usado para redes de área local (LAN) de PC y que fue introducido con la red para PC de IBM e implementado en MS-Net y LAN Manager de Microsoft. Los programas de aplicación usan NetBIOS para comunicaciones cliente/servidor o par a par.

NetWare

Familia de populares sistemas operativos de redes de Novell, Inc., Provo, UT, que se corre en 80286 y superiores, y soporta DOS, OS/2 y estaciones de trabajo Mac, y una variedad de métodos de acceso de LAN, que incluyen Token Ring, Ethernet y ARCNET. Es el programa de control de redes más ampliamente usado.

network

red

En comunicaciones, canales de transmisión y *hardware* y *software* de soporte. *Véase LAN.*

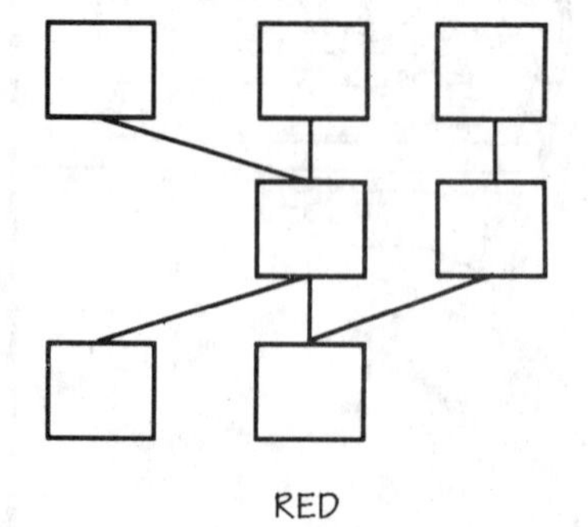

RED

network adapter

adaptador de redes

Tarjeta de circuito impresa que se conecta a una estación de trabajo o a un servidor; además, controla el intercambio de datos en una red. Realiza las funciones electrónicas del método de acceso (protocolo de enlace de datos), como Ethernet, Token Ring y LocalTalk. El medio de transmisión (par de cables trenzados, cable coaxial o cable de fibra óptica) que físicamente interconecta todos los adaptadores en la red.

network administrator

administrador de red

Persona que administra una red de comunicaciones y responsable de su operación eficiente. Entre sus tareas se incluyen la instalación de nuevas aplicaciones y el monitoreo de la actividad de la red.

network architecture

arquitectura de red

Diseño de un sistema de comunicaciones, que incluye el *hardware*, el *software*, los métodos de acceso y los protocolos empleados. También define el método de control: si los computadores pueden actuar en forma independiente o si son controlados por otros computadores que monitorean la red. La arquitectura de red determina la futura flexibilidad y conexión a redes extranjeras.

Método de acceso físico en una red de área local (LAN), como Ethernet, Token Ring y LocalTalk.

network card
tarjeta de red
Véase network adapter.

network management
gestión, administración de redes
Monitoreo de una red activa con el fin de diagnosticar problemas y reunir estadísticas para la administración y la recepción óptima.

network operating system
sistema operativo de redes
Programa de control que reside en un servidor de archivo dentro de una red de área local (NetWare, LANtastic, etc.). Maneja las solicitudes de datos de las estaciones de trabajo en la red. En los mini y *mainframe,* esta categoría de *software* se denomina *network control program* (programa de control de redes) o *network access method* (método de acceso a redes). *Véase VTAM.*

network ready
listo para red
Programa diseñado para correr en una red. Implica que múltiples usuarios pueden compartir las bases de datos sin interferencia entre ellos.

network server
servidor de red
Véase file server.

neural network
red neural o neuronal
Técnica de modelación que se basa en el comportamiento observado de las neuronas biológicas, y usada para imitar el desempeño de un sistema. Consiste en un conjunto de elementos que se conectan al comienzo en un patrón aleatorio y, con base en la retroalimentación operacional, son moldeados en el patrón requerido para obtener los resultados deseados. Las redes neurales se utilizan en aplicaciones como robótica, diagnóstico, elaboración de pronósticos y reconocimiento de patrones.

NewWave
Entorno operacional para PC de HP que corre entre DOS y Windows. Integra datos utilizando *hot links* (enlaces calientes) y activa las tareas utilizando agentes.

NeXT Computers
computadores NeXT
Familia de estaciones de trabajo con base en UNIX, de NeXT, Inc., Redwood City, CA, que incluye la interfaz NeXTstep del usuario y que suministra gráficas de alta resolución y procesamiento digital de señales para sonido de calidad de CD, procesamiento de imágenes, compresión de datos y reconocimiento de voz.

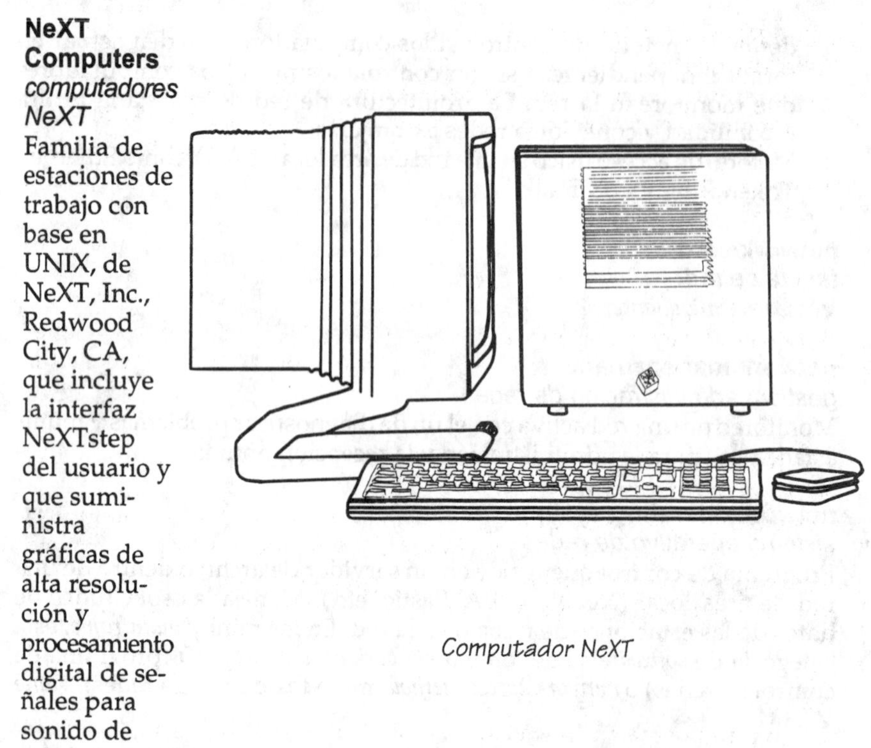

Computador NeXT

NeXTstep
Interfaz de gráficas para usuario y entorno de desarrollo orientado a objetos, de NeXT Computer. Permite la creación de aplicaciones *windows* con base en gráficas de UNIX.

NFS (Network File System)
sistema de archivo en red
Sistema de archivo distribuido de SunSoft que permite compartir datos a través de una red, independientemente de la máquina, sistema operativo, arquitectura de red o protocolo. Este es el estándar de hecho de UNIX que permite que los archivos remotos aparezcan como si fueran locales en la máquina de un usuario.

nibble
mordisquear
La mitad de un *byte* (cuatro *bits*).

NIC (Network Interface Card)
tarjeta de interfaz de redes
Lo mismo que *network adapter*.

NiCad (**NI**ckel **CAD**mium)
níquel cadmio
Material utilizado para fabricar baterías recargables. La baterías NiCad tienen memoria. Si se recarga antes de drenarla completamente, la carga siguiente dura sólo como la carga anterior. Para una capacidad máxima de almacenamiento, se requiere un drenado completo en forma periódica. *Véase nickel hydride.*

nickel hydride
híbrido de níquel
Material utilizado para fabricar baterías recargables que proporciona más energía por libra que las baterías NiCad y que no exhibe el efecto en la memoria.

NIS (**N**etwork **I**nformation **S**ervices)
servicios de información de redes
Servicio de nombres de Sun que permite que los recursos se agreguen, eliminen o se vuelvan a ubicar fácilmente. Antes se denominaban "Páginas amarillas" (*Yellow Pages*). Los NIS son un estándar de hecho de UNIX. Los NIS+ son NIS rediseñados para Solaris 2.0.

node
nodo
- En comunicaciones, punto de empalme o de conexión en una red (una terminal o computador).
- En administración de base de datos, elemento de datos al que se puede tener acceso por dos o más rutas.
- En gráficas por computador, punto terminal de un elemento gráfico.

noise
ruido
Señal extraña que invade una transmisión eléctrica. Puede provenir de fuertes señales magnéticas o eléctricas en líneas cercanas, por contactos eléctricos inadecuadamente ajustados y por picos en las líneas de energía.

non-document mode
modo de no-documento
Modo de procesamiento de palabras usado para crear programas en lenguaje fuente, archivos por lotes y otros archivos de texto que contengan sólo texto y no cabeceras ni códigos de formato. Todos los editores de texto igual que el XyWrite III Plus, automáticamente generan este formato.

non-impact printer
impresora de no impacto
Modelo que imprime sin golpear una cinta sobre el papel, como una impresora térmica o de chorro de tinta.

non-interlaced
no entrelazado
Iluminar una CRT visualizando líneas en forma secuencial, desde arriba hacia abajo. Los monitores no entrelazados eliminan el molesto destello de los monitores entrelazados, los cuales iluminan sólo la mitad de la pantalla a la vez. También llamada *interlaced* para un ejemplo.

non-numeric programming
programación no numérica
Programación que trata con objetos, como palabras, piezas de juegos de tablero y personas, en vez de números. También llamada *list processing.*

non-preemptive multitasking
multitarea no sustituible
Entorno donde una aplicación es capaz de dejar el control de la CPU a otra aplicación sólo en determinados momentos de su ejecución; por ejemplo, cuando está preparado para aceptar la entrada del usuario. Un programa puede dominar una máquina con este método. Adviértase la diferencia con *preemptive multitasking.*

non-procedural language
lenguaje no procedimental
Lenguaje de computador que no requiere que se establezca la lógica tradicional de programación. Por ejemplo, un comando como LIST, puede mostrar todos los registros de un archivo en pantalla, separando los campos con un espacio en blanco. En un lenguaje procedimental, como COBOL, toda la lógica para el ingreso de cada registro, verificación de fin de archivo y formateo de la pantalla debe estar explícitamente programada.

Los lenguajes de consulta, los escritores de informes, los programas interactivos de base de datos, las hojas de cálculo y los generadores de aplicación, proveen lenguajes no procedimentales para la operación por parte del usuario. Compárese con *procedural language* para un ejemplo de lenguaje.

non trivial
no trivial
Palabra favorita entre los programadores para referirse a una tarea difícil.

non-volatile memory
memoria no volátil
Memoria que guarda su contenido sin necesidad de energía. Los *chips* de *firmware* (ROM, PROM, EPROM, etc.) son algunos ejemplos de memoria no volátil. Los discos y las cintas también pueden clasificarse como memoria no volátil, aunque usualmente se consideran dispositivos de almacenamiento.

Norton Utilities
Programas de gestión de discos para PC y Macintosh de Symantec Corp., Cupertino, CA. Incluye programas, en cuanto a los archivos, para buscar y editar, recuperar y restaurar los dañados, entre otros. Originalmente de Peter Norton Computing, estos programas se encontraban entre los primeros que popularizaron las utilidades de disco para PC.

NOS
Véase network operating system.

notebook computer
computador de tipo cuaderno, libreta
Computador portátil que usualmente pesa menos de seis libras (más pesado que un computador de bolsillo; más liviano que un *laptop*).

Novell network
red Novell
Red de área local (LAN) controlada por uno de los sistemas operativos NetWare de Novell. *Véase NetWare.*

NTSC (National TV Standards Committee)
Estándar para la televisión de los Estados Unidos administrado por la FCC que normalmente transmite 525 líneas a 60 medios cuadros/segundo (entrelazados). Es una composición de señales de rojo, verde y azul para el color, e incluye una frecuencia FM para audio y una señal MTS para estéreo. El NTSC reanudará las sesiones cuando cambien los estándares de la televisión.

NuBus
Arquitectura de *bus* (32 *bits*) originalmente desarrollada en el MIT y definida como una Eurocard (9U). Apple cambió sus especificaciones eléctricas y físicas de uso en su serie de Macintosh. Muchos Mac tienen una o más ranuras de NuBus para adicionar nuevos mecanismos periféricos.

null
nulo
Primer carácter en ASCII y EBCDIC. En hexadecimal, se imprime como 00; en decimal, como un espacio en blanco. Naturalmente, se encuentra en números binarios cuando un *byte* no contiene *bits* de tipo 1. También se utiliza para rellenar campos y actuar como un delimitador; por ejemplo, en el lenguaje C, especifica el final de una cadena de caracteres.

null modem cable
cable nulo de modem
Cable RS-232-C utilizado para conectar dos computadores personales que se encuentran cercanos. El cable conecta ambos puertos seriales y cruza el cable transmisor en un extremo hasta el cable receptor en el otro extremo.

number crunching
trituración de números
Se refiere a los computadores que ejecutan aplicaciones matemáticas, científicas o de CAD, las cuales realizan grandes cantidades de cálculos.

numerical control
control numérico
Categoría de máquinas herramientas automatizadas, como taladros y tornos, que operan según las instrucciones en un programa. Las máquinas de control numérico (NC - *Numerical Control*) se utilizan en tareas de manufactura como fresado, torneado, matrizado y perforación.

O

OA
Véase office automation.

object
objeto

- En programación orientada a objetos, módulo autónomo de datos y su procesamiento asociado.
- En un documento compuesto, bloque independiente de datos, texto o gráficas que se crearon mediante una aplicación separada.

object code
código objeto
Lo mismo que *machine language.*

object computer
computador objeto
Lo mismo que *target computer.*

object language
lenguaje objeto
Lo mismo que *target language.*

object-oriented programming
programación orientada a objetos
Abreviada "OOP", tecnología de programación que es más flexible que la estándar. Es una forma evolutiva de programación modular con reglas formales que permite con mayor facilidad que segmentos de *software* sean reutilizados e intercambiados entre diversos programas.

La programación orientada a objetos trata con módulos autónomos, u objetos, que contienen tanto los datos como las rutinas que actúan en éstos. Esto se denomina *encapsulación* y estos tipos de datos definidos por el usuario se llaman *clases*. Un ejemplo de clase es el *objeto.*

Otra característica importante es la *herencia*. Las clases se crean en jerarquías que permiten que el conocimiento de una clase se pase a la jerarquía. El objeto MACINTOSH podría ser un ejemplo de una clase de COMPUTADOR PERSONAL, que hereda todas las propiedades asociadas con éste.

El Smalltalk de Xerox fue el primer lenguaje orientado a objetos. En la actualidad, el C++ es el lenguaje orientado a objetos más popular porque es una ampliación del C tradicional. *Véase programming languages.*

object-oriented technology
tecnología orientada a objetos
Variedad de disciplinas que respaldan la programación orientada a objetos (OOP), que incluyen análisis orientado a objetos (OOA) y diseño orientado a objetos (OOD).

object program
programa objeto
Programa en lenguaje de máquina listo para ser ejecutado.

OCR (**O**ptical **C**haracter **R**ecognition)
reconocimiento óptico de caracteres
Reconocimiento, por medio de una máquina, de caracteres impresos. Los sistemas OCR pueden reconocer muchos tipos diferentes de OCR, así como caracteres de máquinas de escribir e impresos por computador. Los sistemas avanzados OCR pueden reconocer caracteres manuscritos.

OEM (**O**riginal **E**quipment **M**anufacturer)
fabricante de equipo original
Fabricante que vende equipo a un distribuidor. El término también se refiere al distribuidor en sí. Los clientes de un OEM agregan valor al producto antes de revenderlo, le colocan etiquetas con sus propias marcas o lo venden en paquete junto con sus propios productos. *Véase VAR.*

office automation
automatización de oficinas
Integración de las funciones de información en la oficina, que incluyen el procesamiento de texto, el procesamiento de datos, las gráficas, las publicaciones de autoedición y el correo electrónico.

offline
fuera de línea
No conectado a un computador o no instalado en éste. Si una terminal, impresora u otro dispositivo se encuentra en conexión física con el computador, pero no está encendido o en modo "listo", aún se considera fuera de línea. Nótese la diferencia con *online.*

O

offline storage
almacenamiento fuera de línea
Discos y cintas que se guardan en una biblioteca de datos.

offload
descargar
Eliminar trabajo de un computador y realizarlo en otro. *Véase cooperative processing.*

offset
desplazamiento
- Distancia desde un punto de partida, bien sea el comienzo de un archivo o de una dirección de memoria.
- En procesamiento de texto, cantidad de espacio de un documento que se imprime desde el margen izquierdo.

OLE (Object Linking and Embedding)
enlace y empotramiento de objetos
Protocolo de documento compuesto de Windows. La aplicación "cliente" crea el documento; la aplicación "servidor" crea un objeto dentro del documento. Cuando un usuario teclea dos veces en un objeto empotrado en una aplicación "cliente", se carga la aplicación "servidor" y se recupera el archivo adecuado de datos.

online
en línea
- Dispositivo periférico (terminal, impresora, etc.) que se encuentra listo para operar. Una impresora puede estar conectada y encendida, y aún no estar en línea, si la luz indicadora ONLINE o SEL está apagada. Presionando el botón ONLINE, por lo general, la colocará en línea nuevamente.
- Un sistema computacional en línea se refiere a un sistema con terminales, pero no implica la manera como opera el sistema. Los siguientes son sistemas en línea: los sistemas de recolección de datos aceptan datos de terminales, pero no actualizan los archivos maestros. Los sistemas interactivos implican ingreso y actualización de datos. Los sistemas de procesamiento de transacciones actualizan los archivos maestros

¡En línea significa felicidad!

tan pronto como llegan las transacciones. Los sistemas en tiempo real responden en forma inmediata a una pregunta.

¿Desea impresionar a sus amigos?

Aunque sea completamente redundante, no es incorrecto decir que se posee un sistema de procesamiento de transacciones en línea, interactivo y en tiempo real. Sin embargo, ¡no diga esto a un experimentado analista de sistemas!

online help

ayuda en línea

Instrucción en pantalla que está inmediatamente disponible.

online industry

industria en línea

Conjunto de organizaciones que proporciona acceso de marcación de números telefónicos a servicios de correo electrónico y de base de datos.

online services

servicios en línea

A continuación se presentan las principales organizaciones de servicios de información en línea, que incluyen los tipos de bases de datos suministrados. "Amplia variedad", por lo general, incluye noticias, datos sobre el tiempo y compras, así como información sobre muchos temas. Muchos servicios suministran correo electrónico.

American Online, Inc.
Bases de datos: amplia variedad, computadores personales, temas técnicos
8619 Westwood Center Dr., Vienna, VA 22182,
800/827-6364, 703/448-8700

BIX
Bases de datos: técnica de computadores personales
Byte Information Exchange, General Videotex Corp., 1030 Massachusetts Ave. Cambridge, MA 02138, 800/695-4775, 617/491-3393

CompuServe Information Service, Inc.
Bases de datos: amplia variedad, computadores personales, temas técnicos
P.O. Box 20212, Columbus, OH 43220, 800/848-8199 (Ohio)
800/848-8990, 614/457-8650

DataTimes Corporation
Bases de datos: periódicos, revistas, temas financieros
1400 Quail Springs Pkwy., Oklahoma City, OK 73134,
800/642-2525, 405/751-6400

DELPHI
Bases de datos: amplia variedad, acceso a DIALOG
General Videotex Corp., 1030 Massachusetts Ave.,
Cambridge, MA 02138, 800/544-4005, 617/491-3393

DIALOG Information Services, Inc.
Bases de datos: más de 400 (las más grandes)
3460 Hillview Avenue, Palo Alto, CA 94304, 800/334-2564,
415/858-2700

Dow Jones News/Retrieval Service
Bases de datos: reservaciones financieras más reservaciones
comerciales en aerolíneas, etc.
P.O. Box 300, Princeton, NJ 08543, 800/522-3567, 609/520-4000

EasyLink
Servicios: correo electrónico, télex, EDI
Bases de datos: acceso a principales proveedores (DIALOG,
CompuServe, etc.)
AT&T EasyLink Services, 400 Interpace Pkwy., Parsippany, NJ
07054, 800/242-6005, 201/331-4000

GEnie
Bases de datos: amplia variedad
General Electric Information Services Co., 401 N. Washington St.
Rockville, MD 20850, 800/638-9636, 301/340-4000

Mead Data Central
Bases de datos: noticias (NEXIS), legal (LEXIS)
P.O. Box 933, Dayton, OH 45401, 800/227-4908, 513/865-6800

Maxwell Online
Bases de datos: médica (BRS), patentes, marcas comerciales
(ORBIT)
8000 Westpark Dr., McClean, VA 22102, ORBIT 800/456-7248, BRS
800/289-4277

MEDLARS
Bases de datos: temas médicos
National Library of Medicine, 8600 Rockville Pike, Bethesda, MD
20894, 800/638-8480, 301/496-6193

MCI Mail
Servicios: correo electrónico, télex, fax
Bases de datos: acceso a Dow Jones
1133 19th St., NW, Washington, DC 20036, 800/444-6245, 202/833-
8484

National Videotex Network
Bases de datos: amplia variedad
5555 San Felipe, Suite 1200, Houston, TX 77056, 800/336-9096,
713/877-4444

NewsNet, Inc.
Bases de datos: boletines de noticias
945 Haverford Rd., Bryn Mawr, PA 19010, 800/952-0122, 215/527-8030

PRODIGY
Bases de datos: amplia variedad, compras
445 Hamilton Ave., White Plains, NY 10601, 800/776-3449, 914/993-8848

VU/TEXT Information Services, Inc.
Bases de datos: periódicos
325 Chestnut St., Suite 1300, Philadelphia, PA 19106, 800/323-2940, 215/574-4400

WESTLAW
Bases de datos: legales (más acceso a DIALOG y Dow Jones)
West Publishing Co., 610 Opperman Dr., St. Paul, MN 55123, 800/WESTLAW, 612/687-7000

ZiffNet
Bases de datos: PC (transferencia de *software* o datos, información técnica)
25 First St., Cambridge, MA 02141, 800/666-0330, 617/252-5000

OOP
Véase object-oriented programming.

open
abrir
- Identificar un archivo de disco o cinta para leer y escribir. El procedimiento de abrir "protege" un archivo existente o crea uno nuevo.
- Con respecto a un conmutador, *open* significa *"off"* (apagado).

open architecture
arquitectura abierta
Sistema cuyas especificaciones son hechas públicas con el fin de estimular a otros fabricantes a desarrollar productos agregados. Gran parte del éxito inicial de Apple se debió a la arquitectura abierta de Apple II. El PC es arquitectura abierta.

open system
sistema abierto
Sistema independiente de fabricantes que está diseñado para interconectarse con una variedad de productos. Implica que los estándares están determinados a partir de un consenso de las partes interesadas, en vez de uno o dos fabricantes. Nótese la diferencia con *closed system.*

operating system
sistema operativo
Programa maestro de control que opera el computador. Es el primer programa que se carga cuando se enciende el computador, y su parte central, llamada *kernel* (núcleo), reside en la memoria todo el tiempo. El sistema operativo puede ser desarrollado por el fabricante del computador o por terceros.

El sistema operativo es un componente importante del sistema computacional, porque establece los estándares para los programas de aplicación que se ejecutarán en éste. Todos los programas deben "dialogar" con el sistema operativo. También llamado *executive* (ejecutivo) o *supervisor* (supervisor).

optical disk
disco óptico
Disco de acceso directo que es grabado y leído mediante luz. Los CD de música, los CD ROM y los videodiscos son discos ópticos grabados en el momento de su fabricación y no pueden borrarse. Los discos WORM (*Write Once Read Many* - escribir una vez, leer muchas) se graban en el ambiente del usuario, pero no pueden borrarse.

Los discos ópticos borrables funcionan como los discos magnéticos y pueden ser reescritos una y otra vez. A fines de los años ochenta, se introdujo una variedad de discos ópticos borrables que emplean tecnologías de grabación magneto-óptica, de polímeros teñidos y de cambio de fase.

optical fiber
fibra óptica
Filamento de vidrio muy delgado, diseñado para la transmisión de luz, capaz de transmitir miles de millones de *bits* por segundo. A diferencia de las pulsaciones eléctricas, las de luz no se afectan por la radiación aleatoria en el ambiente.

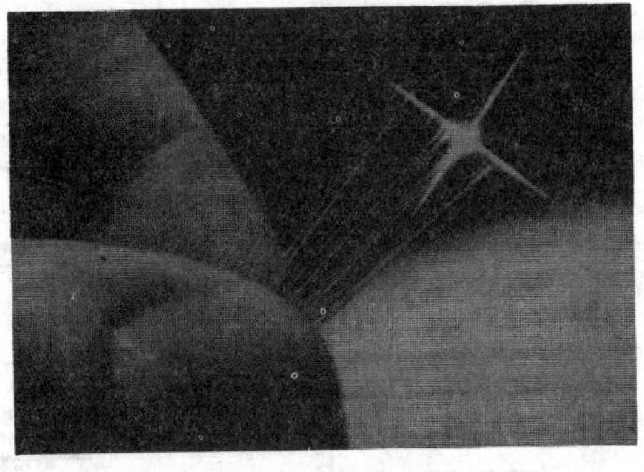

FIBRA ÓPTICA
(Cortesía de AT&T)

Cada una de estas fibras ópticas, tan delgadas como un cabello, puede transportar miles de conversaciones simultáneas de voz digitalizada.

OS (Operating System)
sistema operativo
Véase operating system.

OS/2
Sistema operativo de multitareas de un solo usuario para PC con una interfaz gráfica (*Presentation Manager* - administrador de presentaciones) similar a Windows. Las primeras versiones fueron desarrolladas en conjunto por Microsoft e IBM para 80286 y superiores (16 *bits*). Las nuevas

versiones (32 *bits*) para 386 y superiores han sido desarrolladas en forma independiente. La versión 2.0 de OS/2 de IBM corre programas OS/2, DOS y Windows. La versión de Microsoft es Windows NT.

OSF (**O**pen **S**oftware **F**oundation)
Organización sin ánimo de lucro dedicada a distribuir un entorno operativo abierto. Los principales estándares de OSF son el sistema operativo OSF/1 (versión de UNIX), la interfaz gráfica de usuario Motif, los protocolos DCE (*Distributed Computing Environment* - entorno de informática distribuida) y los DME (*Distributed Management Environment* - entorno de administración distribuida).

OSI (**O**pen **S**ystem **I**nterconnection)
interconexión de sistemas abiertos
Estándar ISO (*International Standards Organization*) para comunicaciones a nivel mundial que define una estructura con el fin de implementar protocolos en siete estratos o capas. Es similar a las capas SNA (*Systems*

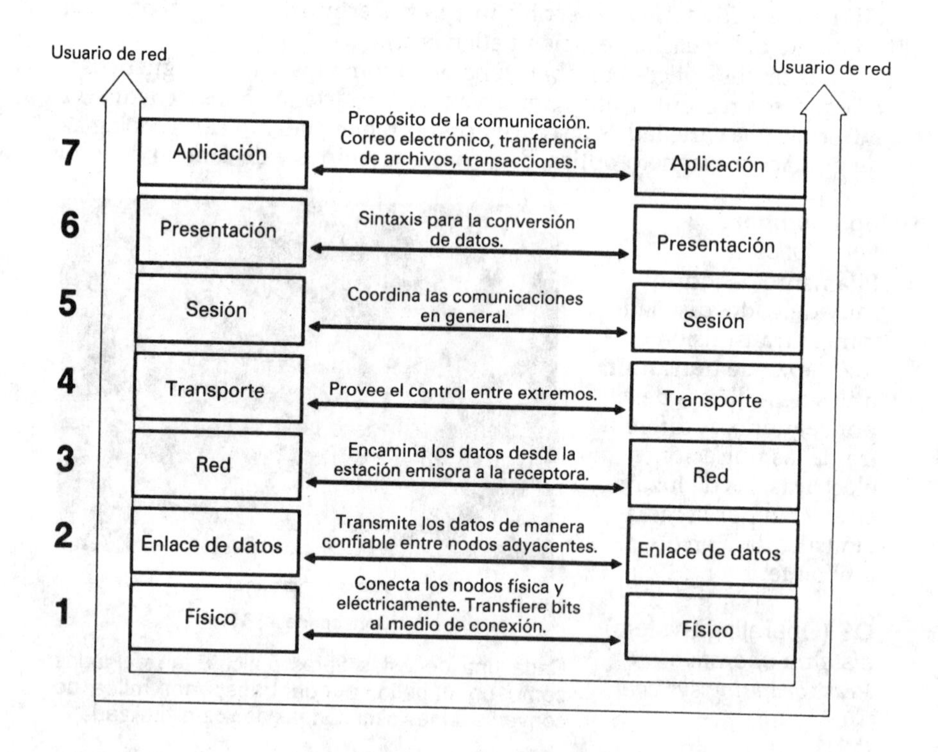

ESTRATOS OSI

Network Architecture (arquitectura de redes de sistemas) de IBM, pero no idéntico. El control se transfiere de un estrato al siguiente, comenzando en el estrato de aplicación en una estación, llegando hasta el estrato inferior, por el canal hasta la próxima estación y subiendo nuevamente la jerarquía. La mayor parte de los fabricantes han acordado respaldar el OSI en una forma u otra. El OSI requiere especificaciones más detalladas y una enorme cooperación para que sea un estándar universal como el sistema telefónico.

Los dos primeros estratos se utilizan comúnmente en comunicaciones de computadores personales (Xmodem, Zmodem, Ethernet, Token Ring). *Véanse communications protocol* y la figura anterior.

outline font
tipografía delineada, fuente de bosquejos o trazados
Tipografía formada por los contornos básicos de cada carácter. Los contornos se transforman en los caracteres reales (mapas de *bits*) antes de la impresión. *Véase scalable font.*

output
salida; producir una salida
- Cualquier información generada por computador y presentada en pantalla, impresa en papel o en un formato legible por la máquina, como disco y cinta.
- Transferir o transmitir desde el computador a un dispositivo periférico o línea de comunicaciones.

output device
dispositivo de salida
Cualquier periférico que confiere la salida desde el computador, como una pantalla o impresora. Aunque los discos y las cintas reciben la salida, se consideran dispositivos de almacenamiento.

outsourcing
fuentes externas
Contratar consultores externos, tiendas o almacenes de *software* u oficinas de servicios para realizar análisis de sistemas, operaciones de programación y de centro de datos. *Véase facilities management.*

OverDrive
CPU 486 actualizada de Intel. *Véase 486.*

overflow error
error de desbordamiento
Error que ocurre cuando un dato calculado no cabe dentro del campo designado. El campo de resultado se deja por lo general en blanco o se rellena con algún símbolo para señalar la condición de error.

overhead
carga general
- Cantidad de tiempo de procesamiento empleado por el *software* del

sistema, como el sistema operativo, monitor TP o administrador de base de datos.

- En comunicaciones, códigos adicionales transmitidos para propósitos de control y de verificación de errores.

overlay
recubrimiento

- Formulario preimpreso y precortado que se coloca sobre una pantalla, tecla o tableta para propósitos de identificación. *Véase keyboard template.*
- Segmento de programa que se llama a la memoria cuando se necesita. Cuando un programa es más grande que la capacidad de memoria de la máquina, las partes del programa que no se utilizan constantemente pueden disponerse como *overlays*.

overlay card
tarjeta de recubrimiento
Controlador que digitaliza señales NTSC de una fuente de video para presentar en el computador.

P

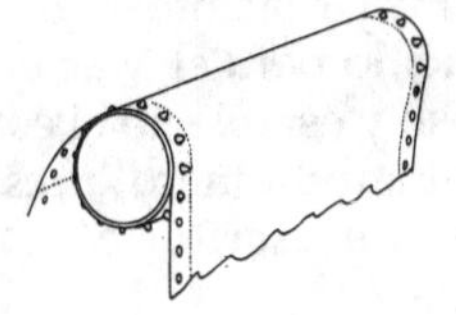

pack
empaquetar, agrupar, comprimir, empaquetamiento

- Comprimir datos con el fin de ahorrar espacio. *Unpack* (desempaquetar) se refiere a descomprimir datos. *Véase data compression*.
- En programas de base de datos, comando que elimina los registros que han sido marcados para ser borrados.

packet switching
conmutación por paquetes
Técnica para manejar altos volúmenes de tráfico en una red descomponiendo los mensajes en paquetes de longitud fija que se transmiten a su destino a través de la ruta más expedita. Es posible que todos los paquetes en un solo mensaje no viajen por la misma ruta (ruta dinámica). El computador de destino recompone los paquetes en su secuencia apropiada.

page break
corte de página
En impresión, código que marca el final de una página. Un corte de página manual (duro) insertado por el usuario, corta la página en esa ubicación. Un corte de página automático (blando) es creado por un procesador de palabras o un programa de informes con base en los parámetros actuales de longitud de página.

page description language
lenguaje de descripción de página
Lenguaje de alto nivel independiente del dispositivo para definir la salida de la impresora. Si una aplicación genera salida en un lenguaje de descripción de página,

como PostScript, la salida puede imprimirse en cualquier modelo que la soporte.

page recognition
reconocimiento de página
Software que reconoce el contenido de una página impresa que ha sido explorada con el *scanner* e introducida en el computador. Utiliza OCR (*Optical Character Recognition* - reconocimiento óptico de caracteres) para convertir las palabras impresas en texto de computador y debe ser capaz de diferenciar texto de otros elementos en la página, como figuras y encabezamientos.

PageMaker
Programa de publicaciones de escritorio para PC y Macintosh, de Aldus Corp., Seattle, WA. Originalmente fue introducido para el Mac en 1985, ayudó a vender una gran cantidad de Macintosh y estableció el estándar para las publicaciones de escritorio. De hecho, Paul Brainerd, presidente de Aldus, acuñó el término "publicaciones de escritorio" (*desktop publishing*). La versión PC fue introducida en 1987.

paint
pintar
- En gráficas por computador, "pintar" la pantalla usando un buril de tableta o un *mouse* para simular un pincel.
- Transferir una imagen de matriz de puntos, como en la frase "la impresora láser pinta la imagen sobre un tambor fotosensible".
- Crear una forma en la pantalla escribiendo en cualquier lugar de ésta. "Pintar" la pantalla con texto.

paint program
programa para pintar
Programa gráfico que permite al usuario simular que pinta en la pantalla con el uso de una tableta gráfica o *mouse*. Los programas para pintar crean imágenes de gráficas de trama.

palette
paleta
- En gráficas por computador, rango total de colores que puede usarse para visualizar, aunque generalmente sólo un subconjunto de éstos puede emplearse a la vez.
- Conjunto de funciones o modos.

palmtop
microcomputador de bolsillo
Computador suficientemente pequeño como para sujetarlo con una mano y utilizarlo con la otra. Estos microcomputadores de bolsillo pueden tener teclados especializados o numéricos para aplicaciones de ingreso de datos, o también pequeños teclados *qwerty*.

pan
abarcar; panorámica
- En gráficas por computador, moverse (mientras se está visualizando) a una parte diferente de una imagen sin cambiar la ampliación.
- Moverse (mientras se está visualizando) horizontalmente a través de un registro de texto.

paper tape
cinta de papel
- Primer formato de almacenamiento de datos que contenía patrones de huecos perforados.
- Rollo de papel impreso por una calculadora o caja registradora.

Paradox
DBMS (*DataBase Management System* - sistema de administración de base de datos) relacional para PC, de Borland, que se conoce por su facilidad de uso y consulta mediante el método de ejemplos, que permite formular preguntas. Su lenguaje de programación PAL (*Paradox Application Language* - lenguaje de aplicaciones Paradox) permite el desarrollo de aplicaciones comerciales completas.

parallel port
puerto paralelo
Conector I/O (entrada/salida) que se utiliza para enchufar una impresora u otro dispositivo de interfaz paralelo. En un PC, se utiliza un conector hembra DB-25 de 25 pines. *Véase printer cable.*

parallel processing
procesamiento paralelo
- Dentro de un solo computador que realiza más de una operación a la vez. *Véanse pipeline processing* y *vector processor*.
- Arquitectura de multiprocesamiento compuesta de CPU o sistemas computacionales múltiples. Una operación se realiza en muchos conjuntos de datos, o se trabaja en diferentes partes del trabajo de manera simultánea. *Véase hypercube.*

parallel transmission
transmisión en paralelo
Transmitir datos en múltiples líneas, uno o más *bytes* a la vez. Adviértase la diferencia con *serial transmission*.

parameter
parámetro
Cualquier valor que se suministre a un programa o rutina con el fin de modificarlo. Algunas veces el *software* se escribe para aceptar direcciones opcionales, que se introducen en la línea de comando con el nombre del programa cuando éste se carga. Algunos ejemplos son nombres de archivo, coordenadas, códigos específicos, etc. *Véase switch.*

PARC (**P**alo **A**lto **R**esearch **C**enter)
centro de investigación de Palo Alto
Centro de investigación y desarrollo de Xerox, donde se desarrollaron el lenguaje de programación Smalltalk y la interfaz GUI (*Graphical User Interface* - interfaz gráfica de usuario). Establecido en 1970, este centro está ubicado en el Stanford University Industrial Park en Palo Alto, CA.

parent-child
padre-hijo
En administración de bases de datos, relación entre dos archivos. El archivo padre contiene los datos requeridos sobre un tema (empleado, distribuidores, etc.). El hijo es la descendencia (pedidos, compras, etc.).

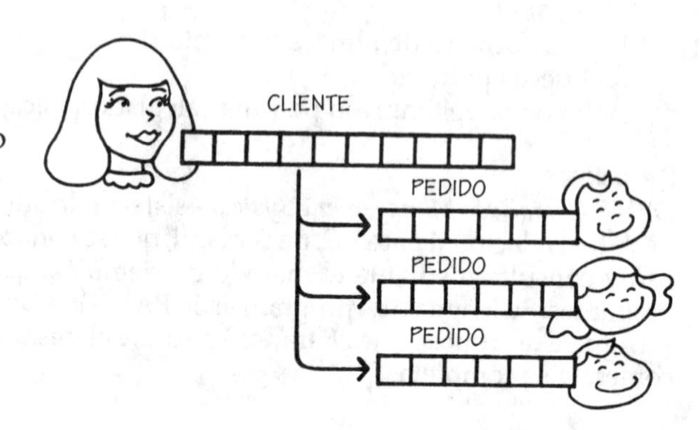

PADRE-HIJO

parent program
programa padre
Programa principal o primario, o primer programa cargado en la memoria. *Véase child program.*

parity bit
bit de paridad
Bit extra unido al *byte*, carácter o palabra utilizados para detectar errores en la transmisión.

parity checking
comprobación de paridad
Técnica de detección de errores que comprueba la integridad de los datos digitales dentro del sistema del computador o en una red. La comprobación de paridad utiliza un noveno *bit* extra que es un 0 o un 1, dependiendo del contenido de los datos del *byte*. Cada vez que se transfiere o transmite un *byte*, se comprueba el *bit* de paridad.

park
estacionar, "parquear"
Retirar el cabezal de lectura/escritura en un disco duro a su posición de alojamiento antes de mover físicamente la unidad, con el propósito de prevenir daños. La mayor parte de las unidades de *modem* se estacionan solas cuando se apagan.

parse
análisis gramatical
Analizar una sentencia o instrucción de lenguaje. El análisis gramatical descompone las palabras en unidades funcionales que pueden convertirse a lenguaje de máquina. Por ejemplo, para analizar la expresión de dBASE `SUM salario FOR título = "GERENTE"`, SUM debe identificarse como el comando principal, FOR como una búsqueda condicional, TÍTULO como un nombre de campo y GERENTE como el dato por buscar.

P

parser
analizador sintáctico
Rutina que realiza operaciones de análisis sintáctico en un computador o lenguaje natural.

partition
partición
Parte reservada del disco o de memoria que se deja aparte para algún propósito.

Pascal
Véase programming languages.

passive matrix LCD
LCD de matriz pasiva
Tecnología común de LCD (***Liquid Crystal Display*** - pantalla de cristal líquido) que ilumina un *pixel* enviando corriente por la fila y columna apropiadas. Obsérvese la diferencia con *active matrix LCD.*

password
contraseña
Palabra o código utilizado como un medio de seguridad contra el acceso no autorizado a los datos. Normalmente, las contraseñas se manejan mediante el sistema operativo o DBMS (***DataBase Management System*** - sistema de administración de base de datos). Sin embargo, el computador sólo puede verificar la legitimidad de la contraseña, no la del usuario.

patch
parche
Arreglo temporal o rápido a un programa. Demasiados parches en un programa hacen difícil su mantenimiento. También puede referirse a cambiar el código actual de la máquina cuando es inconveniente recompilar el programa fuente.

path
camino, vía de acceso, ruta
- En comunicaciones, ruta entre dos nodos.
- En administración de base de datos, ruta que va de un conjunto de datos a otro; por ejemplo, desde clientes hasta pedidos.

- Ruta identificable a un archivo en un disco. Por ejemplo, el archivo MYLIFE localizado en el subdirectorio STORIES dentro del directorio JOE sería: **`c:\joe\stories\mylife`** en el DOS, **`/joe/stories/mylife`** en UNIX y **`hard disk:joe:stories:mylife`** en Macintosh, suponiendo *"hard disk"* (disco duro) como el nombre del disco (algunas veces se utilizan nombres de vía de acceso de la línea de comando en el Mac).

PBX (**P**rivate **B**ranch e**X**change)
intercambio privado de ramificación
Sistema de conmutación telefónica interna que interconecta en forma electrónica las extensiones telefónicas entre sí, así como a la red telefónica externa. Puede incluir funciones como ruta menos costosa para llamadas externas, redireccionamiento de llamadas, llamadas de conferencia y contabilidad de llamadas.

Los PBX modernos utilizan métodos totalmente digitales de conmutación, y a menudo pueden operar terminales y teléfonos digitales, así como teléfonos analógicos.

PC
- (**P**ersonal **C**omputer)
computador personal
Máquinas que se ajustan al estándar de PC; inicialmente fueron desarrollados por IBM y después controlados en forma conjunta por Intel, Microsoft y principales distribuidores de PC. El PC es la base de computadores más grande del mundo; los estimados para 1993 son 100 millones de unidades a nivel mundial.
- (**P**ersonal **C**omputer)
cualquier computador personal
- Algunas veces se refiere a los modelos de IBM de la primera generación como PC, XT y AT, en contraste con los PS/2 de la segunda generación.
- *Véase printed circuit board.*

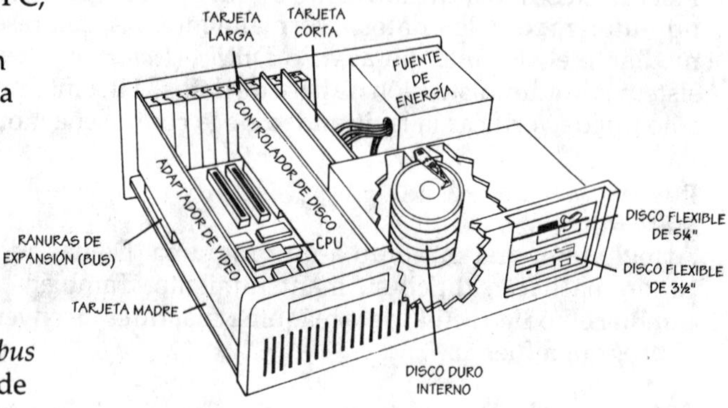

DISTRIBUCIÓN INTERNA DE UN PC IBM

PC bus
bus PC
Arquitectura de *bus* usada en los PC de IBM de la primera generación. El *bus* de PC se refiere al *bus* original de 8 *bits* y la extensión de 16 *bits* introducida con al AT. Las tarjetas de 8 *bits* se ajustan en las ranuras de 8 y 16 *bits*, pero las tarjetas de

16 *bits* sólo se adaptan a la ranura de 16 *bits*. También llamado *bus ISA*. Adviértase la diferencia con *EISA* y *Micro Channel*.

PC card
tarjeta de PC
- Tarjeta de memoria, tarjeta de I/O (entrada/salida) o tarjeta de memoria I/O. El logo de "PC Card" se refiere a las versiones 2.0 de PCMCIA y 4.1 de JEIDA, estándares compatibles a finales de 1991. *Véase standards bodies.*
- Tarjeta de expansión para un PC.

P

PC-DOS
Sistema operativo del DOS de Microsoft suministrado por IBM para sus computadores personales. PC-DOS y MS-DOS son casi idénticos y ambos se llaman simplemente DOS.

PC network
red de PC
- Red de PC de IBM y/o compatibles con IBM.
- Red de cualquier variedad de computadores personales.
- (PC Network) Primera red de área local (LAN) para PC de IBM introducida en 1984. Utilizó el método de acceso CSMA/CD e introdujo la interfaz NetBIOS. El soporte de redes Token Ring se añadió posteriormente. La versión de Microsoft se llama MS-Net.

PC Paintbrush
Programa para pintar en PC, de ZSoft Corp., Marietta, GA, que establece de hecho un formato estándar de gráficas. Su formato de gráficas de trama PCX opera monitores monocromáticos, a color de 2, 4, 8 y 24 *bits*.

PC Tools Deluxe
Paquete completo de utilidades para PC, de Central Point Software, Beaverton, OR, que incluye un *shell* (caparazón) DOS, así como utilidades para la administración de archivos, comunicaciones, caché de disco, copias de seguridad y compresión de datos.

PCL (**P**rinter **C**ontrol **L**anguage)
lenguaje de control de impresora
Lenguaje de comandos para impresoras de HP LaserJet. Se ha convertido en un estándar de hecho usado en muchas impresoras y máquinas de composición tipográfica. El PCL Level 5, introducido con la LaserJet III en 1990, también soporta tipos escalables Intellifont de Compugraphic.

PCM
- (**P**ulse **C**ode **M**odulation)
  modulación por impulsos codificados
  Técnica para digitalizar voces tomando muestras de las ondas sonoras y convirtiendo cada muestra en un número binario. El PCM usa una

codificación de la forma de la onda que muestrea un ancho de banda de 4KHz, 8,000 veces por segundo. Cada muestra es un número de 8 *bits*, que da como resultado 64K *bits* de datos por segundo.

(**P**lug **C**ompatible **M**anufacturer)
fabricante de conexiones compatibles
Organización que produce un computador o un dispositivo electrónico compatible con una máquina existente.

PCMCIA (**P**ersonal **C**omputer **M**emory **C**ard **I**ndustry **A**ssociation)
Véase standards bodies.

PCX
Véase PC Paintbrush.

PD Software
Véase public domain software.

PDA (**P**ersonal **D**igital **A**ssistant)
asistente digital personal
Computador que cabe en la mano y que sirve a un organizador; agenda, libreta o apuntador electrónico e incluye características como ingreso con base en una pluma y transmisión inalámbrica a un servicio celular o sistema de escritorio.

peer-to-peer communications
comunicaciones par a par
Comunicaciones en las que ambos extremos tienen la misma responsabilidad para iniciar la sesión. Compárese con *master-slave communications.*

peer-to-peer network
red de par a par
Red de área local que permite que todos los usuarios tengan acceso a los datos en todas las estaciones de trabajo. No se requieren dedicados servidores de archivo, pero pueden utilizarse.

pel
Lo mismo que *pixel.*

pen-based
con base en pluma
Utilización de un buril para introducir escritura manual y marcas en un computador.

Pentium
Sucesor de la CPU 486 de Intel. Originalmente se llamaba el 586 y el código "P5", el Pentium es por lo menos dos veces más rápido que un 486. *Véase x86.*

peripheral
periférico
Cualquier dispositivo de *hardware* conectado a un computador, como monitor, teclado, impresora, trazador, disco, cinta, tableta gráfica, *scanner*, palanca de juegos (*joy stick*), paleta o *mouse*.

personal computer
computador personal
Computador que sirve a un usuario. Lo mismo que *microcomputer*.

EL PRIMER COMPUTADOR PERSONAL
(Cortesía de Xerox Corporation)

A mediados de los setenta, Xerox desarrolló el computador Alto, que fue precursor de su estación de trabajo Star y la inspiración para los computadores Lisa y Macintosh de Apple.

phototypesetter
fotocomponedora de caracteres tipográficos
Dispositivo que crea texto de calidad profesional. Las entradas vienen desde el teclado, disco, cinta o *modem*. La salida es una película parecida a un papel o transparente, que se procesa en un modelo de impresión listo para la cámara. Las fotocomponedoras tipográficas que manejan gráficas y texto se llaman *componedoras de imágenes*.

picture
figura
En programación, modelo o patrón que muestra cómo se exhibirán o imprimirán los datos. (999) 999-9999 es una imagen común para un número telefónico.

pie chart
diagrama de pastel, torta
Representación gráfica de información en la cual cada unidad de datos se representa como una parte de un círculo en forma de pastel o torta. *Véase business graphics*.

PIF (**P**rogram **I**nformation **F**ile)
archivo de información de programas
Archivo de datos de Windows utilizado para mantener los requisitos de aplicaciones DOS que corren bajo Windows. Windows proporciona una variedad de PIF, pero los usuarios pueden editarlos y crear unos nuevos con el editor PIF si una aplicación DOS no funciona en forma adecuada. Puede correr una aplicación presionando una tecla sobre el PIF.

piggyback board
tarjeta en cascada
Pequeña tarjeta de circuito impreso que se conecta a otra tarjeta de circuito para mejorar sus capacidades. No se enchufa en la tarjeta madre, pero puede insertarse en las tarjetas conectadas a la tarjeta madre.

PIM (**P**ersonal **I**nformation **M**anager)
administrador de información personal
Programa combinado con procesador de palabras, base de datos y accesorios de escritorio. Permite que el usuario relacione la información estructurada más libremente que los programas tradicionales. Los PIM varían ampliamente, pero todos tratan de administrar la información de la manera como las personas la utilizan en sus tareas.

pin
clavija, aguja, terminal
- Conductor macho en un enchufe de conexión (puerto serial, cable de monitor, conector del teclado, etc.) o pie en forma de araña en un *chip*. Cada aguja se enchufa en un zócalo para completar el circuito.
- (PIN) (**P**ersonal **I**dentification **N**umber)
  número de identificación personal
  Contraseña *(password)* personal utilizada para propósitos de identificación.

CLAVIJAS

pin feed
alimentación por agujas
Método para mover el papel mediante un conjunto de agujas en un rodillo o tractor. Las agujas enganchan el papel a través de huecos perforados en sus bordes. *Véase tractor feed.*

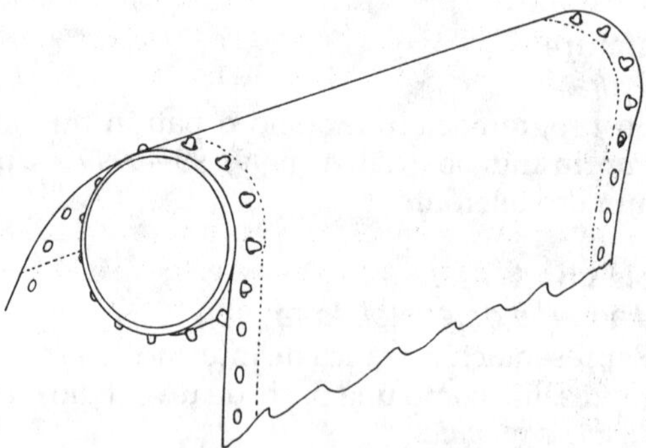

ALIMENTACIÓN POR AGUJAS

pinouts
Descripción y propósito de cada aguja en un conector.

pipeline processing
procesamiento por entubamiento, canalización
Categoría de técnicas que suministran procesamiento simultáneo, o paralelo, dentro del computador. Este tipo de procesamiento se refiere a la superposición de operaciones, llevando los datos o instrucciones a un

"tubo conceptual", donde todas las etapas del "tubo" se procesan en forma simultánea. Por ejemplo, mientras se ejecuta determinada instrucción, el computador decodifica la próxima instrucción. En procesadores vectoriales, diversos pasos de una operación de punto flotante pueden procesarse en forma simultánea.

piracy
piratería, plagio
Copia ilegal de *software* para uso personal o comercial.

pitch
grado, densidad
Cantidad de caracteres impresos por pulgada. Cuando los caracteres se encuentran espaciados en forma proporcional, la densidad es variable y debe medirse como un promedio. *Véase dot pitch.*

pixel (**PIX** [picture] **EL**ement)
elemento de imagen, pixel
Elemento más pequeño en una pantalla de presentación de video. Una pantalla se divide en miles de diminutos puntos, y un *pixel* es uno o más puntos que se tratan como una unidad. Un *pixel* puede ser un punto en una pantalla monocromática, tres puntos (rojo, verde y azul) en pantallas de color, o una agrupación de tales puntos.

plasma display
presentación por plasma
También se denomina *descarga en gases;* es una tecnología de pantalla plana que contiene un gas inerte ionizado intercalado entre un panel de eje *x* y uno de eje *y*. Un *pixel* se selecciona energizando un cable *x* y uno *y*, haciendo que el gas brille en esa área con un color naranja intenso.

platen
rodillo
Cilindro largo y delgado en una máquina de escribir o impresora, que conduce el papel a través de éste, y sirve como tope de retención para el impacto del mecanismo de impresión.

platform
plataforma
Arquitectura del *hardware* de un determinado modelo o familia de computadores. La plataforma es el estándar con que los diseñadores de *software* escriben sus programas. El término también incluye el sistema operativo. *Véase environment*.

platter
plato
Uno de los discos en un paquete de discos o unidad de disco duro. Cada plato proporciona una superficie de grabación superior y una inferior.

plotter
trazador
Impresora gráfica que dibuja imágenes con plumas de tinta. Los trazadores requieren datos en formato de gráficas vectoriales, que forman una imagen como una serie de líneas de punto a punto.

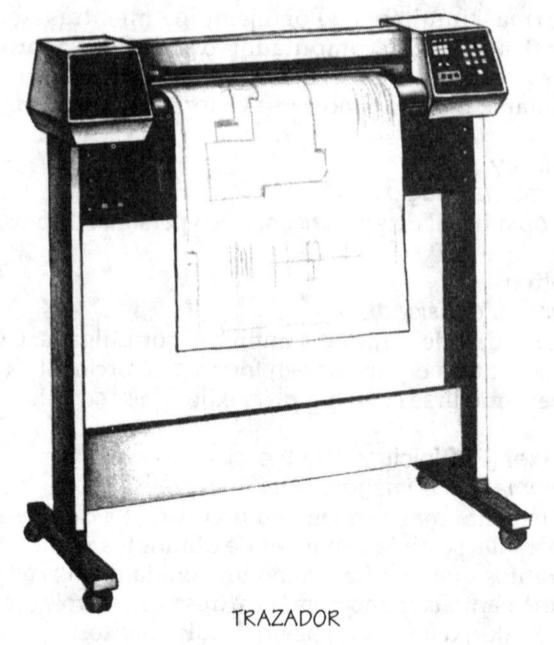
TRAZADOR

plug compatible
compatible con conexiones
Hardware diseñado para que se desempeñe exactamente igual a otro producto del fabricante. Una CPU compatible con conexiones opera el mismo *software* que la máquina con la cual es compatible. Un periférico compatible con conexiones trabaja igual que el dispositivo que está remplazando.

pocket computer
computador de bolsillo
Computador del tamaño de una calculadora de mano que funciona con baterías. Los computadores de bolsillo pueden conectarse a un computador personal para transferir datos.

point and shoot
apuntar y disparar
Seleccionar una opción de menú o activar una función llevando el cursor hacia una línea u objeto y presionando la tecla *return* (*enter*) o el botón del *mouse*.

point of sale
punto de venta
Captura de datos en el momento y lugar de venta. Los sistemas de punto de venta utilizan computadores personales o terminales especializadas, que se combinan con cajas registradoras, lectores ópticos de barras para leer las etiquetas del producto, y/o lectores de banda magnética para las tarjetas de crédito.

pointer
puntero, apuntador

- Símbolo en pantalla utilizado para identificar las selecciones del menú o la posición actual en la pantalla. Se mueve mediante un *mouse* u otro dispositivo de tipo puntero.
- En gestión o administración de base de datos, dirección incluida dentro de los datos que especifica la ubicación de los datos en otro registro o archivo.
- En programación, variable que se utiliza como una referencia al elemento actual en una tabla (arreglo) o a algún otro objeto, como la fila o columna actual en pantalla.

pointing device
dispositivo apuntador
Dispositivo de entrada, como un *mouse* o tabla gráfica, utilizado para mover el cursor en la pantalla o dibujar una imagen.

polling
encuesta, sondeo, interrogación, escrutinio
Técnica de comunicaciones que determina cuándo está lista una terminal para enviar datos. El computador continuamente interroga a sus terminales en una secuencia cíclica. Si una terminal tiene datos para enviar, ésta devuelve un reconocimiento y comienza la transmisión.

popup

- Tipo de menú que se muestra encima del texto o imagen de la pantalla existente. Cuando se selecciona el elemento, el menú desaparece y la pantalla se recupera.
- Lo mismo que *TSR*.

port
puerto; exportar

- Ruta de entrada y salida del computador. Los puertos seriales y paralelos en un computador personal son zócalos externos para conectar líneas de comunicaciones, *modem* e impresoras.
- Convertir el *software* para ejecutar en un entorno diferente de computador.

portable computer
computador portable, portátil
Computador personal que puede transportarse fácilmente. En comparación con los modelos de escritorio, las ranuras de expansión y capacidad de disco son limitadas.

portrait
retrato
Orientación en la cual los datos se imprimen en el lado más estrecho del formato.

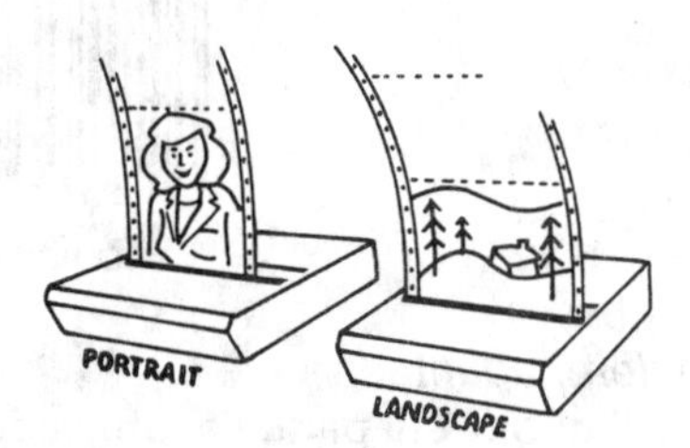

POS
Véase point of sale.

POST (Power On Self Test)
autocomprobación de energía
Serie de diagnósticos incorporados que se realizan cuando se enciende por primera vez el computador. Se generan códigos de propiedad (códigos POST) que indican los resultados de la prueba. *Véase diagnostic board.*

PostScript
Lenguaje de descripción de páginas de Adobe Systems, Inc., Mountain View, CA, que se utiliza en una amplia variedad de impresoras, componedoras de imagen y sistemas de representación.

Los comandos PostScript no controlan la impresora directamente. Éstos son sentencias de lenguaje (texto ASCII) que se traducen al lenguaje de máquina de la impresora mediante un interpretador PostScript incorporado a la impresora. El interpretador ajusta a escala o cambia el tamaño de los tipos, eliminando así la necesidad de almacenar una cantidad de tamaños de estos tipos en el disco.

El PostScript Level 2, compatible hacia abajo con el PostScript original, agrega compresión y mejoramiento de datos, especialmente para impresión a color.

Las fuentes PostScript vienen en formatos Type 1 y Type 3, y Adobe sólo genera Type 1. Los caracteres de tipo Type 1 se utilizan ampliamente y están siendo creados por otras compañías después de que se liberó el formato de tipo Adobe.

power down
apagar
Cortar el funcionamiento del computador en una forma ordenada, asegurándose de que todas las aplicaciones hayan sido cerradas normalmente y luego cortando el suministro de energía.

power supply
fuente de energía, alimentación
Sistema eléctrico que convierte la corriente alterna (AC) de la toma domiciliaria en corriente continua (DC), requerida por todos los circuitos del computador.

power up
encender
Iniciar el funcionamiento del computador en forma ordenada.

power user
usuario calificado
Persona que es muy eficiente con los computadores personales. Implica el conocimiento de una variedad de paquetes de *software*.

PowerPC
Chip RISC de Motorola para un proyecto conjunto de IBM/Apple.

ppm (Pages Per Minute)
páginas por minuto
Medidor de la velocidad de una impresora de página, como en una láser.

precision
precisión
Número de dígitos utilizados para expresar la parte fraccionaria de un número. Cuantos más dígitos, mejor será la precisión.

preemptive multitasking
multitarea preferente, preventiva
Multitarea que comparte tiempo de procesamiento con todos los programas en ejecución. Por ejemplo, los programas de fondo o de menor prioridad (*background*) pueden recibir el tiempo necesario de la CPU sin importar lo pesada que sea la carga de primer plano o de mayor prioridad. Obsérvese la diferencia con *non-preemptive multitasking*.

presentation graphics
gráficas de presentación
Gráficas comerciales, como histogramas y diagramas, que se utilizan como material de presentación en reuniones y conferencias. Implican la capacidad para crear gráficas estilizadas, como los diagramas tridimensionales (3-D).

Presentation Manager
administrador de presentaciones
Interfaz gráfica de usuario en OS/2.

preventive maintenance
mantenimiento preventivo
Verificación rutinaria del *hardware* realizada por un ingeniero de campo sobre una base establecida en forma regular.

print image
imagen de impresión
Documento de texto o de gráficas que ha sido preparado para la impresora. Los códigos de formato para determinada impresora han sido insertados en los lugares apropiados en el documento. Los encabezamientos, los pies de página y la numeración de páginas se han creado e insertado en cada página de texto.

print queue
cola de impresión
Espacio en el disco que almacena las salidas designadas por la impresora hasta que ésta pueda recibir la impresión.

print screen
imprimir pantalla
Capacidad para imprimir la imagen actual en pantalla. *Véase screen dump.*

print server
servicio, servidor de impresión
Computador en una red que controla una o más impresoras. Almacena las salidas a imagen de impresión de los usuarios del sistema y las pasa a la impresora.

print spooler
integrador de impresión
Software que permite que la impresión quede en segundo plano mientras se desarrollan otras tareas en el frente.

TARJETA DE CIRCUITO IMPRESO
(Cortesía de Rockwell International)
Esta tarjeta de circuito impreso es un *modem* de 9,600 bps.

printed circuit board
tarjeta de circuito impreso
Tarjeta plana que contiene *chips* y otros componentes electrónicos. La tarjeta se "imprime" con caminos conductores de electricidad entre los componentes. La principal tarjeta de circuito impreso en un

sistema, como la tarjeta madre, se denomina *board* (plaqueta), mientras que las más pequeñas que se conectan en las ranuras de la tarjeta principal, se llaman *boards* (plaquetas) o *cards* (tarjetas).

printer
impresora
Dispositivo que convierte la salida del computador en imágenes impresas. Las impresoras de los computadores personales más ampliamente utilizadas son las de matriz de punto y las láser.

printer buffer
regulador o compensador de impresora
Dispositivo de memoria que acepta las salidas de impresión a partir de uno o más computadores y las transmite a una impresora. Permite que el computador se libere rápidamente de su salida de impresión y sin esperar a que se imprima cada página. Los compensadores de impresora con conmutación automática se conectan a dos o más computadores y aceptan las salidas con base en el patrón de primeros en llegar, primeros en ser atendidos.

printer cable
cable de impresora
Cable que conecta una impresora a un computador. En un PC, el cable tiene un conector macho DB-25 de 25 *pines* para el computador y un conector macho Centronics de 36 *pines* para la impresora.

printer engine
motor de impresora
Unidad dentro de la impresora que realiza la impresión real. Por ejemplo, en una impresora láser, es la unidad "máquina de copia", la que transfiere y fusiona el *toner* sobre el papel. Se especifica por su resolución y velocidad.

privacy
privacidad
Distribución autorizada de información (¿quién tiene el derecho a saber?). Obsérvese la diferencia con *security* (seguridad), que trata con acceso no autorizado a los datos.

procedural language
lenguaje procedimental, de procedimientos
Lenguaje de programación que requiere una disciplina en programación, como COBOL, FORTRAN, BASIC, C, Pascal y dBASE. Los programadores que emplean estos lenguajes deben desarrollar un orden adecuado de acciones para resolver un problema, con base en conocimientos de programación y procesamiento de datos. Adviértase la diferencia con *non-procedural language*. El siguiente ejemplo en dBASE muestra un archivo, desde el comienzo hasta el final.

Procedimental	No procedimental (interactivo)

```
USE clientes
DO WHILE .NOT. EOF()          USE clientes
   ? nombre, monto            LIST nombre, monto
   SKIP
ENDDO
```

procedure
procedimiento

- Los procedimientos manuales son tareas humanas.
- Los procedimientos de máquina son listas de rutinas o programas por ejecutar, como aquellos descritos por medio de un lenguaje de control de trabajos (JCL - *Job Control Language*) en un mini o *mainframe*, o los archivos por lotes en un computador personal.

process
procesar
Manipular datos en el computador. Se dice que el computador está procesando sin importar qué acción se esté ejecutando en los datos. Éstos pueden actualizarse o simplemente aparecer en pantalla.

process bound
limitado(a) por procesamiento
Cantidad excesiva de procesamiento que causa un desequilibrio entre el procesamiento y la entrada/salida. Las aplicaciones limitadas por procesamiento pueden retardar a otros usuarios en un sistema multiusuario. Por ejemplo, un computador personal está limitado por procesamiento cuando está recalculando una hoja de cálculo.

process control
control de procesos
Control automatizado de un proceso, como en un proceso de manufactura o línea de ensamblaje. Se utiliza ampliamente en operaciones industriales como refinamiento de petróleo, procesamiento de productos químicos y generación de energía eléctrica.

processing
procesamiento
Manipulación de datos en el computador. El término se usa para definir una variedad de funciones y métodos de computador. *Véanse centralized processing, distributed processing, batch processing, transaction processing* y *multiprocessing.*

processor
procesador
Lo mismo que *CPU.*

PRODIGY
Véase online services.

program
programa
Conjunto de instrucciones que indican qué debe hacer el computador. Un programa se denomina *software*; por tanto, programa, *software* e instrucciones son sinónimos.

program logic
lógica del programa
Secuencia de instrucciones en un programa. Existen muchas soluciones lógicas a un mismo problema. Si se da una especificación a diez programadores, cada uno puede crear una lógica de programa ligeramente diferente de la del resto, pero los resultados pueden ser los mismos. Sin embargo, la solución más rápida es generalmente la más deseada.

programmable
programable
Capaz de seguir instrucciones. Lo que separa al computador del resto de los dispositivos electrónicos es su capacidad de ser programable.

programmer
programador
Persona que diseña la lógica y escribe las líneas de código de un programa de computador. *Véanse application programmer* y *systems programmer.*

programmer analyst
analista programador
Persona que analiza y diseña sistemas de información; además diseña y escribe los programas de aplicación para los sistemas. Un analista programador es tanto un analista de sistemas como un programador de aplicaciones.

programming
programación
Creación de un programa de computador. Los pasos son:

1. Desarrollar la lógica del programa para resolver determinado problema.
2. Escribir la lógica del programa en un lenguaje específico de programación (codificación).
3. Ensamblar o compilar el programa para convertirlo a lenguaje de máquina.
4. Probar y depurar el programa.
5. Preparar la documentación necesaria.

La lógica es la parte más difícil de la programación. Escribir las sentencias en lenguaje es comparativamente fácil una vez desarrollada la solución. Sin embargo, sin importar qué tan difícil pueda ser el programa, la documentación se considera la actividad más tediosa por parte de la mayoría de los programadores.

programming languages
lenguajes de programación
Lenguaje que se utiliza para escribir instrucciones para el computador. Permite que el programador exprese el procesamiento de datos en forma simbólica sin tener en cuenta los detalles específicos de la máquina. Los siguientes son los lenguajes de programación más populares.

Lenguajes de bajo nivel

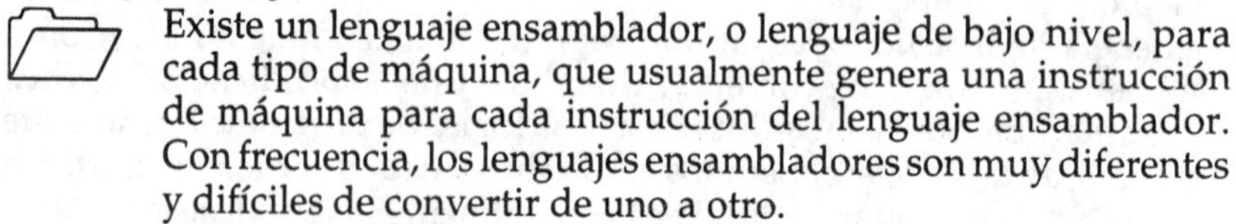

Existe un lenguaje ensamblador, o lenguaje de bajo nivel, para cada tipo de máquina, que usualmente genera una instrucción de máquina para cada instrucción del lenguaje ensamblador. Con frecuencia, los lenguajes ensambladores son muy diferentes y difíciles de convertir de uno a otro.

Lenguajes de alto nivel

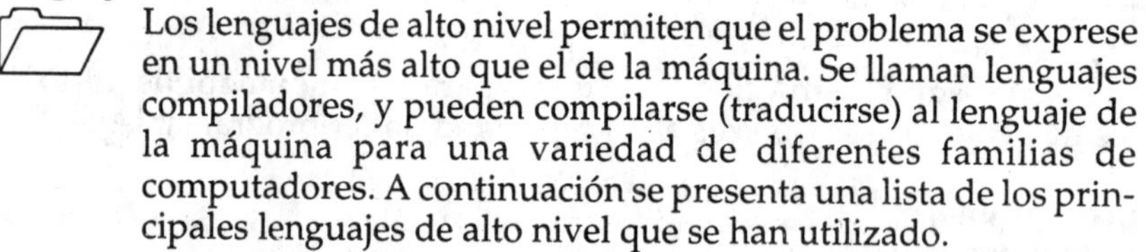

Los lenguajes de alto nivel permiten que el problema se exprese en un nivel más alto que el de la máquina. Se llaman lenguajes compiladores, y pueden compilarse (traducirse) al lenguaje de la máquina para una variedad de diferentes familias de computadores. A continuación se presenta una lista de los principales lenguajes de alto nivel que se han utilizado.

Ada
Lenguaje completo con base en Pascal desarrollado por el Departamento de Defensa de los Estados Unidos.

ALGOL
Lenguaje internacional para expresar algoritmos. Utilizado principalmente en Europa.

APL
Se utiliza en estadística y matrices matemáticas. Requiere símbolos especiales de teclado.

BASIC
Desarrollado en los años sesenta como un lenguaje de tiempo compartido, se utiliza ampliamente en programación en microcomputadores.

C
Desarrollado en los años ochenta en AT&T, se utiliza ampliamente para desarrollar aplicaciones comerciales. UNIX está escrito en C. El C++ es una versión de C orientada a objetos que se está volviendo muy popular.

COBOL
Desarrollado en los años sesenta, se utiliza ampliamente en

programación en minicomputadores y *mainframe*. También está disponible para computadores personales.

dBASE
El lenguaje dBASE se convirtió en un lenguaje estándar de hecho para aplicaciones comerciales, con ramas colaterales, como Clipper y FoxBase, conocidos como los lenguajes "Xbase".

FORTH
Se utiliza en control de procesos y aplicaciones de juegos. Éste suministra el control directo del computador.

FORTRAN
Desarrollado en 1954 por IBM, fue el primer y principal lenguaje científico de programación. Sin embargo, también se han desarrollado algunas aplicaciones comerciales en éste.

LISP
Desarrollado en 1960, el LISP se utiliza para programar aplicaciones de IA (inteligencia artificial). Su sintaxis es muy diferente de los demás lenguajes.

Logo
Desarrollado en los años sesenta, incluye "gráficas de tortuga" que trazan elementos gráficos estableciendo la geometría del lápiz (ir hacia adelante 100 unidades, doblar a la derecha 45 grados).

Modula-2
Esta versión mejorada de Pascal fue desarrollada en 1979 por Nicklaus Wirth, creador de Pascal.

MUMPS
Originalmente Massachusetts Utility MultiProgramming System, incluye su propia base de datos y es ampliamente utilizado en aplicaciones médicas.

Pascal
Originalmente fue un lenguaje académico en los años setenta; Borland hizo de éste un éxito comercial con su Turbo Pascal. Pascal utiliza características posteriormente copiadas por otros lenguajes.

Prolog
Desarrollado en Francia en 1973, se utiliza en todo el territorio europeo y en Japón para aplicaciones de IA (inteligencia artificial).

REXX
Corre bajo los *mainframc* IBM, se utiliza como un lenguaje macro de múltiples propósitos que puede enviar comandos a programas de aplicación y sistemas operativos.

PROM (**P**rogrammable **R**ead **O**nly **M**emory)
memoria programable de sólo lectura
Chip de memoria permanente que es programado, o llenado, por el cliente, en vez del fabricante de *chips*. Obsérvese la diferencia con *ROM*, que es programado en el momento de su fabricación.

PROM blower
quemador de PROM
Lo mismo que *PROM programmer*.

PROM programmer
programador de PROM
Dispositivo que graba instrucciones y/o datos en *chips* PROM y/o EPROM. Los *bits* en un nuevo PROM son todos 1 (líneas continuas). El programador de PROM sólo crea ceros "quemando" los unos por el medio.

PROGRAMADOR DE PROM

prompt
indicador, mensaje de petición, invitación, orientación
Mensaje del *software* que requiere alguna acción por parte del usuario; por ejemplo: "Introduzca nombre del empleado". Los sistemas impulsados por comandos generan un símbolo críptico cuando están listos para aceptar un comando; por ejemplo, en dBASE el *prompt* es simplemente un punto (.); en UNIX, un $; y en DOS, la conocida C:\>.

proportional spacing
espaciado proporcional
Espaciado de caracteres basado en el ancho de cada carácter. Por ejemplo, una I ocupa menos espacio que una M. En monoespaciado (espaciado fijo) la I y la M ocupan el mismo espacio.

Espaciado proporcional

Now is the

Espaciado fijo (monoespaciado)

N o w   i s   t h e

ESPACIADO PROPORCIONAL

Protected Mode
modo protegido
En Intel 80286 y superiores,

estado operacional que permite que el computador direccione toda la memoria. También impide que un programa ingrese en los límites de la memoria de otro, permitiendo así que programas múltiples se ejecuten en un entorno protegido.

protocol
protocolo
Véanse communications protocol y *OSI.*

prototyping
construcción, elaboración de prototipos
Creación de un prototipo de un nuevo sistema. Mediante lenguajes de cuarta generación, los analistas de sistemas y los usuarios pueden desarrollar el nuevo sistema en forma conjunta. Las bases de datos pueden crearse y manipularse mientras el usuario monitorea el progreso.

PS/1
Serie de computadores domésticos de IBM lanzada en 1990 que posee un monitor integrado y un gabinete fácil de abrir. Los modelos originales emplean la CPU 80286 y el *bus* de PC.

PS/2
Serie de computadores personales de IBM, introducida en 1987, que remplazó la línea original de PC. Incluye el microdisco flexible de 3.5", las gráficas para VGA y el *bus* Micro Channel. Los discos de 3.5" y las gráficas para VGA ahora son comunes en todos los PC, y el Micro Channel PC es ofrecido por algunos fabricantes no relacionados con IBM. Los modelos más pequeños de PS/2 emplean el *bus* PC original.

pseudo language
seudolenguaje
Lenguaje intermedio generado a partir de un lenguaje fuente, pero que no es directamente ejecutable por una CPU. El seudolenguaje debe interpretarse o compilarse en lenguaje de máquina para su ejecución. Facilita el uso de un lenguaje fuente para diferentes computadores.

public domain software
software de dominio público
Software cuya propiedad ha sido cedida al público en general. *Véase shareware.*

pull-down menu
menú desplegable, desenrollable
También llamado *pop-down menu*, un menú de pantalla presentado desde la parte superior de la pantalla hacia abajo cuando se selecciona su título. El menú se mantiene desplegado mientras se oprime el botón del *mouse.* Para seleccionar una opción del menú, se mueve la barra resaltada con el *mouse* hasta la línea apropiada y se suelta el botón del *mouse.*

punched card
tarjeta perforada
Primer medio de almacenamiento de procesamiento de datos, hecho de cartulina delgada que almacena datos en forma de patrones de huecos perforados.

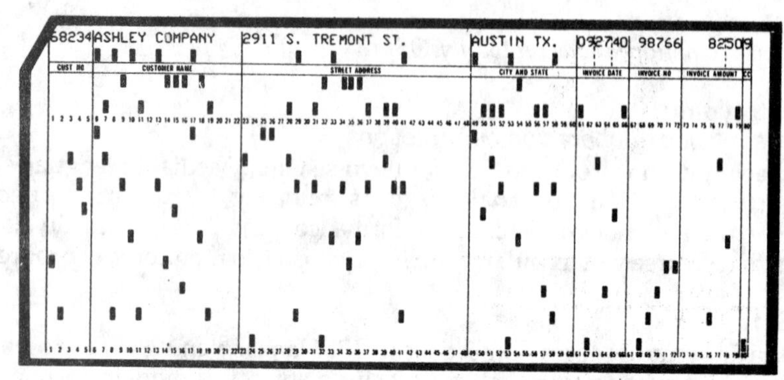

TARJETA PERFORADA DE 80 COLUMNAS
(Cortesía de IBM)

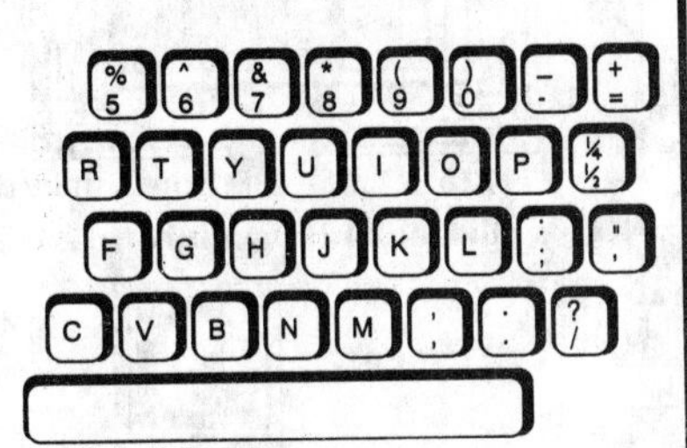

QBE (**Q**uery **B**y **E**xample)
consulta mediante ejemplo
Método para describir una consulta que originalmente fue desarrollado por IBM para los *mainframe*. Por ejemplo, se presenta una réplica de un registro vacío y se digitan las condiciones de búsqueda bajo sus respectivas columnas. La siguiente consulta selecciona todos los registros de Pennsylvania que tengan un saldo débito de US$5,000 o más.

ARCHIVO DE CLIENTES

NOMBRE	DIRECCIÓN	CIUDAD	ESTADO	CÓDIGO POSTAL	SALDO
			PA		>=5000

CONSULTA MEDIANTE EJEMPLO

QEMM-386 (**Q**uarterdeck **E**xpanded **M**emory **M**anager-386)
Popular administrador de memoria expandida (EMM - *Expanded Memory Manager*) de DOS para 386 y superiores, de Quarterdeck Office Systems, Santa Mónica, CA. El QEMM-386 también hace parte del DESQview 386.

QIC (**Q**uarter **I**nch **C**artridge Drive Standards, Inc.)
Asociación comercial internacional que desarrolla estándares para cartuchos y unidades de cintas magnéticas de 1/4" (6.35mm), utilizados ampliamente para respaldo o copias de seguridad.

QuarkXpress
Programa de publicaciones de escritorio para Macintosh y Windows, de Quark, Inc., Denver, CO. Originalmente fue desarrollado

para el Mac, se destaca por su control tipográfico preciso y capacidad de manejo de gráficas y texto.

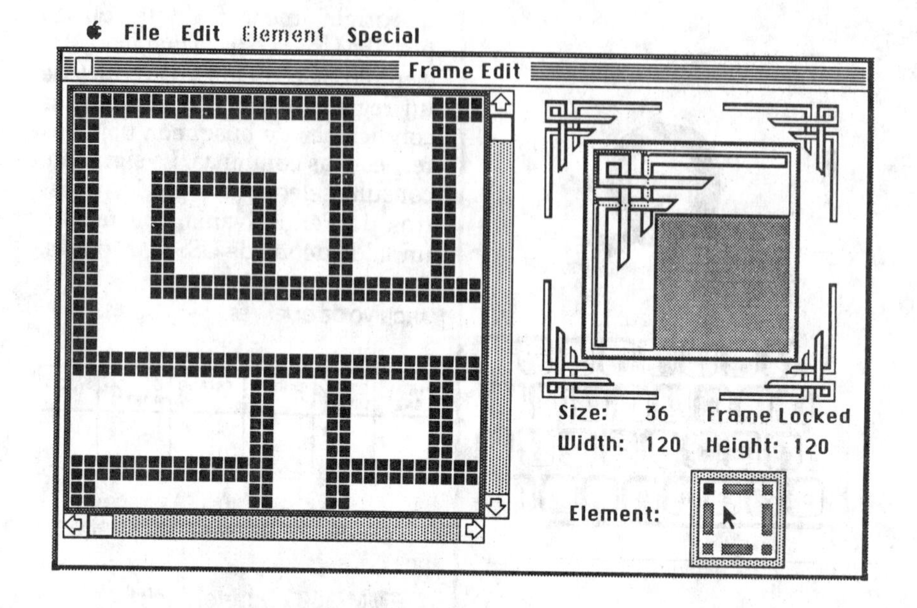

QuarkXpress

quartz crystal
cristal de cuarzo
Delgada placa de cuarzo, cortada a un grosor prescrito que vibra a una frecuencia estable cuando se le estimula mediante electricidad. El pequeño cristal, de aproximadamente 1/20 por 1/5 de pulgada, produce vibración del computador.

Quattro Pro
Hoja de cálculo para PC, de Borland, que provee capacidades avanzadas tanto gráficas como de presentación. Tiene una interfaz opcional que es compatible en golpes de teclas, macros y archivos con Lotus 1-2-3.

query
consulta
Interrogar una base de datos (contar, sumar y listar registros seleccionados). Adviértase la diferencia con *report* (informe), que es por lo general una impresión más elaborada con encabezamientos y números de página. El informe también puede ser un listado selectivo de elementos; por tanto, los dos términos pueden referirse a programas que producen los mismos resultados.

query by example
consulta mediante ejemplificación
Véase QBE.

query language
lenguaje de consulta
Lenguaje generalizado que permite al usuario seleccionar registros de una base de datos. Los lenguajes de consulta utilizan un lenguaje común, un método controlado mediante menúes o consulta mediante ejemplificación (QBE - *Query By Example*) para expresar las condiciones de coincidencia.

Usualmente, los lenguajes de consulta se incluyen en los DBMS (*DataBase Management System* - sistema de administración de base de datos), y existen paquetes independientes para la consulta de archivos en aplicaciones de tipo no DBMS.

query program
programa de consulta
Software que cuenta, suma y recupera registros seleccionados de una base de datos. Este programa puede ser parte de una gran aplicación y estar limitado a uno o dos tipos de recuperación, como mostrar en pantalla la cuenta de un cliente, o también referirse a un lenguaje de consulta que permite la selección y búsqueda de cualquier condición.

queue
cola
Lugar de almacenamiento temporal de datos. *Véase print queue.*

QuickBASIC
Compilador para BASIC de Microsoft que provee una gran cantidad de características del lenguaje BASIC, y que es muy popular.

QuickPascal
Compilador para Pascal de Microsoft que es compatible con el Turbo Pascal y provee capacidad de lenguaje orientado a objetos.

quit
abandonar, dejar, salir
Salir del programa en curso. Es un buen hábito salir de un programa antes de apagar el computador. Algunos programas no cierran correctamente todos los archivos hasta que se activa la salida.

qwerty keyboard
teclado qwerty
Teclado estándar de máquinas de escribir para el idioma inglés. **Q, w, e, r, t, y** son las primeras letras en la fila alfabética de la parte superior

izquierda del teclado. Originalmente fue diseñado para retardar lo que se está mecanografiando, con el objeto de impedir que las teclas se traben. *Véase Dvorak keyboard.*

TECLADO ESTÁNDAR DE MÁQUINA DE ESCRIBIR

R

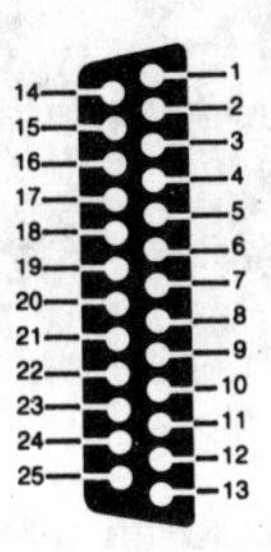

radio buttons
botones de radio
Serie de botones en pantalla que sólo permiten una selección. Si un botón está seleccionado actualmente, se desactivará una vez se escoja otro botón.

RAID (**R**edundant **A**rrays of **I**nexpensive **D**isks)
arreglos redundantes de discos no costosos
Agrupamiento de discos en el cual los datos se copian en múltiples unidades. Proporciona un caudal de procesamiento más rápido, tolerancia de fallas (espejos) y corrección de errores.

RAM (**R**andom **A**ccess **M**emory)
memoria de acceso aleatorio
Principal estación de trabajo del computador. También de la mayor parte de los *chips* de memoria (ROM, PROM, etc.). "Aleatorio" significa que puede tenerse acceso directamente a los contenidos de cada *byte* sin hacer referencia a los *bytes* antes o después de éste. Los *chips* RAM requieren energía para mantener su contenido. *Véanse dynamic RAM, static RAM* y *memory*.

RAM cache
caché RAM
Véase *cache*.

RAM disk
disco RAM
Unidad de disco simulada en la memoria. Para usarla, los archivos se copian del disco magnético al disco RAM. El procesamiento es más rápido, porque no hay ningún accionamiento mecánico del disco, sólo transferencias de memoria. Los archivos de datos actualizados

deben volver a copiarse en el disco antes de cortar el suministro de energía, de lo contrario, se perderán las actualizaciones.

RAM resident
residente de RAM
Se refiere a los programas que permanecen en la memoria con el fin de interactuar con otros programas o aparecer instantáneamente cuando lo requiere el usuario. *Véase TSR.*

raster graphics
gráficas con trama
En gráficas por computador, técnica para representar imagen de figuras como una matriz de puntos. Es la contraparte digital del método análogo utilizado en televisión. Sin embargo, a diferencia de la televisión, que utiliza un estándar, existen muchos estándares de gráficas con trama. Obsérvese la diferencia con *vector graphics.*

read
leer
Ingresar en el computador mediante un dispositivo periférico (disco, cinta, etc.). Al igual que leer un libro o reproducir una cinta de audio, la lectura no destruye lo que se lee.

read error
error de lectura
Falla en la lectura de datos en un dispositivo de almacenamiento o de memoria. Las superficies de grabación magnética u óptica pueden contaminarse con polvo o suciedad, o resultar físicamente dañadas, y las celdas en los *chips* de memoria pueden producir un mal funcionamiento.

read only
sólo lectura
- Se refiere a los medios de almacenamiento que mantienen su contenido en forma permanente; por ejemplo, ROM y CD ROM.
- Archivo que puede leerse, pero no actualizarse ni borrarse. *Véase file attribute.*

read-only attribute
atributo de sólo lectura
Atributo de archivos que, cuando está activado, indica que un archivo sólo puede leerse, pero no actualizarse ni borrarse.

read/write
leer/escribir
- Se refiere a un dispositivo que puede producir una entrada y salida, o transmitir y recibir.
- Se refiere a un archivo que puede actualizarse y borrarse.

read/write head
cabezal de lectura/escritura
Dispositivo que lee (detecta) y escribe (graba) datos en un disco o cinta magnética.

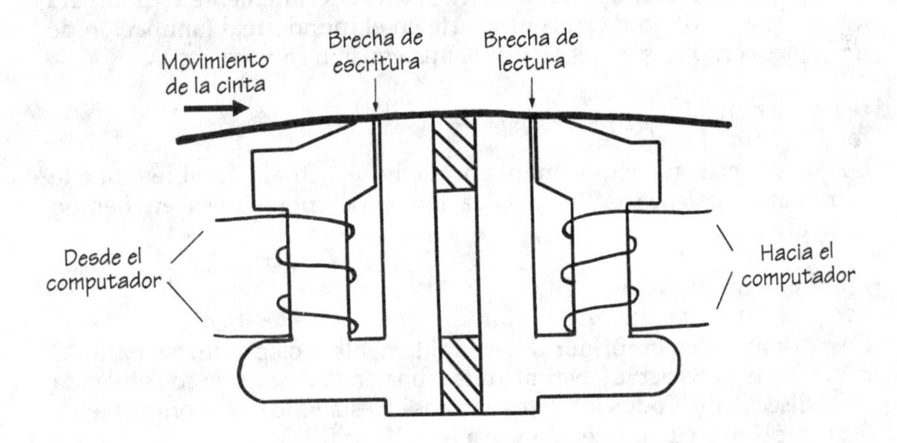

CABEZAL DE LECTURA/ESCRITURA
DE UN MANIPULADOR DE CINTA

reader
lector
Aparato que capta datos para el computador, como un lector de caracteres ópticos, uno de tarjetas magnéticas o uno de tarjetas perforadas. Un lector de microfichas o microfilmes es un aparato independiente que lee una película y muestra su contenido.

readme file
archivo "léame"
Archivo de texto copiado en los discos de distribución de *software*, cuyo contenido son las últimas actualizaciones o correcciones que no han sido impresas en el manual de documentación.

readout

- Pequeño dispositivo de visualización que, generalmente, muestra sólo unos cuantos dígitos o una pareja de líneas de datos.
- Cualquier pantalla o panel de visualización.

Real Mode
modo real
Estado operacional en Intel 80286 y superiores, en el cual el computador funciona como un 8086/8088 (XT). Está limitado a un *megabyte* de memoria. *Véanse Protected Mode* y *Virtual 8086 Mode.*

realtime
tiempo real
Respuesta inmediata. Se refiere al control de procesos y sistemas incorporados; por ejemplo, los computadores para vuelos espaciales deben responder de manera instantánea a las condiciones cambiantes. También se refiere a sistemas de procesamiento rápido de transacciones, así como a cualquier operación electrónica suficientemente rápida para mantenerse al ritmo de su contraparte en el mundo real (animación de imágenes complejas, transmisión de una emisión en vivo, etc.).

realtime clock
reloj en tiempo real
Circuito electrónico que mantiene la hora actual. También puede suministrar señales de sincronización para operaciones en tiempo compartido.

realtime compression
compresión en tiempo real
Comprimir y descomprimír datos rápidamente. Los productos para PC como Stacker y SuperStor permiten crear una unidad comprimida separada en el disco duro. Todos los datos escritos en esta unidad se comprimen y descomprimen cuando se vuelven a leer. *Véase JPEG.*

realtime system
sistema de tiempo real
Sistema computacional que responde a señales de entrada de manera suficientemente rápida para mantener una operación en movimiento a su velocidad requerida.

reboot
reinicialización
Volver a iniciar el funcionamiento del sistema operativo o volver a encender el computador. *Véase boot.*

receiver
receptor
Dispositivo que recibe señales. Compárese con *transmitter.*

record
registro

- Grupo de campos relacionados que almacenan datos acerca de un tema (registro maestro) o actividad (registro de transacción). Un conjunto de registros constituye un archivo.

  Los registros maestros contienen datos permanentes, como número de cuenta, y datos variables, como saldo débito. Los registros de transacciones contienen sólo datos permanentes, como cantidad y código del producto.
- En algunos métodos de organización de discos, un registro es un bloque de datos que se lee y escribe de una sola vez, sin tener relación con los registros en un archivo.

record layout
disposición de registros
Formato de un registro de datos, que incluye el nombre, tipo y tamaño de cada campo en el registro.

NOMBRE	DIRECCIÓN	CIUDAD	ESTADO	CÓDIGO POSTAL
Conrad, James R.	809 Garibaldi Lane	Benton Falls	TN	37255-0265

DISPOSICIÓN DE REGISTROS

record locking
bloqueo de registros
Véase file and record locking.

reentrant code
código reentrante, reentrable
Rutina de programación que puede ser utilizada por múltiples programas en forma simultánea. Se emplea en sistemas operativos y otro *software* de sistemas, así como en multilectura, donde tienen lugar eventos concurrentes.

refresh rate
índice de regeneración

- Cantidad de veces por segundo que se regenera un dispositivo, como un CRT o *chip* de RAM dinámico. *Véase vertical scan frequency.*
- En gráficas por computador, tiempo que se tarda en redibujar o volver a visualizar una imagen en pantalla.

register
registro
Pequeño circuito de computador de alta velocidad que almacena valores de operaciones internas, como dirección de la instrucción que se está ejecutando y los datos que están procesando. Cuando un programa se depura, los contenidos de los registros pueden analizarse para determinar el estado del computador en el momento de producirse una falla.

relational database
base de datos relacional
Método de organización de base de datos que determina las relaciones entre archivos cuando se requieren. En vez de tener enlaces fijos predeterminados, o punteros, entre archivos (clientes a órdenes, proveedores a compras, etc.), una base de datos relacional enlaza los archivos mediante comparación. Este método tiene la flexibilidad de tomar dos o más archivos cualesquiera y generar uno nuevo a partir de los registros que cumplen con los criterios de correspondencia.

remote control software
software de control remoto
Software que le permite a determinado usuario en un computador interactuar con otro en un lugar diferente como si el computador remoto fuera la máquina local.

removable disk
disco removible, intercambiable
Unidad de disco que se inserta en su respectiva unidad para lectura y escritura, y se retira cuando no se le requiere. Los discos flexibles y los cartuchos de discos son medios de disco removible.

render
reproducir
Dibujar un objeto del mundo real como realmente aparece.

report
informe
Conjunto de hechos y figuras impresas en papel o microfilme, con números y encabezamientos de página. *Véase query*.

report file
archivo de informe
Archivo que describe la manera como se imprime un informe.

report format
formato de informe
Disposición de un informe que muestra los encabezamientos de página y de columna, números de páginas y totales.

report generator
generador de informes
Lo mismo que *report writer*.

report writer
escritor de informes
Software que imprime un informe con base en una descripción de la disposición. Al igual que un programa autónomo, o parte de un DBMS,

recupera registros seleccionados de un archivo y puede ordenarlos en una nueva secuencia antes de la impresión.

Desarrollados a comienzos de los años setenta, los escritores de informes, o generadores de informes, como se les llamó originalmente, fueron los precursores de los actuales lenguajes de consulta, y fueron los primeros programas en generar una salida de computador sin tener que ser programados.

repository
almacén, depósito
Base de datos de información sobre *software* de aplicaciones que incluye autor, elementos de datos, entradas, procesos, salidas e interrelaciones. Puede ser el corazón central de un sistema CASE; por ejemplo, el Repository Manager en AD/Cycle de IBM está diseñado para integrar productos CASE de terceros.

reserved word
palabra reservada
Verbo o sustantivo en un lenguaje de programación o de comandos que es parte del lenguaje. Las palabras reservadas no pueden utilizarse como variables definidas por el usuario.

resolution
resolución
Grado de agudeza de un carácter o imagen exhibida o impresa. En pantalla, la resolución se expresa como una matriz de puntos. Una resolución VGA de 640x480 significa 640 puntos a lo largo de cada una de las 480 líneas. Algunas veces, se agrega la cantidad de colores a la especificación; por ejemplo, 640x480x16 ó 640x480x256. La misma resolución se ve más nítida en una pantalla pequeña que en una grande.

Para las impresoras, la resolución se expresa como la cantidad de puntos por pulgada lineal. Una resolución de 300 dpi significa 90,000 puntos por pulgada cuadrada (300x300).

response time
tiempo de respuesta
Tiempo que tarda un computador en satisfacer un pedido del usuario, como buscar un registro de cliente.

return key
tecla de retorno
También llamada *enter key* (tecla de entrada), la tecla grande en el lado derecho del teclado. Se utiliza para finalizar un párrafo de texto o línea de datos.

RF (**R**adio **F**requency)
frecuencia de radio
Rango de frecuencias electromagnéticas donde caen todas las transmisiones, desde la radio AM hasta los satélites. Con frecuencia, se refiere a una entrada de antena o a una señal de video transmitida mediante un canal de TV.

RGB (**R**ed **G**reen **B**lue)
rojo verde azul
Método de generación de colores en video que muestra los colores como diversas intensidades de puntos rojos, verdes y azules. Cuando los tres colores están con sus máximas intensidades, se produce el blanco. Si se disminuyen las intensidades por igual, se producen tonos de gris. Cuando se apagan todos los puntos, aparece el color base de la pantalla. *Véase CMYK.*

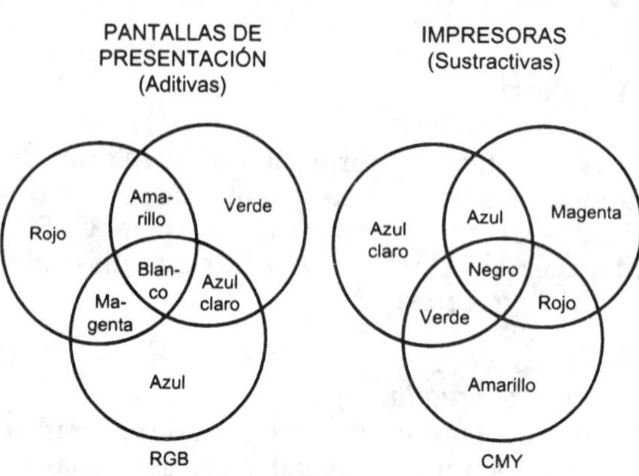

RGB monitor
monitor RGB
- Pantalla de presentación de video que requiere señales separadas de rojo, verde y azul desde el computador. Genera una mejor imagen que las señales compuestas (TV), que fusionan los tres colores. Los monitores RGB vienen tanto en variedades analógicas como digitales.
- Algunas veces se refiere a un monitor CGA que acepta señales digitales RGB.

ribbon cable
cable de tipo cinta
Cable multiconductor delgado y plano que es ampliamente utilizado en sistemas electrónicos; por ejemplo, para interconectar dispositivos periféricos al computador en forma interna.

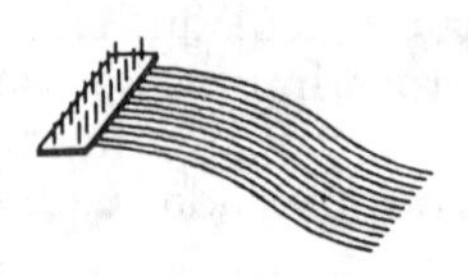
CABLE DE TIPO CINTA

RIP (**R**aster **I**mage **P**rocessor)
procesador de imágenes de trama
En gráficas por computador, componente (*hardware*, *software* o ambos) que prepara datos para un dispositivo de salida de trama (pantalla o impresora). Los RIP están diseñados para un tipo específico de entrada, como vectores, PostScript, así como datos diferentes de tramas.

RISC (**R**educed **I**nstruction **S**et **C**omputer)
computador de conjunto de instrucciones reducido
Arquitectura de computador que reduce la complejidad del *chip* utilizando instrucciones más sencillas. Los compiladores RISC deben generar rutinas de *software* para ejecutar instrucciones complejas que anteriormente se realizaron en *hardware* mediante computadores tradicionales.

RJE (**R**emote **J**ob **E**ntry)
entrada de tarea remota
Transmisión de lotes de transacciones desde una terminal o computador remoto. El computador receptor procesa los datos y transmite los resultados nuevamente a RJE para impresión.

RLL (**R**un **L**ength **L**imited)
longitud limitada de ejecución
Método de codificación de discos magnéticos que empaqueta un 50% más de *bits* en el mismo espacio que el primer método MFM. Se utiliza con las interfaces RLL, IDE, ESDI, SCSI, SMD e IPI.

RLL interface
interfaz RLL
Véase ST506 RLL.

robot
Sistema computacional híbrido independiente que realiza actividades físicas y de cálculo. Los robots son un dispositivo de múltiple movimiento con uno o más brazos y articulaciones capaces de realizar muchas tareas diferentes como un ser humano. Los robots pueden diseñarse de manera similar a la forma humana, aunque en la mayor parte de los casos no se asemejan a las personas del todo.

ROM (**R**ead **O**nly **M**emory)
memoria de sólo lectura
Chip de memoria que almacena en forma permanente instrucciones y datos. Su contenido se crea en el momento de la fabricación y no puede alterarse. Se utilizan ampliamente para almacenar rutinas de control en computadores personales (ROM BIOS) y en controladores periféricos; también se emplean en cartuchos conectables para impresoras, video juegos y otros sistemas. *Véanse PROM, EPROM* y *EEPROM.*

ROM BIOS (**ROM** **B**asic **I**nput **O**utput **S**ystem)
sistema básico de entrada y salida ROM
Instrucciones contenidas en un *chip* ROM que activa dispositivos periféricos en un PC. Este sistema incluye rutinas para el teclado, la pantalla, los puertos paralelos y seriales, y para servicios internos como hora y fecha. Acepta solicitudes desde las unidades de los dispositivos en el sistema operacional, así como desde los programas de aplicaciones.

ROM card
tarjeta de ROM
Módulo del tamaño de una tarjeta de crédito que contiene *software* o datos permanentes. *Véase memory card.*

root directory
directorio raíz
En sistemas jerárquicos de archivos, punto inicial de la jerarquía. Cuando un sistema inicializa por primera vez el computador, el directorio raíz es el directorio actual. El acceso a directorios de la jerarquía requiere el nombre de los directorios que estén en su vía de acceso. *Véase path.*

router
encaminador, director
En comunicaciones, dispositivo que examina la dirección de destino de un mensaje y selecciona la ruta más efectiva. Los encaminadores se utilizan en redes complejas donde hay muchas vías de acceso entre usuarios. *Véanse bridge* y *gateway.*

routine
rutina
Conjunto de instrucciones que realizan una tarea. Lo mismo que *module* (módulo) y *procedure* (procedimiento).

RPC (**R**emote **P**rocedure **C**all)
llamada a procedimiento remoto
Tipo de interfaz que permite a un programa llamar a otro en una ubicación remota. Utilizando una RPC estándar, permite que se haga uso de determinada aplicación sin cambios en una variedad de redes.

RPG (**R**eport **P**rogram **G**enerator)
generador de informes de programas
Uno de los primeros generadores de programas diseñado para informes comerciales, fue introducido en 1964 por IBM. En 1970, el RPG II aportó mejoramientos que lo convirtieron en el principal lenguaje de programación para aplicaciones comerciales en computadores del rango System/3x de IBM. El RPG III, que aportó más estructuras de programación, se utiliza ampliamente en la AS/400. Las sentencias RPG se escriben en formato de columna.

RS-232-C
Estándar de EIA (*Electronics Industries Association*) para una interfaz serial entre computadores y dispositivos periféricos (*modem, mouse,* etc.). Utiliza un conector DB-25 de 25 pines (clavijas) o un DB-9 de 9 pines. Su limitación normal de cable de 15.24 metros puede extenderse a varios cientos de metros con un cable de alta calidad.

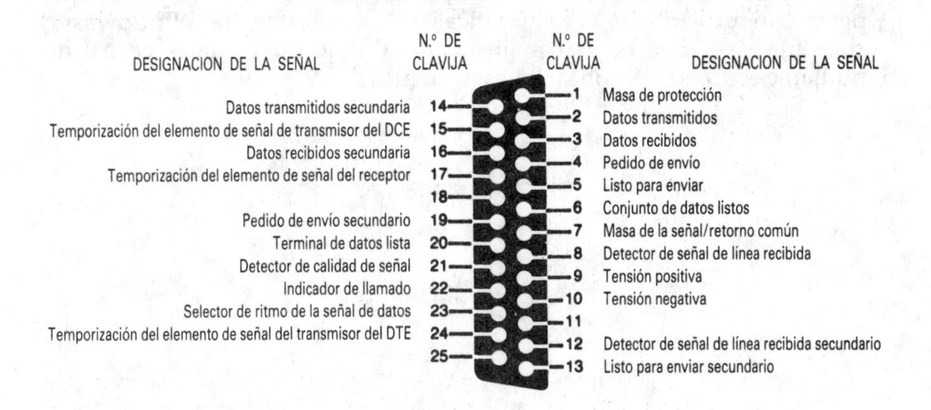

INTERFAZ RS-232
(Cortesía de Black Box Corporation)

RSI (**R**epetitive **S**train **I**njury)
lesión por deformación repetitiva
Enfermedad de las manos, cuello, espalda y ojos debido al trabajo excesivo en computador. El remedio para la RSI son frecuentes descansos que deben incluir estiramientos o posturas de yoga. *Véase carpal tunnel syndrome.*

RTFM (**R**ead **T**he **F**laming **M**anual)
leer el "maldito" manual
¡Último recurso cuando se tiene un problema de *hardware* o *software*!

run
correr, ejecutar; ejecución
- Ejecutar un programa.
- Programas individuales o múltiples listos para su ejecución.

runtime version
versión de tiempo de ejecución
Software que se combina con una aplicación, de manera que pueda ejecutarse como un programa independiente o con características mejoradas. Muchas aplicaciones están desarrolladas en DBMS que requieren de éste para ejecutarse en el computador con el fin de correr la aplicación. Las versiones de tiempo de ejecución de dichas aplicaciones permiten que se ejecuten en computadores que no tienen el DBMS.

Una versión de tiempo de ejecución de la interfaz gráfica GEM de Digital Research acompaña a la versión del DOS del programa de publicaciones de escritorio de Ventura Publisher, dando a esa aplicación su interfaz gráfica.

En las primeras versiones de Windows, algunas aplicaciones venían en paquetes con versiones de tiempo de ejecución de Windows, que permitían utilizar las características de la interfaz de Windows en computadores que no tenían instalado Windows. En tales casos, no podían ejecutarse las aplicaciones normales de Windows.

S

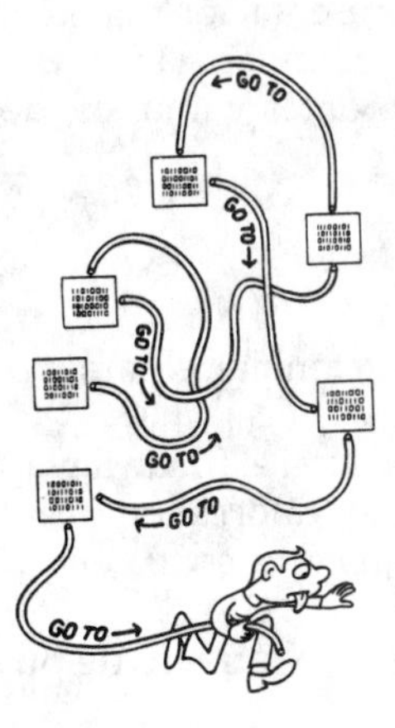

S/3x
Véase System/3x.

S/360
Véase System/360.

S/370
Véase System/370.

S3 chip
chip S3
Se refiere a uno de los *chips* de acelerador de gráficas de S3, Inc., San José, CA, que se utiliza en una variedad de tarjetas de aceleradores de gráficos.

SAA (System Application Architecture)
arquitectura de aplicación de sistemas
Conjunto de estándares, introducido en 1987, de IBM (interfaces de usuario, interfaces de programación y protocolos de comunicaciones) que suministra consistencia entre todas las plataformas de IBM. Las categorías son *Common User Access* (**CUA** - acceso común de usuarios), *Common Programming Interface* (**CPI** - interfaz común de programación) y *Common Communications Support* (**CCS** - soporte común de comunicaciones).

sampling rate
índice de muestreo
En operaciones de digitalización, frecuencia con la que se toman y convierten las muestras. Cuanto más alto sea el índice de muestreo, más aproximada será la representación en forma digital de los objetos del mundo real.

save
grabar, guardar, conservar
Escribir los contenidos de la memoria en disco o cinta. Algunas aplicaciones guardan los datos en forma automática, otras no. Los procesadores de palabras con base en memoria y la mayor parte de las hojas de cálculo exigen que el usuario grabe los datos antes de salir del programa.

scalable font
tipo de letra ajustable a escala, fuente escalable
Tipo de letra que se crea en el tamaño de puntos requerido para el momento que se necesita visualizar o imprimir un documento. Los patrones de puntos (mapas de *bits*) se generan a partir de un conjunto de tipos delineados o tipos base, que contienen una representación matemática del tipo de letra. Los tipos ajustables a escala eliminan la necesidad de almacenar en disco una variedad de diferentes tamaños de letra. Compárese con *bitmapped font*. *Véase font scaler*.

scale
ajustar a escala
- En gráficas por computador e impresión, cambiar el tamaño de un objeto, haciéndolo menor o mayor.
- Cambiar la representación de una cantidad, con el fin de llevarla a los límites señalados de otro rango. Por ejemplo, valores como 1,249, 876, 523, -101 y -234 pueden requerir que se ajusten a escala en un rango entre -5 a +5.
- Establecer la posición del punto decimal en un número de punto fijo o flotante.

scan
explorar, "escanear"
- En tecnologías ópticas, examinar una línea en un formato impreso a fin de convertir las imágenes en representaciones mapeadas mediante *bits*, o para convertir caracteres en texto ASCII o algún otro código de datos.
- En video, moverse a través de un cuadro de imagen de una línea a la vez, bien sea para detectar la imagen en una cámara analógica o digital, o para "refrescar" una pantalla de video CRT (*Cathode Ray Tube* - tubo de rayos catódicos).
- Buscar un archivo en forma secuencial.

scan rate
velocidad de barrido o exploración
Cantidad de veces por segundo que un dispositivo de exploración muestrea (rastrea) su campo de visión. *Véase horizontal scan frequency*.

scanner
escáner
Dispositivo que lee texto, imágenes y códigos de barras. Los *scanner* de texto y de código de barras reconocen las letras impresas y los códigos de barras, y los convierten en código digital (ASCII o EBCDIC). Los *scanner* gráficos convierten una imagen impresa en una imagen de video (gráficas con trama) sin reconocer el contenido real del texto o figuras.

scientific applications
aplicaciones científicas
Aplicaciones que simulan actividades del mundo real empleando la matemática. Los objetos del mundo real se convierten en modelos matemáticos.

scientific language
lenguaje científico
Lenguaje de programación diseñado para fórmulas y matrices matemáticas, como ALGOL, FORTRAN o APL. Aunque todos los lenguajes de programación permiten este tipo de procesamiento, las sentencias en un lenguaje científico facilitan la expresión de estas acciones.

scientific notation
notación científica
Representación de números en formato de punto flotante. El número (mantisa) es siempre mayor o igual que uno y menor que 10, y la base es 10. Por ejemplo, 2.345E6 es equivalente a 2,345,000. El número que sigue a E (exponente) representa la potencia a la cual se debe elevar la base (cantidad de ceros contados desde el punto decimal).

SCO Open Desktop
Sistema multiusuario operativo de gráficas de memoria virtual para modelos 386 y superiores de The Santa Cruz Operation, que se ejecuta en aplicaciones UNIX, XENIX, DOS y X Window.

screen dump
"volcado" de pantalla
Imprimir la imagen actual en pantalla. En PC, al presionar *Shift-PrtSc* se imprime la pantalla. Si la pantalla contiene gráficas, debe cargarse la utilidad Graphics del DOS. Los programas de captura de pantalla de terceros también imprimen lo que aparece en pantalla o lo que está en disco.

En Macintosh, al pulsar *Command-Shift-3* se crea un archivo MacPaint de la pantalla actual.

screen saver
preservador de pantalla
Programa de utilidad que impide que un CRT (*Cathode Ray Tube* - tubo de rayos catódicos) sea grabado por una imagen inalterada. Después de una

duración específica sin actividad del teclado o *mouse*, la pantalla se pone en blanco o muestra objetos en movimiento. Al presionar una tecla o mover el *mouse* se restaura la pantalla.

Normalmente, tomaría muchas horas grabar una imagen en los actuales monitores a color. Sin embargo, el elemento de entretención suministrado por estos programas de utilidad (peces nadando, tostadoras flotando, etc.) los ha convertido en algo muy popular.

script
manuscrito
- Tipo de letra que se asemeja a la escritura hecha a mano o caligráfica.
- Programa o macro.

scroll
enrollar, desplazar
Moverse en forma continua hacia adelante, hacia atrás o hacia los lados a través de las imágenes en pantalla o dentro de una ventana. El enrollado implica un movimiento continuo y uniforme, de a una línea, carácter o *pixel* a la vez, como si los datos estuvieran sobre un rollo de papel que está detrás de la pantalla.

ENROLLADO VERTICAL

scroll arrow
flecha de enrollado, de desplazamiento
Flecha en pantalla que se selecciona con el fin de enrollar la pantalla en la dirección correspondiente. La pantalla mueve una línea, o incremento, con cada pulsación del *mouse*.

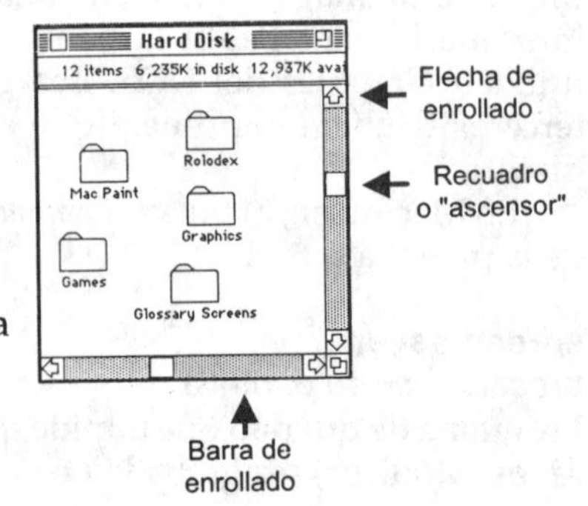

scroll bar
barra de enrollado, de desplazamiento
Barra horizontal o vertical que contiene un recuadro que se parece a un ascensor en una cavidad. Se pulsa la barra para enrollar la pantalla en la dirección correspondiente, o se pulsa el recuadro (ascensor) y luego se traslada a la dirección deseada.

scrollable
enrollable
Véase scroll.

scrollable field
campo enrollable, desplazable
Breve línea en pantalla que puede enrollarse para permitir la edición o exhibición de grandes cantidades de datos en un pequeño espacio de visualización.

SCSI (**S**mall **C**omputer **S**ystem **I**nterface)
interfaz pequeña de sistemas computacionales
Interfaz para más de siete periféricos (disco, cinta, CD ROM, etc.). Es una interfaz de *bus* de 8 *bits* para más de ocho dispositivos, pero el adaptador central, que se conecta al *bus* del computador, también cuenta como un dispositivo. El *bus* SCSI permite que dos dispositivos cualesquiera se comuniquen en un momento (de uno central a un periférico, o de periférico a periférico). Los Macintosh vienen con adaptadores centrales incorporados SCSI.

scuzzy
Véase SCSI.

seamless integration
integración "limpia"
Adición de una nueva aplicación, rutina o dispositivo que trabaja en forma uniforme con el sistema existente. Esto implica que la nueva característica puede activarse y utilizarse sin problemas. Compárese con *transparent*, que implica que no hay un cambio discernible después de la instalación.

second-generation computer
computador de segunda generación
Computador construido mediante componentes electrónicos discretos. A comienzos de los años sesenta, los ejemplos eran el IBM 1401 y el Honeywell 400.

sector
Unidad más pequeña de almacenamiento leída o escrita en un disco. Los sectores son fijos en cuanto a longitud, y en una pista reside generalmente la misma cantidad de sectores. Sin embargo, el *hardware* puede variar la

velocidad del disco para acomodar más sectores en las pistas localizadas en los bordes externos del plato del disco. El sector es la unidad física requerida por una instrucción; por ejemplo, READ TRACK 17 SECTOR 23 (leer pista 17 sector 23).

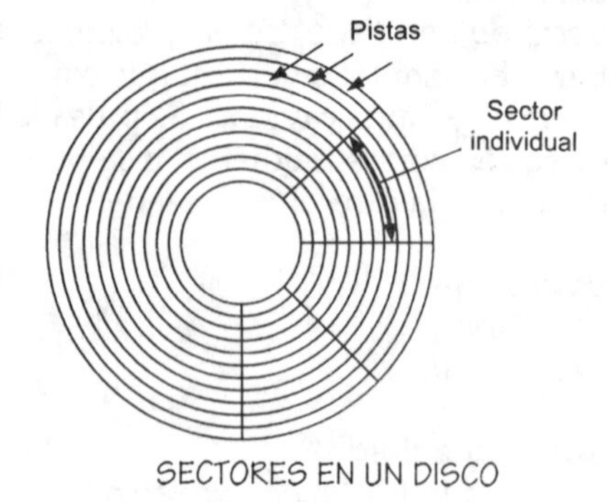

SECTORES EN UN DISCO

sector interleave
intercalación, interfoliación de sectores
Manera como se numeran los sectores en un disco duro. Una intercalación de 1:1 es secuencial: 0,1,2,3, etc. 2:1 alterna sectores de la siguiente manera: 0,4,1,5,2,6,3,7. La mejor intercalación utiliza pocas rotaciones del disco para tener acceso a sectores contiguos.

security
seguridad
Protección de datos contra el acceso no autorizado. Los programas y datos pueden asegurarse asignando números y *password* de identificación a los usuarios autorizados de un computador. Sin embargo, los programadores de sistemas, u otros individuos técnicamente competentes, tendrán acceso finalmente a estos códigos.

seek time
tiempo de localización, de búsqueda
Tiempo que se tarda en mover el cabezal de lectura/escritura a determinada pista de un disco después de la ejecución de la instrucción.

self-extracting file
archivo de autoextracción
Uno o más archivos comprimidos que se han convertido en un programa ejecutable que descomprime sus contenidos cuando se ejecuta.

semiconductor
Sustancia en estado sólido que cambia de no conductora a conductora, cuando se carga con electricidad o luz. El dispositivo semiconductor común es el transistor de silicio, que actúa simplemente como un conmutador de encendido/apagado.

sequential access method
método de acceso secuencial
Organización de datos en una secuencia ascendente o descendente. La búsqueda de datos secuenciales demanda lectura y comparación de cada registro, a partir del principio o del final del archivo.

serial mouse
ratón serial
Véase bus mouse.

serial port
puerto serial
Conector I/O (entrada/salida) utilizado para adicionar un *modem, mouse, scanner* u otro dispositivo serial de interfaz al computador. El puerto serial común utiliza un conector DB-25 o DB-9, que en la parte posterior de un PC es un conector macho de 25 ó 9 pines. Obsérvese la diferencia con *parallel port*.

serial printer
impresora serial
Dispositivo que imprime un carácter cada vez, en vez de una línea o página a la vez. En este contexto, la palabra "serial" no tiene relación con una interfaz en serie o paralela que se emplea para conectar la impresora al computador.

serial transmission
transmisión en serie
Transmisión de datos en una línea, de a *bit* cada vez. Compárese con *parallel transmission.*

server
servidor
En una red, computador que es compartido por múltiples usuarios. *Véanse file server* y *print server.*

service
servicio
Funcionalidad obtenida de determinado programa de *software.* Por ejemplo, los servicios de red pueden referirse a programas que transmiten datos o permiten la conversión de éstos en una red. Los servicios de base de datos proporcionan almacenamiento y recuperación de datos.

service bureau
oficina de servicios
Organización que provee servicios de procesamiento de datos y de tiempo compartido. Ofrece una variedad de paquetes de *software*, servicios de procesamiento por lote (ingreso de datos, COM, etc.) y también programación personalizada.

Los clientes pagan por el almacenamiento de datos en el sistema y por el tiempo utilizado de procesamiento. La conexión se realiza a una oficina de servicios mediante terminales de marcación de llamadas telefónicas, líneas privadas u otras redes, como Telenet o Tymnet.

session
sesión
- En comunicaciones, conexión activa entre un usuario y un computador o entre dos computadores.
- El uso de un programa de aplicación (periodo entre el arranque y la conclusión).

setup program
programa de preparación, de montaje, de ajuste
Software que configura un sistema para determinado entorno. Se emplea para instalar una nueva aplicación y modificarla cuando cambia el *hardware*. Cuando se utiliza con tarjetas de expansión, el programa de preparación puede modificar el *hardware* alterando los *chips* de memoria en la tarjeta (memoria *flash*, EEPROM, etc.). *Véase install program.*

shadow batch
lote sombra
Sistema de recolección de datos que simula un entorno de procesamiento de transacciones. En vez de actualizar los archivos maestros (clientes, inventario, etc.) cuando se efectúan pedidos o despachos, las transacciones se almacenan en el computador. Cuando un usuario hace determinada consulta, se recupera el registro maestro a partir del último ciclo de actualización; pero, antes de mostrarlo, se actualiza en memoria con cualquier transacción que pueda afectarlo. El registro maestro actualizado se presenta entonces al usuario. Al final del día o del periodo, las transacciones son luego efectivamente procesadas por lotes sobre el archivo maestro.

shadow mask
máscara de sombra
Pantalla repleta de agujeros que se adhiere a la parte posterior de un cristal de visualización en color CRT. El haz de electrones se proyecta a través de los agujeros en los puntos de fósforo.

shadow RAM
RAM sombra
En un PC, copia de las rutinas del BIOS del sistema operativo en la RAM para mejorar el rendimiento. Los *chips* RAM son más rápidos que los *chips* ROM.

shareware
software compartido
Software distribuido sobre una base de ensayo a través de BBS, servicios en línea, distribuidores de pedidos por correo y grupos de usuarios. Si se utiliza en forma regular, debe registrarse y pagarse por éste, con lo que se recibirá respaldo técnico y quizá documentación adicional o el siguiente proceso de mejoramiento. Se requieren licencias de pago para distribución comercial.

shell
cáscara, cápsula, caparazón, concha
Capa exterior de un programa que proporciona la interfaz del usuario, o medio para dar órdenes al computador. Las cápsulas, por lo general, son programas agregados, creados para sistemas operativos manejados por comandos, como UNIX y DOS. La cápsula suministra al sistema una interfaz manejada por menú o gráfica, orientada a iconos, con el fin de facilitar su uso.

shell out
atravesar la concha, el caparazón
Salir temporalmente de una aplicación, volver al sistema operativo, realizar una función y luego regresar a la aplicación.

shrink-wrapped software
software envuelto en contracción
Se refiere al *software* que se compra en almacenes y que implica una plataforma estándar que es ampliamente respaldada.

SI
Véase systems integration.

Sidekick
Programa utilitario de escritorio para PC de Borland. Lanzado en 1984, fue el primer programa de acceso inmediato (TSR) para PC. Incluye una calculadora, una libreta compatible con WordStar, un calendario de citas, un directorio de teléfonos y una tabla ASCII.

SIG (**S**pecial **I**nterest **G**roup)
grupo de interés especial
Grupo de personas que se reúne y comparte información acerca de determinado tema de interés. Usualmente es parte de un grupo o asociación mayor.

signature
firma, marca de identificación
Número único incorporado en el *hardware* o *software* para su identificación. *Véase XyWrite III plus.*

silicon
silicio (Si)
Material básico utilizado en los *chips*. Después del oxí-

SILICON VALLEY
Nombrado Silicon Valley por la concentración deempresas productoras de computadores en esta área del sur de San Francisco.

geno, el silicio es el elemento más abundante en la naturaleza y se encuentra en estado natural en las rocas y la arena. Su estructura atómica hace de éste un ideal material semiconductor. En la elaboración de los *chips*, se extrae de las rocas y para purificarlo se pasa por un proceso químico a altas temperaturas. Para alterar sus propiedades eléctricas, se mezcla (dopa) con otros químicos en estado líquido.

SIMM (**S**ingle **I**n-line **M**emory **M**odule)
módulo simple de memoria en línea
Estrecha tarjeta de circuito impreso de tres pulgadas de longitud, que contiene ocho o nueve *chips* de memoria. Los SIMM se enchufan en un zócalo de SIMM en la tarjeta de circuito.

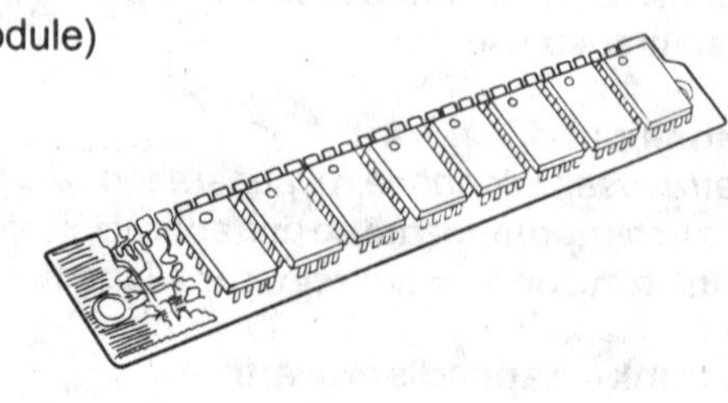

SIMM

Una designación de 1x9 significa un SIMM de 1 *megabyte* compuesto de 9 *chips* (1x3 es 1 mega, 3 *chips*).

simplex
Transmisión en un solo sentido. Obsérvese la diferencia con *half-duplex* y *full-duplex*.

simulation
simulación
- Representación matemática de la interacción de objetos del mundo real.
- Ejecución de un programa en lenguaje de máquina diseñado para llevarlo a cabo en un computador remoto.

SIP (**S**ingle **I**n-line **P**ackage)
paquete sencillo en línea
Tipo de módulo de *chip* que es similar a un SIMM, pero utiliza pines en vez de conectores laterales. Los SIP algunas veces se llaman SIPP (*Single In-line Pin Package* - paquete de pines en línea simple).

site license
licencia local
Licencia para el uso de *software* dentro de una instalación. Provee autorización para hacer copias y distribuirlas dentro de una jurisdicción específica.

smart cable
cable inteligente
Cable de conexión entre dos dispositivos que tiene un microprocesador integrado. Éste analiza las señales de entrada y las convierte de un protocolo a otro.

smart card
tarjeta inteligente
Tarjeta de crédito con un microprocesador y memoria integrados, que se utiliza para identificación o transacciones financieras. Cuando se inserta en un lector, transfiere datos hacia y desde un computador central. Es más segura que una tarjeta de banda magnética y puede programarse para autodestruirse si se introduce demasiadas veces el *password* incorrecto. Como una tarjeta para transacciones financieras, puede almacenar transacciones y mantener un saldo bancario.

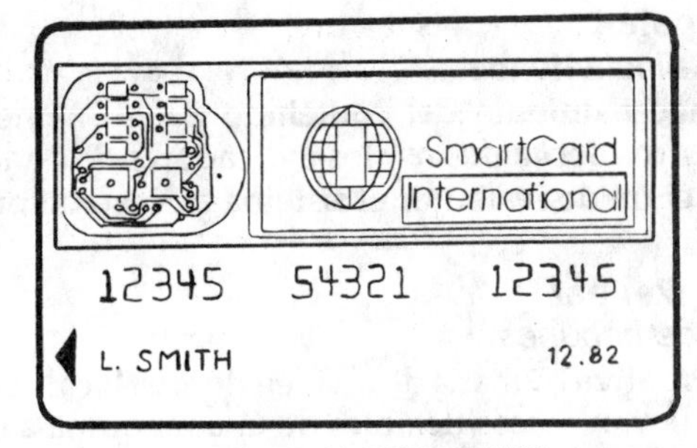

TARJETA INTELIGENTE

smart terminal
terminal hábil
Terminal de video con varias características de presentación incorporadas (caracteres que titilan, video inverso, subrayados, etc.). Las terminales hábiles pueden contener también un protocolo de comunicaciones. Algunas veces se refiere a una terminal inteligente. *Véanse intelligent terminal* y *dumb terminal.*

SMDS (**S**witched **M**ultimegabit **D**ata **S**ervices)
servicios de datos conmutados multimegabit
Servicios de datos de alta velocidad en el rango de 45 *Mbits*/seg propuesto por compañías telefónicas locales que permitirán a compañías construir las MAN (*Metropolitan Area Network* - red de área metropolitana) privadas.

S

smoke test
prueba de humo
Prueba de equipos nuevos o reparados que consiste en encenderlos. ¡Si hay humo, no funcionan!

SNA (**S**ystems **N**etwork **A**rchitecture)
arquitectura de redes de sistemas
Estándares de redes de *mainframe* de IBM introducidos en 1974. Siendo originalmente una arquitectura centralizada con un computador central que controla muchas terminales, el SNA ha sido adaptado a las comunicaciones par a par y al entorno computacional distribuido actuales, mediante mejoramientos como APPN y APPC *(LU 6.2)*. El SNA incluye un *software* llamado VTAM (*Virtual Telecommunications Access Method* - método virtual de acceso a telecomunicaciones), el NCP (*Network Control Program* - programa de control de redes) y el SDLC (*Synchronous Data Link Protocol* - control sincrónico de enlace de datos).

snapshot
toma instantánea
Almacenamiento del contenido de la memoria que incluye todos los registros del *hardware* y los indicadores de estado. Se hace periódicamente con el fin de restaurar el sistema en caso de producirse una falla.

sneaker net
red de bribones
Alternativa humana de una red de área local. Está compuesta por personas que llevan discos flexibles de una máquina a otra.

sniffer
descubridor
Software y/o *hardware* que detecta cuellos de botella y problemas en una red.

SNMP (**S**imple **N**etwork **M**anagement **P**rotocol)
protocolo simple de administración de redes
Estándar de administración de redes que se originó en la comunidad UNIX y que se ha ampliado al VMS, DOS y otros ambientes. Los datos se pasan entre agentes SNMP (procesos que monitorean la actividad en ejes, encaminadores, puentes, etc.) y la estación de trabajo utilizada para controlar la red. Los MIB (*Management Information Bases* - bases de administración de información) son bases de datos que definen qué información es obtenible a partir del dispositivo de red y qué puede controlarse (apagarse, encenderse, etc.).

snow
nieve
Puntos similares a copos de nieve que titilan en una pantalla de video, causados por los componentes electrónicos que son demasiado lentos para responder a los datos cambiantes.

soft font
tipo de letra blanda, fuente blanda
Conjunto de caracteres de un tipo de letra particular que se almacena en el disco duro del computador, o en algunos casos en el disco duro de la impresora, y se carga en ésta antes de imprimir. Obsérvese la diferencia con *internal font* y *font cartridge*.

soft return
retorno de carro blando
Código insertado por el *software* en un documento de texto para marcar el final de la línea. Cuando se imprime el documento, el retorno de carro blando se convierte en el código de fin de línea requerido por la impresora. Los retornos de carro blandos están determinados por el margen derecho y cambian cuando se modifican los márgenes.

software

Instrucciones para el computador. Una serie de instrucciones que realiza una tarea en particular se llama programa o programa de *software*. Las dos categorías principales son *software* de sistemas y *software* de aplicaciones.

software house

casa de software

Organización que desarrolla *software* personalizado para un cliente. Compárese con *software publisher*, que desarrolla y comercializa paquetes de *software*.

software package

paquete de software

Programa de aplicación para la venta al público en general.

software publisher

editor de software

Organización que desarrolla y comercializa *software*. Realiza investigación de mercado, producción y distribución de *software*. Puede desarrollar su propio *software*, contratarlo u obtenerlo de otro existente.

Solaris

Sistema operativo de Sun que corre en sus estaciones SPARC y 386 o superiores. Incluye sistema operativo con base en UNIX, protocolos de redes versión de X Window y la interfaz gráfica Open Look. La versión x86 corre el DOS y las aplicaciones de Windows.

solid state

estado sólido

Componente o circuito electrónico hecho con materiales sólidos, como transistores, *chips* y memoria de tipo burbuja. No hay ninguna acción mecánica en un dispositivo de estado sólido, aunque hay una cantidad increíble de acción electromagnética.

solid state disk

disco de estado sólido

Unidad de disco hecha de *chips* de memoria utilizada para acceso de datos de alta velocidad o en entornos adversos. Los discos de estado sólido se utilizan en dispositivos alimentados por batería que se pueden sostener en la mano, así como también en unidades con cientos de *megabytes* de almacenamiento y sistemas UPS incorporados.

sort

clasificar

Reordenar datos en una nueva secuencia. Las capacidades de clasificación se proveen dentro del sistema operativo y de muchos programas de aplicación, como procesadores de palabras y DBMS.

sort key
clasificador, tecla de clasificación
Campo o campos en un registro que impone la secuencia del archivo. Por ejemplo, los clasificadores STATE (estado) y NAME (nombre) ordenan el archivo alfabéticamente por nombre dentro de un estado. STATE es el clasificador primario y NAME es el clasificador secundario.

sound card
tarjeta de sonido
Tarjeta de expansión de computadores personales que genera sonido y provee salidas para amplificación y parlantes externos. Los parlantes no protegidos localizados demasiado cerca de pantallas CRT generarán interferencia visible. Los parlantes protegidos están comúnmente disponibles para usar en computadores. *Véase MPC.*

source code
código fuente
Conjunto de sentencias de programación tal como fueron escritas por el programador. El código fuente debe convertirse en lenguaje de máquina mediante compiladores, ensambladores e intérpretes antes de ejecutarse (correrse) en el computador.

source computer
computador fuente
Computador en el cual se ensambla o compila un programa. Compárese con *object computer.*

source data
datos fuente
Datos originales manuscritos o impresos en un documento fuente, o introducidos en el sistema computacional mediante un teclado o terminal.

source disk
disco fuente
Disco desde el cual se obtienen datos. Obsérvese la diferencia con *target disk.*

source document
documento fuente
Formulario en el cual se escriben datos. Los formularios para órdenes y solicitudes de empleo son ejemplos de documentos fuente.

source drive
unidad de fuente
Unidad de disco o de cinta de la cual se obtienen datos. Adviértase la diferencia con *target drive.*

source language
lenguaje fuente
Lenguaje utilizado en un programa fuente.

source program
programa fuente
Programa en su forma original, tal como fue escrito por el especialista.

space/time
espacio/tiempo

Bits, bytes y ciclos

K (kilo)	mil	1,024
M (mega)	millón	1,048,576
G (giga)	mil millones	1,073,741,824
T (tera)	billón	1,099,511,627,776
P (peta)	mil billones	1,125,899,906,842,624

Fracciones de segundo

ms (milisegundo)	milésima	1/1,000
μs (microsegundo)	millonésima	1/1,000,000
ns (nanosegundo)	milmillonésima	1/1,000,000,000
ps (picosegundo)	billonésima	1/1,000,000,000,000
fs (femtosegundo)	milbillonésima	1/1,000,000,000,000,000

Cómo se miden las capacidades de almacenamiento

Capacidad de almacenamiento/canal

Tamaño de la CPU	*bits*
Tamaño del *bus*	*bits*
Disco, cinta	*bytes*
MEMORIA	
Capacidad total	*bytes*
Módulo de SIMM o SIP	*bytes*
Chip individual	*bits*

Velocidad de transmisión

Velocidad del reloj de la CPU	MHz (megahertz)
Velocidad del *bus*	MHz (megahertz)
Línea/canal de red	bps (*bits* por segundo)
Velocidad de transferencia del disco	*bits* o *bytes* por segundo
Tiempo de acceso del disco	ms
Tiempo de acceso de memoria	ns
Ciclo de máquina	μs, ns
Ejecución de instrucciones	μs, ns
Conmutación de un transistor	ns, ps, fs

S

spaghetti code
código spaghetti
Código de programa que ha sido escrito sin una estructura coherente. Esto significa que la lógica se mueve de rutina en rutina sin regresar a un punto base, dificultando su seguimiento. Compárese con *structured programming.*

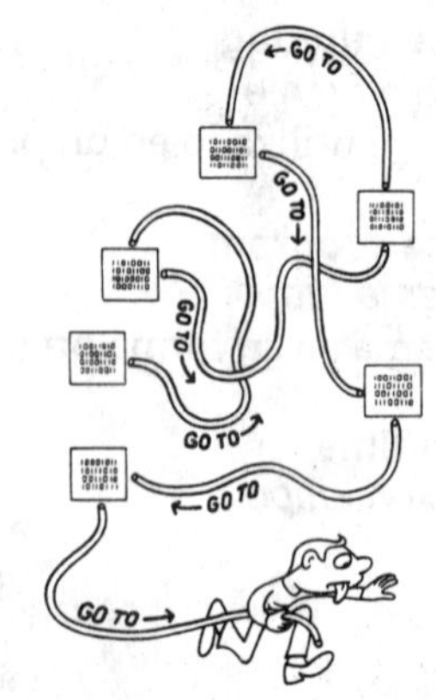

CÓDIGO SPAGHETTI

SPARC (Scalable Performance ARChitecture)
arquitectura de rendimiento graduable
CPU RISC de 32 *bits* desarrollada por Sun y autorizada por SPARC International, Menlo Park, CA. Se utiliza en estaciones de trabajo SPARCstation de Sun.

spawn
generar dinámicamente
Iniciar otro programa desde el actual.

special character
carácter especial
Carácter no alfa o no numérico como @, #, $, %, &, * y +.

speech synthesis
síntesis del habla
Generación de voz por medio de una máquina, ordenando los fonemas (k, ch, sh, etc.) en las palabras. Se utiliza para convertir una entrada de texto en palabras habladas para las personas ciegas. La síntesis del habla realiza conversión de tiempo real sin un vocabulario predefinido, pero no genera habla con sonido humano. Aunque las palabras habladas pueden ser digitalizadas en el computador, la voz digitalizada requiere una gran cantidad de almacenamiento y las frases resultantes aún carecen de inflección.

Speed Doubler
Véase 486.

spelling checker
verificador de ortografía
Programa separado o función de un procesador de palabras que comprueba la corrección ortográfica de las palabras. Puede verificar la ortografía de un bloque marcado, en un documento entero o en un grupo de documentos. Los sistemas avanzados comprueban la ortografía mientras el usuario escribe, y pueden corregir en el acto errores tipográficos comunes y palabras deletreadas en forma errónea.

Los verificadores de ortografía simplemente comparan las palabras con un glosario de palabras, y no pueden detectar el uso inadecuado de un término correctamente escrito dentro de otro contexto. *Véase grammar checker*.

spike
pico, transitorio
También llamado *transient* (fenómeno transitorio), irrupción de voltaje extra en una línea de energía que dura sólo una fracción de segundo. Véase *surge*.

spooling (**S**imultaneous **P**eripheral **O**perations **OnLine**)
operaciones periféricas simultáneas en línea
Superposición de operaciones de baja velocidad con el procesamiento normal. Tuvo su origen con los *mainframe* a fin de optimizar operaciones lentas como la lectura de tarjetas y la impresión. Las entradas mediante tarjetas se leían hacia el disco, y las salidas para impresión se almacenaban en el disco. De esa manera, el procesamiento efectivo de los datos de negocios se hacía a gran velocidad, puesto que todas las entradas y salidas estaban en el disco.

Actualmente, este tipo de operaciones se utiliza para amortiguar los datos hacia la impresora y remotas terminales por lotes. *Véase print spooler*.

spreadsheet
hoja de cálculo, planilla de cálculo
Software que simula una hoja de cálculo, o planilla, en la que las columnas de números se suman para presupuestos y planes. Aparece en pantalla como una matriz de filas y columnas, cuyas intersecciones se identifican como celdas. La magia de las hojas de cálculo está en su capacidad para recalcular rápidamente las filas y columnas cada vez que se realiza un cambio en los datos numéricos en una de las celdas.

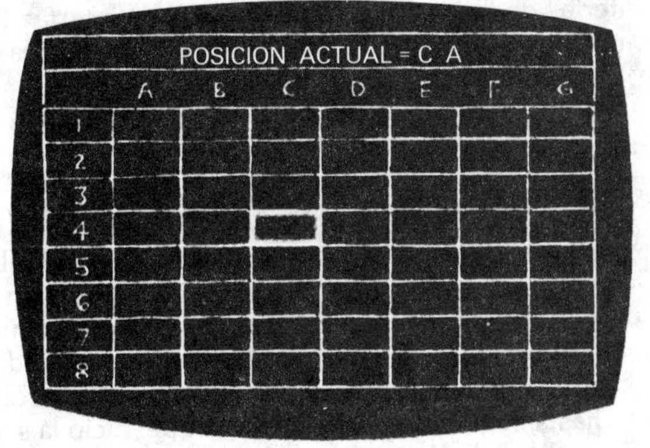

HOJA DE CÁLCULO

SQL (**S**tructured **Q**uery **L**anguage)
lenguaje de consulta estructurado
Lenguaje utilizado para interrogar y procesar datos en una base de datos

relacional. Desarrollado originalmente por IBM para sus *mainframe*, ha habido muchas implementaciones creadas para aplicaciones de base de datos en mini y microcomputadores. Los comandos SQL pueden utilizarse para trabajar interactivamente con una base de datos, o pueden incluirse en un lenguaje de programación para servir de interfaz a una base de datos.

SQL engine
máquina SQL
Programa que acepta comandos SQL y permite acceso a la base de datos para obtener los datos solicitados. Las solicitudes de los usuarios en un lenguaje de consulta deben traducirse a una solicitud en SQL para que la máquina SQL pueda procesarlas.

S-RAM
Véase static RAM.

ST506
Interfaz de disco duro comúnmente utilizada en unidades de 40MB e inferiores. Transfiere datos a 625 *KBytes*/seg y utiliza el método de codificación MFM (*Modified Frequency Modulation* - modulación de frecuencia modulada).

ST506 RLL (ST506 **R**un-**L**ength **L**imited)
ST506 de longitud limitada de ejecución
Interfaz de disco duro (también llamada interfaz RLL) que incrementa la capacidad y velocidad en un 50% con respecto a las unidades ST506 MFM y transfiere datos a 937 *KBytes*/seg.

stack
pila
- Conjunto de registros de *hardware* o cantidad reservada de memoria usada para cálculos aritméticos o para el seguimiento de las operaciones internas. Las pilas mantienen una secuencia de rutinas que se llaman en un programa. Por ejemplo, una rutina llama a otra, ésta llama a otra, y así sucesivamente. A medida que se completa cada rutina, el computador debe devolver el control a la que la llamó, y así hasta llegar a la primera rutina que inició la secuencia.
- Archivo de HyperCard.

standard
estándar
Conjunto de reglas y regulaciones acordado por una organización oficial de estándares (estándar legal) o por aceptación general en el mercado (estándar de hecho).

standards bodies
organizaciones de estándares

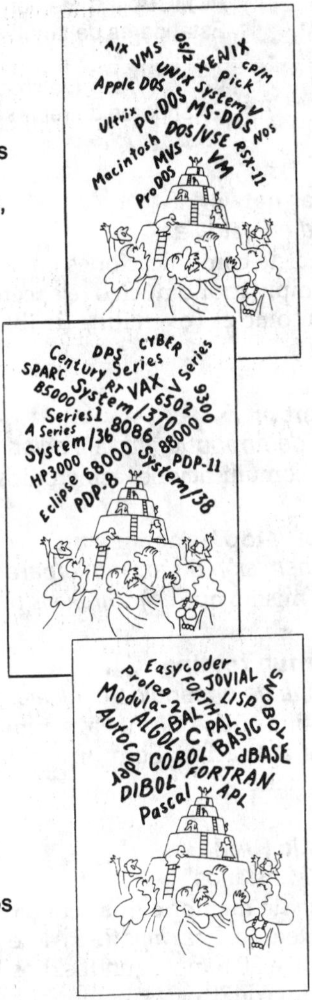

ANSI (**A**merican **N**ational **S**tandards **I**nstitute)
Coordina el desarrollo de estándares voluntarios a nivel nacional, que incluyen lenguajes de programación, EDI, telecomunicaciones y propiedades de medios de disco y cinta. Es la entidad de los Estados Unidos miembro de ISO. New York.

CCITT (**C**onsultative **C**ommittee for **I**nternational **T**elephony and **T**elegraphy)
Estándares de comunicaciones. Ginebra.

EIA (**E**lectronic **I**ndustries **A**ssociation)
Estándares de interfaces electrónicas y eléctricas. Washington.

IEC (**I**nternational **E**lectrotechnical **C**ommission)
Estándares en electrónica y en electricidad.

IEEE (**I**nstitute of **E**lectrical and **E**lectronics **E**ngineers)
Estándares en electrónica y campos asociados. New York.

ISO (**I**nternational **S**tandards **O**rganization)
Muchos estándares técnicos que incluyen el OSI (***O**pen **S**ystems **I**nterconnect*) para las comunicaciones a nivel mundial. Ginebra.

JEDEC (**J**oint **E**lectronic **D**evice **E**ngineering **C**ouncil)
Estándares de circuitos integrados.

JEIDA (**J**apanese **E**lectronic **I**ndustry **D**evelopment **A**ssociation)
JEIDA se ha unido con PCMCIA para estandarizar una tarjeta de memoria de 68 pines.

NIST (**N**ational **I**nstitute of **S**tandards & **T**echnology)
Organización de estándares del gobierno de los Estados Unidos, anteriormente National Bureau of Standards.

PCMCIA (PC Memory Card Industry Association)
Estándares de tarjetas de memoria.

VESA (Video Electronics Standards Association)
Estándares de representación de video. San José, CA.

star network
red en estrella
Red de comunicaciones en la que todas las terminales se conectan a un computador o núcleo (eje) central. Los PBX son los principales ejemplos, así como el Token Ring de IBM y las redes de área local (LAN) Starlan de AT&T.

start bit
bit de arranque, inicialización
En comunicaciones asincrónicas, *bit* que se transmite antes de cada carácter.

start/stop transmission
transmisión de arranque/parada
Lo mismo que *asynchronous transmission*.

startup routine
rutina de encendido o iniciación
Rutina que se ejecuta al ser inicializado el computador o cuando se carga una aplicación. Se utiliza para personalizar el entorno para su *software* asociado.

static RAM
RAM estática
Chip de memoria que requiere suministro de energía para mantener su contenido. Los *chips* de RAM estática tienen tiempos de acceso en el rango de 10 a 30 nanosegundos. Los RAM dinámicos, por lo general, están por encima de 30, y las memorias bipolares y ECL se encuentran por debajo de 10. Los RAM estáticos requieren más espacio que los RAM dinámicos y utilizan más energía.

storage device
dispositivo de almacenamiento
Unidad de *hardware* que conserva datos. En este libro, dispositivo de almacenamiento se refiere sólo a equipos periféricos externos, como disco y cinta, en contraste con memoria (RAM).

storage media
medios de almacenamiento
Se refiere a discos, cintas y cartuchos de memoria de burbuja.

store and forward
almacenar y enviar
En comunicaciones, almacenamiento temporal de un mensaje para transmitirlo posteriormente a su destinatario. Las técnicas de almacenamiento y envío permiten transmitir a través de redes que no son accesibles en todo momento; por ejemplo, los mensajes destinados a diferentes zonas horarias pueden ser almacenados y enviados cuando sea de día en el lugar de destino. Los mensajes pueden almacenarse y enviarse durante la noche con el fin de obtener tarifas reducidas.

stored program concept
concepto de programa almacenado
Arquitectura básica del computador sobre la cual actúa (ejecuta) instrucciones almacenadas internamente. *Véase von Neumann architecture.*

string
cadena, tira
- En programación, conjunto contiguo de caracteres alfanuméricos que no contiene números usados en los cálculos. Nombres, direcciones, palabras y sentencias son ejemplos de cadenas.
- Cualquier conjunto conectado de estructuras, como una cadena de *bits*, campos o registros.

string handling
tratamiento de cadenas
Capacidad de manipular datos alfanuméricos (nombres, direcciones, texto, etc.). Las funciones usuales incluyen la capacidad de manejar arreglos (*arrays*) de cadenas, alinear a la derecha e izquierda y centrar cadenas, y buscar la aparición de texto dentro de una cadena.

stroke font
Lo mismo que *vector font*.

structured programming
programación estructurada
Variedad de técnicas que impone una estructura lógica en la escritura de un programa. Obsérvese la diferencia con *spaghetti code*.

style sheet
hoja de estilos
En procesamiento de palabras y publicaciones de escritorio, archivo que contiene los ajustes de disposición (arreglo) para determinada categoría de documento. Las hojas de estilo incluyen ajustes como márgenes, tabulaciones, encabezamientos y pies de página, columnas y tipos de letra.

S

stylus
buril
Instrumento en forma de pluma que se usa para "dibujar" imágenes o señalar menúes. *Véanse light pen* y *digitizer tablet.*

sub-notebook
Computador parecido a un libro de poco peso. A medida que se vuelven más livianos, los computadores *sub-notebook* (si el término perdura) deben pesar dos o tres libras, y los *notebook,* cuatro o cinco.

subdirectory
subdirectorio
Directorio de disco que se encuentra subordinado (debajo) a otro directorio. Para tener acceso a un subdirectorio, la vía debe incluir todos los directorios que se encuentran por encima de éste.

submarining
paso submarino
Pérdida temporal visual del cursor en movimiento en una pantalla de presentación lenta, como las utilizadas en computadores portátiles. *Véase active matrix LCD.*

submenu
submenú
Lista adicional de opciones dentro de una selección del menú. Pueden existir varios niveles de submenúes.

subroutine
subrutina
Grupo de instrucciones que realizan una función específica. Una subrutina grande se denomina usualmente módulo o procedimiento; una pequeña, función o macro, pero todos los términos se identifican entre sí.

subschema
subesquema
En administración de bases de datos, visión parcial de la base de datos de un usuario individual. El esquema es toda la base de datos.

subscript
subíndice
- En procesamiento de palabras y notación matemática, dígito o símbolo que aparece debajo de la línea. Obsérvese la diferencia con *superscript.*
- Sintaxis de programación que hace referencia a un elemento de dato en una tabla.

Sun
Véase vendors.

supercomputer
supercomputador
El computador más veloz disponible. Se utiliza generalmente para simulaciones en la exploración y producción petrolera, análisis estructural, dinámica computacional de fluidos, física y química, diseño electrónico, investigación de energía nuclear y meteorología. Se emplea también para gráficas animadas en tiempo real.

superconductor
Material que posee poca resistencia al flujo de electricidad. Los superconductores tradicionales operan a temperaturas cercanas al cero absoluto (-273 grados centígrados o -459 Farenheit).

superscript
superíndice
Cualquier letra, dígito o símbolo que aparece por encima de la línea. Compárese con *subscript*.

supertwist
supertorcido
Presentación LCD que perfecciona la primera tecnología *numatic* curvada, torciendo los cristales líquidos hasta 180 grados o más. Se reconoce por su color amarillo y azul grisáceo.

supervisor
Lo mismo que *operating system.*

surface mount
montaje en superficie
Técnica de empaquetado de tarjetas de circuitos en la que las guías (pines o agujas) de los *chips* y de los componentes están soldadas a la parte superior de la tarjeta, no a través de ésta. Las tarjetas pueden ser más pequeñas y de más rápida instalación.

surge
onda errática
Suministro excesivo de voltaje proveniente de la compañía de electricidad, que puede durar hasta varios segundos. *Véase spike.*

surge protector
protector de ondas erráticas
Dispositivo que protege a un computador del voltaje excesivo (picos y ondas) en la línea de alimentación. *Véase UPS.*

surge suppressor
supresor de ondas erráticas
Lo mismo que *surge protector.*

suspend and resume
suspender y reiniciar
Detener una operación y reiniciarla en el lugar donde quedó. En computadores portátiles, se apaga el disco duro y la CPU queda inactiva a su velocidad más baja. Todas las aplicaciones abiertas se retienen en memoria.

SVGA (Super VGA)
Véase VGA.

SVR4
Véase System V Release 4.0.

swap file
archivo de intercambio
Archivo de disco utilizado para grabar temporalmente un programa o parte de un programa que se esté ejecutando en memoria.

switch
conmutador
- Dispositivo o estado de programa mecánico o electrónico que se encuentra encendido o apagado.
- Modificador de un comando. Por ejemplo, el conmutador `/p` en el comando del DOS `dir /p` hace que el listado de directorios haga una *Pause* (pausa) después de completarse la pantalla.

symmetric multiprocessing
multiproceso simétrico
Diseño de multiproceso en el que a cualquier CPU puede asignársele alguna tarea de aplicación. Una CPU actúa como un procesador de control, o planificador, que arranca el sistema, distribuye el trabajo a la siguiente CPU disponible y gestiona las solicitudes I/O (de entrada/salida). Obsérvese la diferencia con *asymmetric multiprocessing*.

synchronous transmission
transmisión sincrónica
Transmisión de datos en la que ambas estaciones están sincronizadas. Se envían códigos desde la estación transmisora hacia la receptora para establecer la sincronización, y luego se transmiten los datos en flujos continuos. Adviértase la diferencia con *asynchronous transmission*.

syntax
sintaxis
Reglas que rigen la estructura de una sentencia en un lenguaje. Especifica la manera como se unen las palabras y los símbolos para formar una frase.

syntax error
error de sintaxis
Error que ocurre cuando un programa no puede entender la orden que se introduce. *Véase parse.*

sysop (**SYS**tem **OP**erator)
operador de sistema
Persona que ejecuta un sistema de comunicaciones en línea o tablero de anuncios. El *sysop* también puede actuar como mediador para las conferencias de sistema.

system
sistema
- Grupo de componentes relacionados que interactúan para realizar una tarea.
- Sistema de computación (*computer system*) que consta de CPU, sistema operativo y dispositivos periféricos.
- Sistema de información (*information system*) constituido por la base de datos, todos los ingresos de datos, actualización, programas de consulta e informe, y procedimientos manuales y por máquina.
- "El sistema" se refiere, con frecuencia, al sistema operativo.

System 7
Principal actualización del sistema operativo del Macintosh (1991). Incluye memoria virtual, incremento del direccionamiento de la memoria, enlaces "calientes", multitareas, caracteres de tipo TrueType y otros mejoramientos.

System/3x
Computadores de rango medio de IBM System/34, System/36 y System/38.

System/34
Primer minicomputador de IBM que manejaba aproximadamente una docena de terminales. Sustituido por System/36 y System/38.

System/36
Primer minicomputador de IBM que manejaba una docena de terminales. Sustituido por el AS/400.

System/38
Primer minicomputador multiusuario de IBM que integraba un DBMS relacional con el sistema operativo.

System/360
Primera familia de sistemas de computadores de IBM introducida en 1964. Fue la primera vez que una compañía anunció una línea completa de computadores a la vez. La arquitectura básica 360 todavía existe en los actuales *mainframe* de IBM.

System/370
Línea de productos *mainframe* introducida en 1970 por IBM (remplazando el System/360), que añadió memoria virtual y otros mejoramientos.

System/390
Línea de productos *mainframe* introducida en 1990 por IBM (remplazando el System/370).

system development cycle
ciclo de desarrollo de sistema
Secuencia de eventos en el desarrollo de un sistema de información (aplicación), que requiere el esfuerzo mutuo, tanto de parte del usuario como del equipo técnico.

1. ANÁLISIS Y DISEÑO DE SISTEMAS
   estudio de factibilidad
   diseño general
   creación de prototipos
   diseño detallado
   especificaciones funcionales
2. APROBACIÓN DEL USUARIO
3. PROGRAMACIÓN
   diseño
   codificación
   prueba
4. IMPLEMENTACIÓN
   capacitación
   conversión
   instalación
5. ACEPTACIÓN DEL USUARIO

system development methodology
metodología para el desarrollo de sistemas
Documentación formal de las fases del ciclo de desarrollo de sistemas. Define los objetivos precisos para cada fase y los resultados requeridos de cada una de éstas antes de que pueda comenzar la siguiente. Puede incluir formatos especializados para la preparación de documentación que describe cada fase.

system failure
falla de sistema
Desperfecto del *hardware* o *software*. Una falla de este tipo puede referirse a un problema con el sistema operativo.

SYSTEM.INI
Véase WIN.INI.

system life cycle
ciclo de vida del sistema
Vida útil de un sistema de información. Su duración depende de la naturaleza y volatilidad del negocio, así como de las herramientas de desarrollo de *software* utilizadas para generar las bases de datos y las aplicaciones. Con el tiempo, un sistema de información que ha sido remendado una y otra vez ya no posee una firmeza estructural suficiente como para ser expandido.

system software
software de sistemas
Programas que se utilizan para controlar el computador y ejecutar programas de aplicación. Incluye sistemas operativos, monitores TP, programas de control de redes, sistemas operativos de redes y administradores de bases de datos. Obsérvese la diferencia con *application program.*

system test
prueba de sistema
Ejecución de un sistema completo con el propósito de probarlo.

System V Release 4.0
Versión unificada de UNIX distribuida en 1989. *Véase UNIX.*

systems
sistemas
Término general para el departamento, personal o trabajo relacionado con las actividades de análisis y diseño de sistemas.

systems analysis & design
análisis y diseño de sistemas
Examen de un problema y creación de su solución. El análisis de sistemas es efectivo cuando pueden examinarse todas las facetas del problema. Tienen vida propia, y los planes para el cuidado y alimentación de un sistema nuevo son tan importantes como los problemas que resuelven. *Véase system development cycle.*

systems analyst
analista de sistemas
Persona responsable del desarrollo de un sistema de información. Realiza

el diseño y modifica los sistemas transformando las necesidades del usuario en un conjunto de especificaciones funcionales que constituyen el programa detallado de acción del sistema. Diseña la base de datos, o ayuda en su diseño si se dispone de administradores de datos. Desarrolla los procedimientos manuales y de máquina, y las especificaciones detalladas de procesamiento para cada ingreso de datos, actualización, programa de consulta e informes en el sistema.

systems engineer
ingeniero de sistemas
Con frecuencia, título del proveedor para las personas involucradas en las actividades relacionadas con computadores, de consulta y preventa. *Véanse systems analyst, systems programmer, programmer analyst* y *application programmer.*

systems house
casa de sistemas
Organización que desarrolla *software* personalizado y/o sistemas "llave en mano" para clientes. Compárese con *software house*, que desarrolla paquetes de *software* para la venta al público en general. Los dos términos se utilizan como sinónimos.

systems integration
integración de sistemas
Fabricar diversos componentes que trabajan en conjunto.

systems integrator
integrador de sistemas
Persona u organización que desarrolla sistemas a partir de una variedad de diversos componentes. Con la creciente complejidad de la tecnología, más clientes desean soluciones completas a problemas de información, que requieren *hardware, software* y experiencia en redes en ambiente de fabricación múltiple. *Véanse OEM* y *VAR.*

systems programmer
programador de sistemas

- En el departamento de sistemas o servicios de información de una gran organización, técnico experto en parte o en la totalidad del *software* de sistema del computador (sistemas operativos, redes, DBMS, etc.). Esta persona es responsable del rendimiento eficiente de los sistemas computacionales.

  En ambientes de *mainframe*, hay un programador de sistemas aproximadamente por cada 10 o más programadores de aplicaciones. En entornos menores, los usuarios confían en los proveedores o consultores para la asistencia en la programación de sistemas.
- En una organización de *hardware* o *software* de computación, persona que diseña y escribe *software* de sistemas.

T

T
Véase tera.

table
tabla

- En programación, un conjunto de campos adyacentes. También denominada *array* (arreglo), una tabla contiene datos que pueden ser constantes dentro del programa o ser introducidos cuando el programa está en ejecución. *Véase decision table.*
- En administración de bases de datos relacionales, lo mismo que un archivo; un conjunto de registros.

table lookup
búsqueda en tabla
Búsqueda de datos en una tabla, empleada comúnmente en la validación de ingreso de datos y en cualquier operación que deba combinar un elemento de datos con un conjunto conocido de valores.

tablet
tableta
Véase digitizer tablet.

tabular form
formulario tabular
Lo mismo que *table view* (exhibición en tabla) con respecto a la salida impresa.

tabulate
tabular

- Ordenar datos en un formato de columnas.
- Sumar e imprimir totales.

Tandem (Tandem Computers, Inc.)
Véase vendors.

Tandy
Véase vendors.

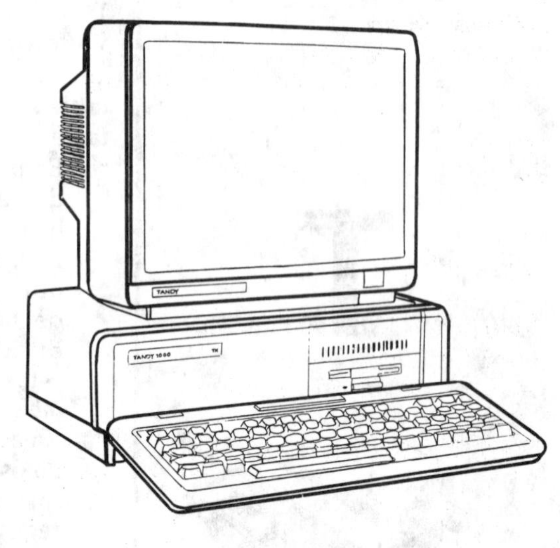
TANDY 1000TX

tape backup
copia de seguridad de cinta
Utilización de cintas magnéticas para almacenar copias duplicadas de archivos del disco duro. Las unidades de QIC son las más usadas, aunque también están comenzando a utilizarse los formatos DAT (*Digital Audio Tape* - cinta digital de audio).

tape drive
unidad o manipulador de cinta
Unidad física que contiene, lee y escribe la cinta magnética.

target computer
computador destino, objetivo
Computador en el que se carga y se ejecuta un programa. Obsérvese la diferencia con *source computer.*

target directory
directorio destino, objetivo
Directorio al que se envían los datos.

target disk
disco destino, objetivo
Disco sobre el cual se graban datos. Adviértase la diferencia con *source disk.*

target drive
unidad destino, objetivo
Unidad que contiene el disco o cinta sobre el cual se registran los datos. Compárese con *source drive.*

target language
lenguaje destino, objetivo
Lenguaje resultante de un proceso de traducción (ensamblador, compilador, etc.).

task switching
conmutación de tareas
Acción de conmutar entre dos aplicaciones activas. *Véase context switching.*

TB, Tb
Véanse terabyte y *terabit.*

Tbit
Véase terabit.

Tbits/sec (Tera**BITS** per **SEC**ond)
terabits por segundo
Un billón de *bits* por segundo.

TBps, Tbps (Tera**B**ytes **P**er **S**econd, Tera**B**its **P**er **S**econd)
terabytes por segundo, terabits por segundo
Un billón de *bytes* por segundo. Un billón de *bits* por segundo.

TByte
Véase terabyte.

Tbytes/sec (Tera**BYTES** per **SEC**ond)
terabytes por segundo
Un billón de *bytes* por segundo.

T-carrier
portadora T
Servicio de transmisión digital de mensajes de una compañía pública. Fue introducido por AT&T en 1983 como un servicio de transmisión de voz; su utilización en datos ha crecido en forma constante. El servicio de portadora T se suministra en canales de 64*Kbits*/seg. Los multiplexores se utilizan en ambos extremos para fusionar y dividir las señales. Las capacidades son: T1 (24 canales - capacidad total de 1.544*Mbits*/seg); T2 (96 canales - 6.312Mb); T3 requiere fibra óptica (672 canales - 45Mb).

TCP/IP (**T**ransmission **C**ontrol **P**rotocol/**I**nternet **P**rotocol)
protocolo de control de transmisiones/protocolo Internet
Protocolos de comunicaciones desarrollados bajo contrato del Departamento de Defensa de los Estados Unidos para intercomunicar sistemas diferentes. Es un estándar UNIX de hecho, pero está respaldado por sistemas operativos de micro a *mainframe.* Es utilizado por muchas corporaciones y casi todas las universidades y entidades federales.

TDM (**T**ime **D**ivision **M**ultiplexing)
multiplexado por división de tiempos
Técnica que intercala (una después de la otra) varias señales de baja velocidad en una transmisión de alta velocidad. *Véase baseband.*

telecommunications
telecomunicaciones
Comunicación de información que incluye datos, texto, ilustraciones, voz y video.

teleconferencing
teleconferencia
Conferencia entre usuarios mediante video, audio o computador.

Telenet
Red de conmutación de paquetes, con valor agregado, que permite intercambiar datos entre muchas terminales y computadores. Es una subsidiaria de US Sprint.

teleprinter
teleimpresora
Terminal similar a una máquina de escribir que tiene incorporados un teclado e impresora. Obsérvese la diferencia con *video terminal.*

TELEIMPRESORA

teletype mode
modo de telemecanografiado, de teletipo
Salida de una línea a la vez, como en una máquina de escribir. Compárese con *full-screen.*

template
plantilla
- Pieza que se coloca arriba de las teclas de función para identificar su uso.
- Parte programática y descriptiva de una aplicación programable; por ejemplo, una hoja de cálculo que contiene sólo descripciones y fórmulas, o una pila HyperCard que contiene sólo programas y segundos planos. Cuando la plantilla se llena con datos, se convierte en una aplicación de trabajo.

ter
Tercera versión.

tera
Billón (un millón de millones). Se abrevia como "T". Con frecuencia se refiere al valor preciso 1,099,511,627,776 puesto que las especificaciones del computador, por lo general, son números binarios. *Véase space/time.*

terabit
Un billón de *bits.* También *Tb, Tbit, T-bit. Véanse tera* y *space/time.*

terabyte
Un billón de *bytes*. También *TB, Tbyte, T-byte. Véanse tera* y *space/time.*

teraflops (TERA FLoating point OPerations per Second)
teraoperaciones de punto flotante por segundo
Un billón de operaciones de punto flotante por segundo.

terminal
- Dispositivo de entrada/salida de un computador, que posee normalmente un teclado para la entrada y una pantalla de video o impresora para la salida.
- Dispositivo de entrada, como un *scanner*, una cámara de video o un lector de tarjetas perforadas.
- Dispositivo de salida en una red, como un monitor, una impresora o una perforadora de tarjetas.
- Conector empleado para empalmar un cable.

terminal emulation
emulación de terminal
Utilización de un computador personal para simular una terminal *mainframe* o minicomputador. *Véase virtual terminal.*

terminate and stay resident
terminar y permanecer residente
Véase TSR.

text
texto
Palabras, oraciones y párrafos. Esto que usted está leyendo es un texto. Una página de texto requiere aproximadamente de 2,000 a 4,000 *bytes* en el computador. El *software* que trabaja con texto debe ser capaz de manejar cadenas largas y de duración variable, en contraste con los sistemas de procesamiento de datos, o bases de datos, que tratan con registros predefinidos compuestos por campos (cantidad, monto por pagar) fijos en cuanto a posición. El *software* moderno maneja texto y datos. *Véase memo field.*

text editor
editor de texto
Software utilizado para crear y editar archivos que contienen sólo texto (archivos por lote, listados de direcciones, programas en lenguaje fuente, etc.). A diferencia de los procesadores de palabras, los editores de texto no disponen de características elaboradas de formateo e impresión, como subrayado, negrita o cambios de tipo de letra. Los editores diseñados para programación poseen sangrado automático y ventanas múltiples.

T

text file
archivo de texto
Archivo que contiene sólo caracteres de texto. Compárese con *graphics file* y *binary file.*

text mode
modo de texto
Modo de presentación en pantalla que muestra sólo texto. Obsérvese la diferencia con *graphics mode.*

thermal printer
impresora térmica
Impresora de funcionamiento sin impacto, de bajo costo y de resolución baja a media, que utiliza papel sensible al calor. Cuando se calientan las agujas del cabezal de impresión y tocan el papel, éste se oscurece.

third-generation computer
computador de tercera generación
Computador que utiliza circuitos integrados, almacenamiento en disco y terminales en línea. Esta generación se inició aproximadamente en 1964, con el System/360 de IBM.

third-generation language
lenguaje de tercera generación
Lenguaje de programación tradicional de alto nivel como FORTRAN, COBOL, BASIC, Pascal y C.

throughput
caudal de procesamiento; rendimiento efectivo o específico
Velocidad con la que un computador procesa datos. Este caudal es una combinación de velocidad de procesamiento, de velocidades (de entrada y salida) de periféricos, y de la eficiencia del sistema operativo y otro *software* del sistema, que trabajan todos en conjunto.

THz (Tera**H**ert**Z**)
Un billón de ciclos por segundo.

TI (**T**exas **I**nstruments, Inc.)
Véase vendors.

TIFF (**T**agged **I**mage **F**ile **F**ormat)
formato de archivo de imágenes elaboradas con scanner
Formato de archivos de gráficas de trama ampliamente utilizado, desarrollado por Aldus y Microsoft, que maneja monocromático, escala de grises, y color de 8 y 24 *bits.*

tightly coupled
acoplados estrechamente
Se refiere a dos o más computadores enlazados entre sí y dependientes uno de otro. Un computador puede controlar al otro, o ambos pueden monitorearse entre sí. Por ejemplo, una máquina (computador) de base de datos está acoplada estrechamente al procesador principal. Dos computadores enlazados entre sí para multiprocesamiento, se encuentran unidos de manera estrecha. Obsérvese la diferencia con *loosely coupled*, como los computadores personales en una red de área local (LAN).

tiled
embaldosado
Presentación de objetos dispuestos lado con lado; por ejemplo, las ventanas dispuestas en embaldosado no pueden superponerse entre sí.

time slice
fracción
Intervalo fijo que se asigna a cada usuario o programa en un sistema de multitarea o de tiempo compartido.

timesharing
tiempo compartido
Entorno computacional multiusuario que permite a los usuarios iniciar sus propias sesiones y acceso a bases de datos seleccionadas en la medida que se requiera, como cuando se utilizan servicios en línea. Un sistema que sirve a muchos usuarios, pero sólo para una aplicación, es técnicamente de tiempo no compartido.

token passing
paso de señales
Método de acceso a redes de comunicaciones que utiliza un cuadro de repetición continua (la señal), que se transmite a través de la red mediante el computador que la controla. Cuando una terminal o computador desea enviar un mensaje, espera una señal vacía. Cuando encuentra una, la completa con la dirección de la estación de destino y una parte o la totalidad del mensaje.

Token Ring Network
Red de área local de IBM que se ajusta al estándar IEEE 802.5. Todas las estaciones se conectan a un núcleo central de cableado (topología en estrella) mediante un cable especial de alambre trenzado. El núcleo central facilita la reparación de unidades. Utiliza el método de acceso de paso de señales a 4 ó 16*Mbits*/seg, y pasa las señales hasta 255 nodos en una secuencia similar a un anillo.

tool palette
paleta de herramientas
Conjunto de funciones en pantalla, generalmente relacionadas con gráficas,

que están agrupadas en una estructura de menú para su selección interactiva.

toolkit
caja, juego de herramientas
Conjunto de rutinas de *software* que permiten escribir un programa y trabajar en un entorno particular. Las rutinas son llamadas por el programa de aplicación para realizar diversas funciones; por ejemplo, para mostrar un menú o dibujar un elemento gráfico.

topology
topología
En una red de comunicaciones, patrón de interconexión entre nodos; por ejemplo, una configuración de *bus*, de anillo o de estrella.

touch screen
pantalla táctil
Pantalla de visualización sensible al tacto que utiliza un panel claro sobre la superficie de la pantalla. El panel es una matriz de celdas que transmite información al indicar qué celdas están siendo presionadas.

TP monitor (**T**ele**P**rocessing monitor or **T**ransaction **P**rocessing monitor)
monitor de teleprocesamiento o monitor de procesamiento de transacciones
Programa de control de comunicaciones que administra la transferencia de datos entre múltiples terminales locales y remotas y los programas de aplicación que les sirven. El CICS es un ejemplo de monitor TP en el mundo de los *mainframe* de IBM. Tuxedo es un ejemplo de UNIX.

tpi (**T**racks **P**er **I**nch)
pistas por pulgada
Se utiliza para medir la densidad de pistas grabadas sobre un disco o tambor.

TPS
- (**T**ransactions **P**er **S**econd)
  transacciones por segundo
  Cantidad de transacciones procesadas en un segundo.
- (**T**ransaction **P**rocessing **S**ystem)
  sistema de procesamiento de transacciones
  Utilizado originalmente como acrónimo para designar tales sistemas, actualmente se refiere a la medición del sistema (como se indica en la definición anterior).

track
pista
Canal de almacenamiento en un disco o cinta. En los discos, las pistas

son círculos concéntricos (discos duros o flexibles) o espirales (discos compactos -CD- y videodiscos). En las cintas, son líneas paralelas.

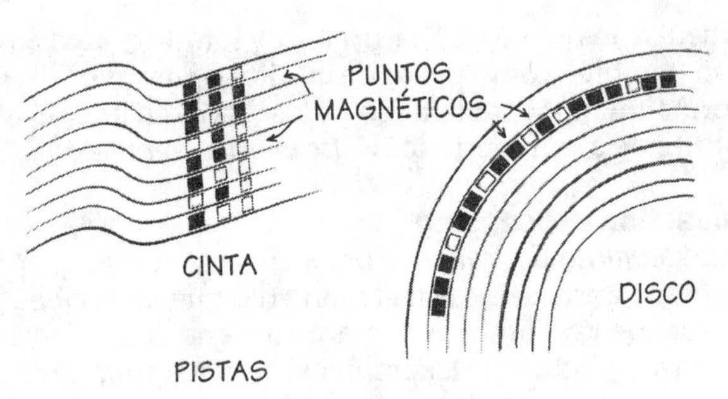

trackball
bola rodante, de guía, de seguimiento
Dispositivo de entrada que se emplea en juegos de video y como una alternativa del *mouse*. Es una unidad estacionaria que contiene una esfera móvil que se hace rotar con los dedos o la palma de la mano y que, en forma correspondiente, desplaza el cursor en la pantalla.

tractor feed
alimentación (avance) por tractor
Mecanismo que proporciona movimiento rápido a las hojas a través de la impresora. Contiene clavijas (pines) sobre tractores que encajan en el papel mediante orificios perforados en sus bordes izquierdo y derecho.

transaction
transacción
Actividad o solicitud. Órdenes, compras, cambios, adiciones y eliminaciones son ejemplos comunes de transacciones que se almacenan en el computador. Las consultas y otras solicitudes también son transacciones, pero normalmente se trabaja en éstas y no se graban (*save*). El volumen de transacciones es un factor importante en la determinación del tamaño y velocidad de un sistema computacional.

TRANSACCIONES OPERATIVAS
(Actividades diarias típicas)

transaction file
archivo de transacciones
Conjunto de registros de transacciones. Los datos de los archivos de transacciones se utilizan para actualizar los de los archivos maestros, que

TRANSACCIONES DE MANTENIMIENTO
(Actividades periódicas típicas)

contienen los temas de la organización. Los archivos de transacciones sirven también como pistas de auditoría (intervenciones de seguimiento) y normalmente se transfieren de los discos en línea a la biblioteca de datos después de algún periodo. *Véase information system.*

transaction processing
procesamiento de transacciones
Procesar transacciones en el momento que las recibe el computador. Este procesamiento, también llamado sistema *online* (en línea) o *realtime* (de tiempo real), actualiza los archivos maestros tan pronto como se introducen las transacciones en las terminales o llegan por las líneas de comunicaciones. Obsérvese la diferencia con *batch processing.*

transceiver
emisor-receptor
Transmisor y receptor de señales analógicas o digitales que viene en muchos formatos; por ejemplo, un receptor y transmisor de un satélite de comunicaciones o un adaptador de redes.

transfer rate
índice o velocidad de transferencia
También denominado *data rate* (tasa o velocidad de datos), velocidad de transmisión de un canal de comunicaciones o informático. Los índices de transferencia se miden en *bits* o *bytes* por segundo.

transistor
Dispositivo semiconductor utilizado para amplificar una señal o para abrir y cerrar un circuito. En computadores digitales, funciona como un conmutador electrónico.

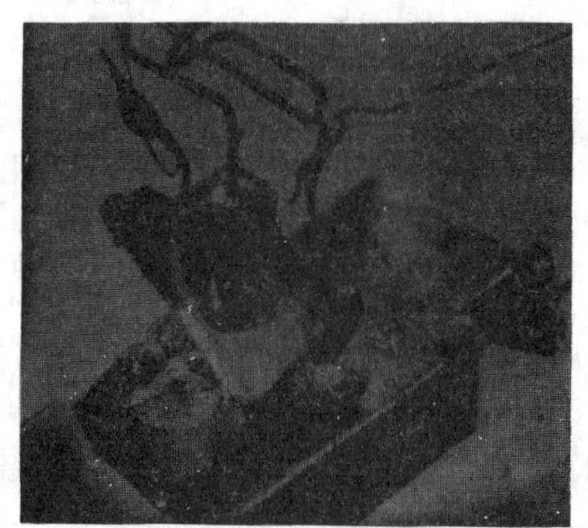

EL PRIMER TRANSISTOR (1947)
(Cortesía de AT&T)

transmit
transmitir
Enviar datos a través de una línea de comunicaciones.

transmitter
transmisor
Dispositivo que genera señales. Obsérvese la diferencia con *receiver.*

transparent
transparente
Se refiere a una modificación en el *hardware* o *software* que, después de instalada, no causa un cambio perceptible en la operación.

transponder
Receptor y transmisor de un satélite de comunicaciones. Este dispositivo recibe una señal de microondas transmitida desde la tierra (*uplink* - enlace ascendente), la amplifica y la retransmite de regreso a la tierra a una frecuencia diferente (*downlink* - enlace descendente). Hay varios de estos dispositivos en un satélite.

transport protocol
protocolo de transporte
Protocolo de comunicaciones que se encarga de establecer una conexión y de asegurar que todos los datos hayan llegado con seguridad. Está definido en el nivel (estrato) 4 del modelo OSI.

triple twist
trenzado triple, devanado
Variación de supertrenzado que dobla los cristales a 260 grados para una mayor claridad.

true color
color verdadero
- Capacidad de generar 16,777,216 colores (color de 24 *bits*). *Véase high color.*
- Capacidad de generar imágenes en color reales como fotografías (mayor que el color de 24 *bits*).

TrueType
Tecnología de tipos de letra ajustables a escala, de Apple, que los reproduce en impresora y pantalla, utilizada en Windows 3.1 y Mac System 7. Cada tipo de TrueType contiene sus propios algoritmos para convertir el tipo delineado en mapas de *bits*, a diferencia del PostScript donde los algoritmos se mantienen en el *hardware* de entramados.

TSR (**T**erminate and **S**tay **R**esident)
terminar y permanecer residente
Se refiere a programas que permanecen en memoria de manera que puedan extraerse en forma instantánea sobre alguna otra aplicación pulsando simplemente una combinación de teclas. El programa se visualiza como una ventana pequeña en la parte superior del texto o imagen existentes, u ocupa toda la pantalla. Cuando se sale del programa, se restauran los contenidos de la pantalla anterior.

TTL (**T**ransistor **T**ransistor **L**ogic)
lógica de transistor a transistor
Circuito digital donde la salida se obtiene a partir de dos transistores. Aunque la TTL constituye un método específico de diseño, el término con frecuencia se refiere en forma genérica a las conexiones digitales, en contraste con las analógicas.

turnaround document
documento retornable
Documento de papel o tarjeta perforada preparada para reingresar en el sistema de computación. Los documentos de papel se imprimen con tipos del letra OCR para llevar a cabo un *scanning*. Las facturas y las tarjetas de control de inventario son algunos ejemplos.

turnkey system
sistema de "llave en mano"
Sistema completo de *hardware* y *software* entregado al cliente en condición de "listo para usar".

twisted pair
par trenzado
Alambres aislados del grosor de un diámetro (de medida entre 22 y 26) utilizado en alambrados telefónicos. Los alambres se encuentran retorcidos uno alrededor del otro a fin de minimizar la interferencia de otros alambres en el cable. También se denomina UTP (*Unshielded Twisted Pair* - par trenzado no protegido).

Tymnet (BTC Tymnet)
Red de conmutación de paquetes, con valor agregado, que permite intercambiar datos a muchas variedades de terminales y computadores. Subsidiaria de British Telecom.

Type 1 font
tipo de letra Type 1
Véase PostScript.

typeface
estilo, tipo de letra
Diseño de un conjunto de caracteres impresos, como Helvética y Times Roman. Una familia de tipos de letra incluye normal, negrita, bastardilla (cursiva) y variantes de negrita-bastardilla del diseño.

typesetter
componedora de caracteres tipográficos
Véase phototypesetter.

UMA (**U**pper **M**emory **A**rea)
área superior de memoria
Memoria del PC entre 640K y 1024K.

UMB (**U**pper **M**emory **B**lock)
bloque superior de memoria
Bloques no usados en el UMA (640K-1M). Un proveedor de UMB es el *software* que puede cargar controladores y TSR en esta memoria.

unbundled
desempaquetado
Precios separados para cada componente de un sistema. Obsérvese la diferencia con *bundled*.

undelete
restaurar, recuperar
Restaurar la última operación borrada que haya tenido lugar.

undo
deshacer
Restaurar la última operación de edición que haya tenido lugar.

Unisys
Véase vendors.

UNIVAC I (**UNIV**ersal **A**utomatic **C**omputer)
computador automático universal
Primer computador de éxito comercial introducido en 1951 por Remington Rand. Se vendieron más de 40 sistemas. En 1952, predijo la victoria de Eisenhower sobre Stevenson y UNIVAC se convirtió en sinónimo de computador (al menos durante un tiempo).

UNIX
Sistema operativo multiusuario y multitarea de AT&T que corre en computadores de micro a *mainframe*. UNIX está escrito en C (tam-

bién desarrollado por AT&T), el cual puede estar compilado en muchos lenguajes diferentes de máquina; esto hace que UNIX corra en mayor variedad de *hardware* que cualquier otro programa de control. Así, UNIX se ha convertido en sinónimo de "sistemas abiertos".

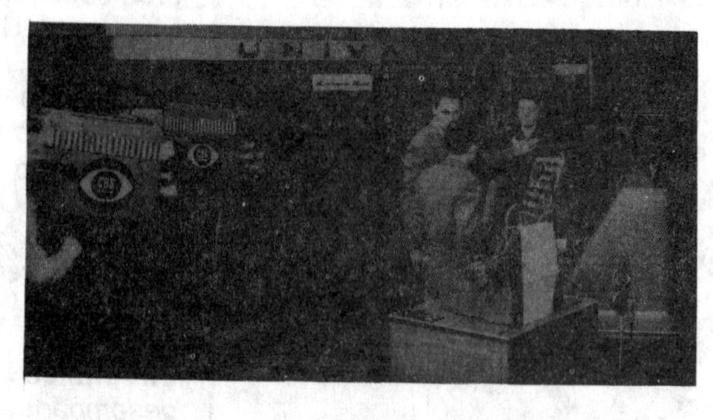

UNIVAC I
(Cortesía de Unisys)

Con los estándares de hecho que se han agregado con el paso del tiempo, UNIX ha evolucionado para convertirse en el entorno prototipo para procesamiento distribuido e interoperabilidad. Los protocolos de comunicaciones TCP/IP se utilizan en Internet, la serie más grande de redes interconectadas del mundo. El SMTP (*Simple Mail Transfer Protocol* - protocolo simple de transferencia de correspondencia) suministra correo electrónico, el NFS de Sun permite que los archivos sean distribuidos a través de la red y su NIS provee un directorio de "Páginas amarillas". El Kerberos de MIT provee seguridad para redes y su sistema X Window permite que el usuario ejecute aplicaciones en otras máquinas de la red en forma simultánea.

UnixWare
Sistema operativo para PC de Univel, Inc. (empresa conjunta de Novell y USL) con base en UNIX System V Release 4.2. La versión única de usuario provee acceso a NetWare y ejecuta aplicaciones en UNIX, DOS y Windows. También se incluye DR DOS.

unload
descargar
Retirar un programa de la memoria o sacar un disco o cinta fuera de su unidad.

unzip
Descomprimir un archivo con el popular programa de compresión de *software* compartido PKUNZIP.

UPC (Universal Product Code)
código universal de producto
Código estándar de barras que está impreso en las mercancías en la venta al por menor. Éste contiene el número de identificación del fabricante y el

número de producto, el cual es leído pasando el código de barras sobre un lector óptico de barras.

CÓDIGO UNIVERSAL DE PRODUCTO

update
actualizar
Modificar datos en un archivo o base de datos. Los términos actualizar y editar se utilizan como sinónimos.

upload
levantar
Véase download.

UPS (**U**ninterruptible **P**ower **S**upply)
fuente de alimentación ininterrumpible
Energía de seguridad para un sistema de computación cuando la energía eléctrica se interrumpe o baja a un nivel de voltaje inaceptable.

upward compatible
compatible hacia arriba, ascendente
También llamado *forward compatible* (compatible hacia adelante). Se refiere al *hardware* o *software* compatible con versiones posteriores. Obsérvese la diferencia con *downward compatible.*

USENET (**USE**r **NET**work)
red de usuario
Red de acceso público en Internet que proporciona al usuario noticias y correo electrónico. Es un tablero de anuncios disperso y gigante que es mantenido por voluntarios dispuestos a suministrar noticias y correo a otros nodos.

user
usuario
Cualquier individuo que interactúa con el computador a nivel de una aplicación.

user friendly
amigable con el usuario
Sistema fácil de aprender y utilizar.

user group
grupo de usuarios
Organización de usuarios de determinado producto de *hardware* o *software*. Sus miembros comparten experiencias e ideas para mejorar su comprensión y uso de un producto en particular.

user interface
interfaz de usuario
Combinación de menúes, diseño de pantalla, órdenes de teclado, lenguaje de comandos y pantallas de ayuda, que constituyen la manera como un usuario interactúa con un computador.

USL (**U**NIX **S**ystem **L**aboratories, Inc.)
Subsidiaria de AT&T establecida en 1990, responsable del desarrollo y comercialización de UNIX.

utility program
programa de utilidad
Programa que respalda el uso del computador. Los programas de utilidad, o "utilitarios", proveen capacidades de administración de archivos como clasificación, copia, comparación, listado y búsqueda, así como rutinas de diagnóstico y medición que verifican la salud y el rendimiento del sistema.

UTP
Véase twisted pair.

V.22bis

Estándar CCITT (1984) para los *modem* full-dúplex de 2,400 bps, asincrónicos y sincrónicos, para uso en líneas conmutadas y líneas en *leasing* de dos cables, con retroceso a operación V.22 de 1,200 bps. Utiliza modulación QAM.

V.32

Estándar CCITT (1984) para los *modem* full-dúplex de 4,800 y 9,600 bps, asincrónicos y sincrónicos, que utilizan modulación TCM (*Trellis-Coded Modulation/Viterbi Decoding* - modulación codificada en enrejado/decodificación Viterbi) sobre líneas conmutadas o en líneas alquiladas de dos cables. Puede agregarse en forma opcional la codificación TCM.

V.32bis

Estándar CCITT (1991) para los *modem* full-dúplex sincrónicos y asincrónicos de 4,800, 7,200, 9,600, 12,000 y 14,400 bps que utilizan TCM y cancelación de eco. Los soportes miden la renegociación que permite que los *modem* cambien las velocidades cuando se requieran.

V.42

Estándar CCITT (1989) para corregir errores de *modem*, que usa LAP-M (*Link Access Procedure-Modem* - *modem* de procedimiento de acceso a enlace) como el protocolo primario y provee las clases 2 a 4 de MNP (*Microcom Networking Protocol* - protocolo de red de microcom) como un protocolo alternativo para compatibilidad.

V.42bis

Estándar CCITT (1989) para compresión de datos de *modem*. Utiliza la técnica de British Telecom Lempel Ziv que logra un coeficiente de compresión de hasta 4:1. El V.42bis implica el protocolo de comprobación de errores V.42.

validity checking
comprobación de validez
Rutinas en un programa de ingreso de datos que verifica la entrada para condiciones correctas y razonables, como números que caen dentro de un rango y, si es posible, la escritura correcta. *Véase check digit.*

value
valor
- Contenido de un campo o variable. Puede referirse a datos alfabéticos o numéricos. Por ejemplo, en la expresión **`state = "PA"`**, PA es un valor.
- En hojas de cálculo, el dato numérico dentro de la celda.

value-added network
red con valor agregado
Red de comunicaciones que proporciona servicios más allá de una transmisión normal, como la detección y corrección automática de errores, la conversión de protocolos, y el almacenamiento y despacho de mensajes. Telenet y Tymnet son ejemplos de redes con valor agregado.

vaporware
Software que ha sido anunciado pero no entregado.

VAR (**V**alue **A**dded **R**eseller)
revendedor de valor agregado
Organización que añade valor a un sistema y lo vuelve a vender. Por ejemplo, un VAR podría adquirir una CPU y periféricos de diferentes proveedores y *software* para gráficas de otro proveedor, y empaquetar todo junto como un sistema CAD especializado. *Véase OEM.*

variable
En programación, estructura que contiene datos y que recibe un solo nombre dado por el programador. Mantiene los datos asignados a ésta hasta que se le asigne un nuevo valor o hasta que termine el programa.

variable length field
campo de longitud variable
Estructura de registro que contiene campos de longitud variable. Por ejemplo, PAT SMITH ocuparía nueve *bytes* y GEORGINA WILSON BARTHOLOMEW, 27 *bytes*. También se agregaría un par de *bytes* de información de control. Si en este ejemplo se usaran campos de longitud fija, para cada nombre deberían reservarse 27 o más *bytes*.

VAX (**V**irtual **A**ddress **eX**tension)
extensión de dirección virtual
Familia de computadores de 32 *bits* de Digital Equipment Corporation, introducida en 1977 con el modelo VAX-11/780. Las máquinas VAX van desde los computadores personales hasta los *mainframe* de gran escala, todos ejecutan el mismo sistema operativo VMS.

vector
En gráficas por computador, línea designada por sus puntos extremos (coordenadas *x-y* o *x-y-z*). Cuando se traza un círculo, éste está formado por muchos vectores pequeños.

vector font
tipo de vector
Tipo escalable compuesto de vectores (segmentos de línea punto a punto). Es fácil fijar su tamaño así como todas las imágenes con base en vectores, pero no cuenta con *hints* (indicaciones) y curvas definidas en forma matemática de tipos de bosquejos, como el *Adobe Type 1* y el *TrueType.*

vector graphics
gráficas de vectores
En gráficas por computador, técnica para representar una figura como puntos, líneas y otros objetos geométricos. Nótese la diferencia con raster graphics.

vector processor
procesador vectorial
Computador con instrucciones incorporadas que realiza múltiples cálculos con vectores (arreglos unidimensionales) simultáneamente.

vendors
distribuidores
La siguiente lista presenta los principales y algunos de los más conocidos distribuidores de *hardware, software,* servicios y servicios de consultoría.

ACER AMERICA CORP. PC (marcas Acer, Acros). San José, CA, 800/SEE-ACER.

ADOBE SYSTEMS, INC. Lenguaje, tipos PostScript. Mtn. View, CA, 800/833-6687.

(ALR) ADVANCED LOGIC RESEARCH. PC. Pionero en las CPU mejoradas. Irvine, CA, 800/257-1230.

(AMD) ADVANCED MICRO DEVICES. *Chips* de CPU compatibles con Intel. Sunnyvale, CA, 800/2929-AMD.

ALDUS CORP. PageMaker, primer *software* para publicaciones de escritorio, Seattle, WA, 800/332-5387.

AMDAHL CORP. Primer fabricante exitoso de *mainframe* compatible con IBM. Sunnyvale, CA, 800/538-8460.

(AMI) AMERICAN MEGATRENDS, INC. Tarjetas base para PC, ROM BIOS. Norcross, GA, 800/828-9264.

APPLE COMPUTER. Serie Macintosh, Apple IIe. El mayor fabricante de computadores personales no PC. Pionero en microcomputadores. Cupertino, CA, 800/776-2333.

ARTISOFT, INC. Red par a par LANtastic. Tucson, AZ, 800/TINYRAM.

AST RESEARCH, INC. PC, *laptop*. Irvine, CA, 714/727-4141.

ATARI, INC. Computadores personales ST y Falcon y juegos de video. Establecida en 1972 por Nolan Bushnell. Sunnyvale, CA, 408/745-2000.

AUTODESK, INC. *Software* AutoCAD CAD. Sausalito, CA, 800/964-6432.

(BBN) BOLT, BARANEK & NEWMAN. Consultoría, *software*, investigación. A la vanguardia de los principales proyectos. Cambridge, MA, 800/422-2359.

BORLAND INT'L., INC. Lenguajes de programación (Turbo C, Turbo Pascal), dBASE, Paradox, Quattro Pro, Sidekick. Scotts Valley, CA, 800/331-0877.

BULL HN. Fabricante de mini/*mainframe*, originalmente una división de computadores de Honeywell, después se fusionó con Groupe Bull de Francia y NEC de Japón. Billerica, MA, 800/999-2181.

CLARIS CORP. Subsidiaria de *software* de Apple Computer. MacDraw, MacWrite, FileMaker Pro, HyperCard, etc. Santa Clara, CA, 800/325-2747.

COMMODORE BUSINESS MACHINES, INC. Computadores personales Amiga. En 1977 introdujo el computador personal PET. West Chester, PA, 800/66-AMIGA.

COMPAQ COMPUTER CORP. Conocida por sus vigorosos PC. Primer clon exitoso. Alcanzó los US$111 millones en ventas en su primer año. Houston, TX, 800/345-1518.

COMPUTER ASSOCIATES INT'L., INC. *Software*, micro a *mainframe*. Fundada en 1976 por Charles Wang. Islindia, NY, 800/CALL-CAI.

CONNER PERIPHERALS, INC. Unidades de disco. San José, CA, 408/456-4500.

CONTROL DATA SYSTEMS, INC. Estaciones de trabajo, supercomputadores. Una de las primeras compañías de computadores (1957) de Bill Norris. Minneapolis, MN, 612/893-4120.

CRAY RESEARCH, INC. Supercomputadores originalmente diseñados por Seymour Cray, arquitecto líder en Control Data. Egan, MN, 800/284-2729.

D&B SOFTWARE. En 1990 se fusionó con las compañías de *software* MSA y McCormack & Dodge. Bajo el liderazgo de John Imlay, principal presidente ejecutivo de MSA. Atlanta, GA, 800/234-3867.

DATA GENERAL CORP. Pionero en minicomputadores. Fundada en 1968 por Edson De Castro. Westboro, MA, 800/328-2436.

DELL COMPUTER CORP. PC para pedidos por correo. Originalmente marca "PC Limited". Legitimó los PC para pedidos por correo con soporte telefónico de calidad. Austin, TX, 800/289-3355.

(DEC) DIGITAL EQUIPMENT CORP. Pionero en minicomputadores (1957) bajo Ken Olsen, quien se retiró en 1992. Mini, PC, *mainframe*. Maynard, MA, 800/344-4825.

DIGITAL RESEARCH, INC. Sistema operativo CP/M. Posteriormente DR DOS. Fundada en 1976 por Gary Kildall. Adquirida por Novell en 1991. Monterey, CA, 800/274-4DRI.

(EDS) ELECTRONIC DATA SYSTEMS. Pionero en administración de instalaciones. Fundada en 1962 por Ross Perot. Adquirida por GM. Maryland Heights, MO, 314/344-5900.

EVEREX SYSTEMS, INC. PC, servidores. Fremont, CA.

GATEWAY 2000. PC para pedidos por correo. Pionero en bajos precios de PC a comienzos de los años noventa. N. Sioux City, SD, 800/523-2000.

HAYES MICROCOMPUTER PRODUCTS, INC. Pionero en *modem* y lenguaje de *modem* para computadores personales (conjunto de comandos Hayes AT). Atlanta, GA, 404/840-9200.

(HP) HEWLETT-PACKARD COMPANY. Una de las primeras compañías de minicomputadores. Mini, estaciones de trabajo, PC, más de 10,000 productos electrónicos. Fundada en 1939 por William Hewlett & David Packard. Palo Alto, CA, 800/752-0900.

HITACHI AMERICA. Monitores, reproductores CD ROM, computadores.

(IBM) INT'L. BUSINESS MACHINES CORP. La más grande compañía de computadores a nivel mundial. *Mainframe*, mini, PC. Fundada en 1911, llamada IBM en 1924 por T. J. Watson, Sr. Armonk, NY, 800/426-2468.

INTEL CORP. *Chips* para CPU x86 en PC. Santa Clara, CA, 800/538-3373.

LOTUS DEVELOPMENT CORP. Primera hoja de cálculo (1-2-3), Ami Pro, Lotus Notes, etc. Fundada en 1981 por Mitch Kapor. Cambridge, MA, 800/343-5414.

MAXTOR CORP. Unidades de disco, San José, CA, 800/262-9867.

MICRONICS COMPUTERS, INC. Tarjetas base para PC, componentes electrónicos, *laptop*. Fremont, CA, 510/651-2300.

MICROSOFT CORP. DOS, Windows, lenguajes de programación, aplicaciones. Fundada en 1975 por Bill Gates y Paul Allen. Redmond, WA, 800/227-4679.

MOTOROLA, INC. *Chips* para CPU 68000 (Mac, estaciones de trabajo). Schaumburg, IL.

NCR CORP. Una de las primeras compañías de computadores. La National Cash Register fue establecida en 1884 por John Patterson. Adquirida por AT&T en 1991. Dayton, OH, 800/CALL-NCR.

NEC TECHNOLOGIES, INC. Pionero en monitor de multifrecuencias con su línea MultiSync. Boxborough, MA, 800/343-4418.

NORTHGATE COMPUTER SYSTEMS, INC. PC para pedidos por correo, teclados Omnikey. Fundada en 1987. Minneapolis, MN, 800/548-1993.

NOVELL, INC. Sistemas operativos NetWare. *Software* más ampliamente utilizado en redes. Fundada en 1983 por Ray Noorda. Provo, UT, 800/453-1267.

(OSF) OPEN SOFTWARE FOUNDATION. Sistemas abiertos con base en UNIX. Suministra estándares y productos. Cambridge, MA, 617/621-8700.

ORACLE CORP. Sistema de base de datos Oracle en más plataformas que cualquier otro DBMS. Fundada en 1977. Redwood Shores, CA, 800/ORACLE-1.

PACKARD BELL, INC. Línea completa de PC y periféricos. Fundada en 1986. Chatsworth, CA, 818/886-4600.

PHOENIX TECHNOLOGIES, INC. *Chips* para PC ROM BIOS, componentes electrónicos. Norwood, MA, 800/344-7200.

QUARTERDECK OFFICE SYSTEMS. Ambientes DESQview, QEMM. Santa Mónica, CA, 310/392-9851.

(SCO) THE SANTA CRUZ OPERATION. Sistemas operativos UNIX y XENIX. Santa Cruz, CA, 800/SCO-9694.

SEAGATE TECHNOLOGY, INC. Unidades de disco. La más grande compañía independiente. Scotts Valley, CA, 800/468-3472.

SOFTWARE PUBLISHING CORP. Harvard Graphics, Superbase, etc. Santa Clara, CA, 800/447-7991.

SONY CORP. OF AMERICA. Monitores, reproductores CR ROM, unidades de disco y disquetes. San José, CA, 800/352-7669.

SUN MICROSYSTEMS, INC. El mayor proveedor de sistemas con base en UNIX (estaciones de trabajo SPARC). Fundada en 1982 por Bill Joy. Mountain View, CA, 800/821-4643.

SYMANTEC CORP. Norton Utilities, etc. Cupertino, CA, 800/441-7234.

TANDEM COMPUTERS, INC. Primeros computadores tolerantes a fallas (1974) bajo Jim Treybig. Cupertino, CA, 800/538-3107.

TANDY CORP. PC y componentes electrónicos a través de la cadena Radio Shack adquirida en 1963. TRS-80 fue uno de los primeros computadores personales. Fort Worth, TX, 817/390-3011.

TEXAS INSTRUMENTS, INC. *Chips*, componentes electrónicos, *laptop*. Fundada en 1930 como Geophysical Service, rebautizada TI en 1951. Dallas, TX, 800/527-3500.

TOSHIBA AMERICA INFO. SYSTEMS, INC. Pionero en PC *laptop*. Irvine, CA, 800/334-3445.

UNISYS CORP. Fusión en 1986 de Sperry y Burroughs, dos de las compañías de computadores más antiguas. *Mainframe*, mini, PC. Blue Bell, PA, 800/448-1424.

(USL) UNIX SYSTEMS LABORATORIES, INC. Subsidiaria de AT&T que desarrolla y comercializa UNIX System V. Summit, NJ, 800/828-8649.

WANG LABORATORIES, INC. Primera compañía de minicomputadores. Líder de WP en los años setenta. Fundada en 1951 por el Dr. An Wang. Lowell, MA, 800/835-9264.

WESTERN DIGITAL CORP. Unidades de disco, controladores. Tarjetas de representación "Paradise". Irvine, CA, 800/832-4778.

WORDPERFECT CORP. *Software* de procesamiento de palabras más ampliamente utilizado. Fundada en 1979. Orem, UT, 800/321-5906.

WORDSTAR INT'L., INC. WordStar fue el primer procesador de palabras con características completas. Fundada en 1978. Novato, CA, 800/227-5609.

XEROX CORP. Pionero en interfaces gráficas sobre el computador Alto en PARC Research Center. Introdujo el concepto sobre estación de trabajo Star en 1981. Palo Alto, CA, 800/626-6775.

 **ZENITH DATA SYSTEMS CORP.** PC, monitores. Pionero en *laptop*. Buffalo Grove, IL, 800/227-3360.

Ventura Publisher
Programa de autoedición de escritorio para PC y Macintosh, de Ventura Software, Inc. (compañía de Xerox), al igual que otros programas proporciona paginación para documentos extensos.

version number
número de versión
Identificación de una emisión (lanzamiento) de *software*. La diferencia entre las versiones 2.2 y 2.3 puede ser como la de noche y día, dado que nuevas emisiones no sólo agregan nuevas características, sino que con frecuencia corrigen errores fastidiosos. ¡Quiere decir que el problema que lo ha estado enloqueciendo, ya puede haber sido corregido!

vertical recording
grabación vertical
Método de grabación magnética que graba los *bits* verticalmente en vez de horizontalmente, ocupando menos espacio y suministrando mayor capacidad de almacenamiento. El método de grabación vertical utiliza un material especializado para la construcción del disco.

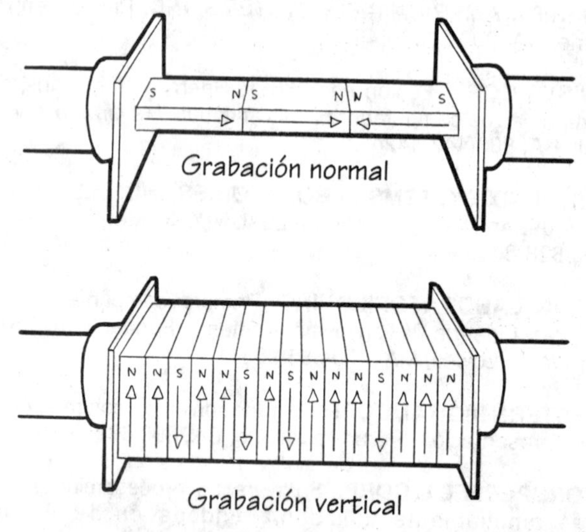

vertical scan frequency
frecuencia de exploración vertical con scanner
Cantidad de veces por segundo que se regenera o se vuelve a dibujar una pantalla de visualización completa. Por ejemplo, el VGA en los Estados Unidos generalmente es de 56 a 60Hz; en Europa, 70Hz y más. Nótese la diferencia con *horizontal scan frequency*.

VESA
Véase standards bodies.

VGA (**V**ideo **G**raphics **A**rray)
matriz gráfica de video
Estándar de presentación de video de IBM, que está incorporado en la mayor parte de los modelos PS/1 y PS/2, y suministra textos y gráficas de resolución media. El VGA se ha convertido en el estándar mínimo para todos los PC. Éste soporta modos CGA y EGA anteriores y requiere un monitor analógico. Su modo de resolución más alta es 640x480 con 16 colores, pero el VESA y otros han aumentado los colores y resoluciones hasta 800x640 y 1,024x768 (Super VGA).

VGA pass through
pasador de señales VGA
Característica de un adaptador de pantalla de alta resolución que se acopla internamente a un adaptador de pantalla VGA y pasa sus señales a través del monitor.

video camera
cámara de video
Cámara que toma figuras continuas y genera una señal para mostrarlas o grabarlas. Captura imágenes descomponiendo la imagen en una serie de líneas. Cada línea se explora una por vez, y las intensidades de luz roja, verde y azul que varían en forma continua a lo largo de la línea son extraídas y convertidas en una señal variable. La señal estándar de 525 líneas de barrido usada en los Estados Unidos y Canadá está regulada por la NTSC.

La mayor parte de las cámaras de video son análogas, pero también están disponibles cámaras de video digital. *Véase digital camera.*

video display board
panel de presentación de video
Tarjeta de expansión que se conecta a un computador personal y genera el texto e imágenes gráficas en la pantalla de un monitor. También llamada *display adapter* (adaptador de presentación), *graphics adapter* (adaptador de gráficas), *graphics card* (tarjeta de gráficas), *video adapter* (adaptador de video), *video card* (tarjeta de video) o *video controller* (controlador de video), determina la resolución y cantidad de colores en pantalla.

video RAM
RAM de video
Circuitos de memoria especialmente diseñados en un panel de presentación de video utilizado para retener la imagen que aparece en la pantalla de video.

video terminal
terminal de video
Dispositivo de entrada de datos que utiliza un teclado para la entrada y una pantalla para la salida. Aunque la pantalla se parece a una de televisor, generalmente no acepta señales de televisión/video.

Virtual 8086 Mode
Subconjunto de modo protegido que corre tareas como si cada una estuviera ejecutándose en una CPU 8086 individual.

virtual desktop
Desktop más allá de los límites de la pantalla de visualización. En lugar de yuxtaponer ventanas o reducirlas a un icono, un *virtual desktop* simula un *desktop* grande que permite hojear varios documentos de gran tamaño utilizando una pantalla virtual u otro método de "navegación".

virtual machine
máquina virtual
- Computador que corre múltiples sistemas operativos, con cada sistema operativo ejecutando sus propios programas; por ejemplo, un *mainframe* de IBM que funciona bajo VM, o un PC 386 que ejecuta múltiples aplicaciones DOS en su modo virtual.
- Computador de memoria virtual.

virtual memory
memoria virtual
Técnica que simula más memoria que la que realmente existe, al descomponer el programa en segmentos, llamados *páginas*, y llevar tantas páginas a la memoria como sea posible. El resto de las páginas quedan en el disco hasta que se requieran.

virtual reality
realidad virtual
Realidad simulada que proyecta al usuario en un espacio 3-D (tridimensional) generado por computador. Las implementaciones de AutoDesk y otros incluyen el uso de un guante de datos y presentación estereoscópica montada en un casco craneal, que permite a los usuarios señalar y manipular objetos ilusorios de acuerdo con lo que visualizan. *Véase cyberspace.*

virtual screen
pantalla virtual
Área de pantalla más allá de los límites de la pantalla de visualización. Esta pantalla de visualización sirve como una ventana desplazable que se desplaza alrededor de la pantalla más grande. Los paneles de presentación de video pueden ofrecer esta capacidad; por ejemplo, podría hojearse un área de visualización de 1,280x1,024 con resolución de pantalla de 800x600.

virtual storage
almacenamiento virtual
Lo mismo que *virtual memory*.

virtual terminal
terminal virtual
Emulación de terminales que permite acceso a un sistema externo. A menudo se refiere a un computador personal que obtiene acceso a un mini o *mainframe*.

virtual toolkit
juego o caja de herramientas virtual
Software de desarrollo que crea programas para varios entornos de computador. Su salida puede requerir conversiones o traducciones adicionales para producir programas ejecutables.

virtualize
virtualizar
- Activar un programa en memoria virtual.
- Crear una pantalla virtual.

virus
Software usado para destruir datos en un computador. Después que se escribe el código del virus, se oculta en un programa existente. Una vez que el programa se ejecuta, el código del virus también se activa y agrega copias de sí mismo a otros programas en el sistema. Los programas infectados copian el virus a otros programas. *Véase worm.*

VisiCalc
Primera hoja electrónica de cálculo. Fue introducida en 1978 para el Apple II. VisiCalc puso en marcha una industria y fue casi íntegramente responsable de que el Apple II fuera usado en los negocios. Miles de unidades Apple fueron vendidas para ejecutar el VisiCalc.

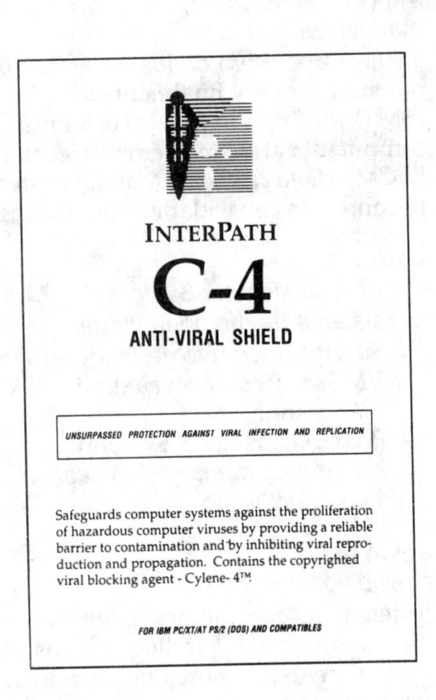

PROTECCIÓN CONTRA VIRUS
(Cortesía de InterPath)

Los usuarios se sienten muy felices cuando instalan un paquete de *software* como éste para protegerse contra la "enfermedad".

visual programming
programación visual
Desarrollar programas con herramientas que permiten seleccionar menúes, botones y otros elementos gráficos de una paleta, y dibujar y crear en la pantalla. Puede incluir el desarrollo de un código fuente al interactuar visualmente con diagramas de flujo que muestran en forma gráfica las rutas lógicas y el código asociado.

VL-bus (**V**ESA **L**ocal-**BUS**)
Bus local de PC respaldado por VESA que provee una ruta de datos de 32 *bits* a velocidades hasta de 40MHz (hasta 66MHz para controladores establecidos en la tarjeta base). La ranura *VL-bus* utiliza un conector Micro Channel de 32 *bits* adyacente a la ranura estándar ISA, EISA o Micro Channel, permitiendo a los fabricantes diseñar tarjetas que utilizan sólo el *bus* local o ambos *buses* al mismo tiempo. El *VL-bus* respalda hasta tres periféricos y la dominación del *bus*. *Véase local bus.*

VM (**V**irtual **M**achine)
máquina virtual
Sistema operativo de los *mainframe* de IBM, originalmente desarrollado por sus clientes y finalmente adoptado como un producto de sistemas de IBM (VM/SP). VM puede correr múltiples sistemas operativos dentro del computador al mismo tiempo, ejecutando cada uno sus propios programas. El CMS (*Conversational Monitor System* - sistema monitor conversacional) proporciona capacidades interactivas.

VMS
- (**V**irtual **M**emory **S**ystem)
  sistema de memoria virtual
  Sistema operativo utilizado en series VAX de Digital. Las aplicaciones VMS se ejecutan en cualquier VAX, desde el MicroVAX hasta el VAX más grande.
- (**V**oice **M**essaging **S**ystem)
  sistema de mensajería vocal
  Véase voice mail.

voice mail
correo vocal
Sistema de contestador telefónico computarizado que digitaliza los mensajes vocales que llegan y los almacena en disco. El correo vocal, generalmente, proporciona capacidad de atención automática, que utiliza mensajes pregrabados para encaminar a quien llama a la persona, departamento o casilla de correo correspondientes.

voice messaging
mensajería vocal
Uso del correo vocal como una alternativa del correo electrónico, en la cual los mensajes de voz son grabados intencionalmente, no porque el destinatario no se encuentre disponible.

voice processing
procesamiento de voz
Manejo computarizado de la voz que incluye almacenamiento y transmisión de voz, respuesta vocal, reconocimiento de voz y tecnologías de texto hasta el habla.

voice recognition
reconocimiento de voz
Conversión de palabras habladas en texto de computador. La voz se digitaliza primero y luego se compara con un diccionario de formas de ondas codificadas. Las coincidencias se convierten a texto como si las palabras se hubieran digitado.

voice response
respuesta de voz
Generación de salida vocal por el computador. Proporciona información pregrabada, con o sin selección por parte de quien llama. La respuesta interactiva de voz permite la manipulación interactiva de una base de datos.

volume
volumen
- Unidad física de almacenamiento, como un disco duro, disco flexible, cartucho de disco o carrete de cinta.
- Unidad lógica de almacenamiento que abarca cierta cantidad de unidades físicas.

volume label
etiqueta de volumen
- Nombre asignado a un disco (usualmente opcional).
- Identificación de una etiqueta autoadhesiva colocada en la parte externa de un carrete de cinta o un cartucho de disco.

von Neumann architecture
arquitectura von Neumann
Naturaleza secuencial de computadores: se analiza una instrucción, se procesan datos, se analiza la siguiente instrucción, y así sucesivamente. John von Neumann (1903-1957), nacido en Hungría, matemático de renombre internacional, fue quien promovió el concepto de programa almacenado, en los años cuarenta.

VRAM
Véase video RAM.

VSE (**D**isk **O**perating **S**ystem/**V**irtual **S**torage **E**xtended)
sistema operativo de disco/almacenamiento virtual extendido
Sistema operativo multiusuario, multitarea de IBM, que generalmente se

ejecuta en las series 43xx de IBM. Solía llamarse DOS, pero debido a la abundancia de PC de DOS, ahora se conoce como VSE.

VT 100, 200... (**V**ideo **T**erminal)
terminal de video
Serie de terminales de presentación asincrónica de Digital que se usa en sus computadores PDP y VAX. Ésta se encuentra disponible en modelos de texto y gráficas, tanto en monocromáticos como en color.

VTAM (**V**irtual **T**elecommunications **A**ccess **M**ethod)
método virtual de acceso a telecomunicaciones
También llamado ACF/VTAM (*Advanced Communications Function/VTAM* - función avanzada de comunicaciones/VTAM), *software* que controla comunicaciones en un ambiente SNA de IBM. Soporta una amplia variedad de protocolos de red, que incluyen el SDLC y el Token Ring. El VTAM puede considerarse como el sistema operativo de red de SNA.

W

¡Es gracioso como escriben los computadores!

wafer
oblea
Material básico para la fabricación de *chips*. Es una tajada, aproximadamente de 1/30" de espesor, hecha de cristal de silicio parecido a un salami de 3" a 6" de diámetro. La oblea atraviesa una serie de pasos de fotomáscara, grabado e implantación.

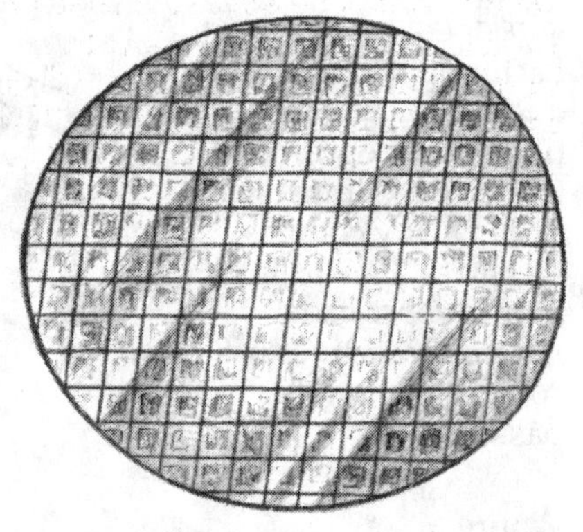

OBLEA DE SILICIO

wafer scale integration
integración a escala de oblea
La próxima evolución en tecnología de semiconductores. Construye un circuito gigantesco sobre una oblea completa. Así como el circuito integrado eliminó el recorte de miles de transistores a partir de la oblea que se hacía sólo para conectarlos nuevamente en tarjetas de circuitos, la integración a escala de oblea elimina el recorte de los *chips*.

wait state
estado de espera
Cantidad de tiempo empleado para esperar que se ejecute una operación. Puede referirse a una longitud variable de tiempo que debe esperar un programa antes de procesarse, o referirse a una duración específica de tiempo, como un ciclo de máquina.

Cuando la memoria es demasiado lenta para responder a la petición de la CPU, se introducen estados de espera hasta que pueda alcanzarlo la memoria.

WAN (**W**ide **A**rea **N**etwork)
red de área ancha
Red de comunicaciones que cubre amplias áreas geográficas, como estados y países. *Véanse MAN* y *LAN*.

wand
varilla; lápiz lector
Lector óptico manual que se usa para leer tipos mecanografiados, tipos impresos, tipos OCR y códigos de barras. La varilla se mueve sobre cada línea de caracteres o códigos en una sola pasada.

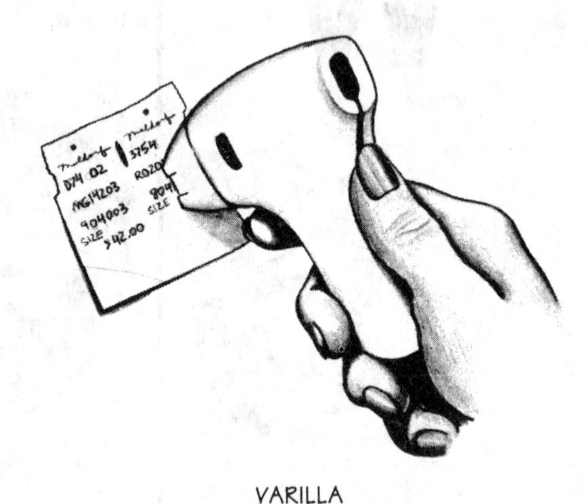

VARILLA

Wang
Véase vendors.

warm boot
arranque en caliente
Inicialización del computador al ejecutar una operación de reinicialización (presionando *reset*, *Ctrl-Alt-Del*, etc.). *Véanse cold boot* y *boot*.

warm start
arranque en caliente
Lo mismo que *warm boot*.

wavelength
longitud de onda
Distancia entre las crestas (picos) de una onda, calculada por la velocidad dividida por la frecuencia.

Weitek coprocessor
coprocesador Weitek
Coprocesador matemático de alto rendimiento para micro y minicomputadores de Weitek Corp. Desde 1981, la compañía ha estado haciendo coprocesadores que funcionan en estaciones de trabajo para CAD y gráficas. Para usar el coprocesador Weitek, el *software* debe ser escrito para activarlo.

Whetstones
Programa de pruebas de referencia que comprueba las operaciones de punto flotante. *Véase Dhrystones.*

WIN.INI (**WIN**dows **INI**tialization)
inicialización de ventanas
Archivo leído por Windows en el momento de ejecutarse que contiene datos sobre el entorno actual (escritorio, tipos, sonidos, etc.) y aplicaciones individuales. El SYSTEM.INI, otro archivo de iniciación, contiene datos acerca del *hardware* (controladores, ambientes 386 Enhanced Mode, etc.).

window
ventana
- Área de visión rectangular desplazable. Puede referirse a una lista enrollable de entradas, o a una ventana que puede cambiársele el tamaño y que contiene toda la aplicación.
- Área reservada de memoria.
- Periodo.

Windows
Entorno operativo basado en gráficas de Microsoft que se integra con DOS. Proporciona un entorno de oficina similar al Macintosh, en el cual cada aplicación activa se visualiza en una pantalla movible y redimensionable.

Con objeto de usar todas las funciones del entorno Windows, las aplicaciones deben escribirse específicamente para éste. Sin embargo, el Windows también corre aplicaciones de DOS y puede usarse como el entorno operativo principal desde el cual se ejecutan todos los programas.

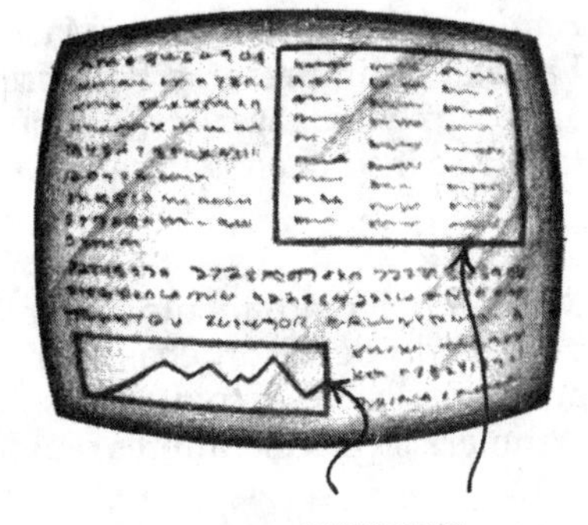

windows environment
entorno de ventanas
Cualquier sistema operativo, extensión de sistema operativo o programa de aplicación que provee múltiples ventanas en la pantalla. Algunos ejemplos son DESQview, Windows, PM, MultiFinder y X Window.

Windows for Workgroups
Windows para grupos de trabajo
Versión de Windows 3.1 que incorpora redes par a par e incluye correo electrónico.

Windows Metafile
Formato de archivo de Windows que contiene gráficas vectoriales, mapas de *bits* y texto. Su formato de vectores se está haciendo popular para el intercambio de gráficas.

Windows NT (Windows New Technology)
nueva tecnología de Windows
Sistema operativo avanzado de Microsoft para 386 y superiores, para CPU MIPS y Alpha, previsto para 1993. Ejecuta aplicaciones escritas para DOS, Windows 3.x y NT. El NT no utiliza DOS, es un sistema operativo autónomo.

windows program
programa de ventanas
- *Software* que agrega una capacidad de ventanas a un sistema operativo existente.
- Programa de aplicación que se escribe para ser ejecutado bajo Microsoft Windows.

Winjet
Hardware/software de LaserMaster, Eden Prarie, MN, que convierte las LaserJet en impresoras PostScript de alta resolución. Suministra hasta 1,200 dpi en la LaserJet 4. Se ajusta una tarjeta en el PC, y una segunda tarjeta se inserta en la LaserJet.

Winmark
Medida del rendimiento de gráficas de Windows como un promedio ponderado de 12 pruebas de referencias gráficas de Winbench. De los adaptadores VGA comunes, se calculan alrededor de dos millones de Winmark. Los aceleradores rápidos de gráficas pueden lograr 20 millones y más.

wizzy wig
Véase WYSIWYG.

word
palabra
- Unidad interna de almacenamiento del computador. Se refiere a la cantidad de datos que puede contener en sus registros. Por ejemplo, a la misma velocidad del reloj, un computador de 16 *bits* procesa dos *bytes* en el mismo tiempo que un computador de 8 *bits* procesa 1 *byte*.
- Elemento de texto primario, identificado por un separador de palabra (espacio en blanco, coma, etc.) antes y después de un grupo de caracteres contiguos.

Word for Windows
Véase Microsoft Word.

word processing
procesamiento de palabras, de texto
Creación y administración de documentos de texto mediante el computador. Excepto por las etiquetas y sobres, ha remplazado las máquinas de escribir eléctricas en la mayor parte de las oficinas, debido a la facilidad con que pueden editarse, buscarse y reimprimirse los documentos. Los procesadores de palabras avanzados funcionan como sistemas elementales de autoedición y soportan gráficas así como una variedad infinita de tipos de letra.

word processor
procesador de palabras, de texto
- *Software* que provee funciones de procesamiento de texto en un computador.
- Computador especializado para funciones de procesamiento de palabras.

word wrap
enrollamiento de palabras
Característica de los sistemas de procesadores de palabras y manejo de texto que alinea automáticamente el texto dentro de los márgenes preestablecidos. Las palabras se "enrollan" con respecto a la línea de texto en forma automática.

WordPerfect
Programa de procesamiento de palabras con todas las características de WordPerfect Corp., Orem, UT. Introducido en 1980, se ejecuta en la mayor parte de los computadores personales y algunas estaciones de trabajo, y es el procesador de palabras que más se utiliza en el mundo.

WordStar
Programa de procesamiento de palabras con todas las características para PC de WordStar Int'l., Novato, CA. Introducido en 1978 para máquinas CP/M, fue el primer programa que suministró sofisticadas capacidades de procesamiento de palabras para los usuarios de computadores personales a un costo significativamente menor que los procesadores de palabras de ese momento. Los comandos de teclado del WordStar se convirtieron en estándares.

workgroup
grupo de trabajo
Dos o más individuos que comparten archivos y bases de datos. Las redes de área local se diseñan alrededor de los grupos de trabajo para proveer electrónicamente el uso compartido de los datos requeridos.

working directory
directorio de trabajo
Véase current directory.

worksheet
hoja de trabajo, planilla de trabajo, hoja de cálculo
Lo mismo que *spreadsheet*.

workstation
estación de trabajo
- Micro o minicomputador para un solo usuario, de alto rendimiento, que ha sido especializado para gráficas, CAD, CAE o aplicaciones científicas.
- Computador personal en una red. Obsérvese la diferencia con *server* y *host*. *Véase client.*
- Cualquier terminal o computador personal.

worm
gusano
- Programa destructivo que se copia a sí mismo en el disco y la memoria, consumiendo los recursos de los computadores y eventualmente abatiendo el sistema. *Véanse virus* y *logic bomb*.
- Programa que se mueve a través de una red y deposita información en cada nodo para propósitos de diagnóstico, o hace que los computadores ociosos compartan un poco de la carga de trabajo del procesamiento.
- **WORM** (**W**rite **O**nce **R**ead **M**any)
  escribir una vez, leer muchas
  Dispositivo de almacenamiento que usa un medio óptico que puede ser grabado sólo una vez. Para actualizar, se requiere destruir los datos existentes (todos los 0 se hacen 1), y grabar los datos corregidos en una parte no usada del disco.

wrist rest
apoyo de la mano
Plataforma que se utiliza para levantar la muñeca a la altura del teclado a fin de teclear.

wrist support
soporte para la muñeca
Producto que previene y ofrece una terapia para el síndrome de túnel carpial al dejar las manos en una posición neutral de la muñeca.

write
escribir
Almacenar datos en memoria o grabarlos en un medio de almacenamiento, como disco o cinta. Leer y escribir son análogos a reproducir y grabar en un grabador de cinta de audio.

write error
error de escritura
Incapacidad para almacenar en la memoria o grabar en el disco o la cinta.

El mal funcionamiento de las celdas de memoria o partes dañadas de la superficie del disco o cinta harán que no puedan ser usadas dichas áreas.

write only code
código de sólo escritura
Irónicamente, se refiere a un código fuente que es difícil de comprender.

write protect
protección contra escritura
Prohibe borrar o editar un archivo en disco. *Véase file protection.*

write protect notch
muesca de protección contra escritura
Pequeño corte cuadrado al costado de un disco flexible que se usa para impedir que éste sea sobregrabado y borrado. En discos flexibles de 5.25", la muesca debe ser cubierta para protección. Para proteger un disquete de 3.5", presione el dispositivo que aparece en forma de tapa corrediza hacia el borde del disco dejando al descubierto un hueco (la parte superior izquierda vista desde atrás del disquete).

¡Los dos formatos comunes utilizan métodos exactamente opuestos!

WYSIWYG (What You See Is What You Get)
lo que usted ve, es lo que obtiene
Se refiere a la presentación de texto y gráficas en la pantalla del mismo modo como van a ser impresos. Para tener un texto WYSIWYG debe

instalarse un tipo de pantalla que se ajuste a cada tipo de la impresora. De lo contrario, un tipo de 24 puntos podría visualizarse en el tamaño correcto con relación a uno de 10 puntos, pero no se verá igual que el estilo de letra impreso.

Además, es imposible lograr una representación 100% idéntica, porque rara vez se ajustan las resoluciones de la pantalla y de la impresora. Incluso una impresora de 300 dpi tiene mayor resolución que casi cualquier monitor.

WYSIWYG

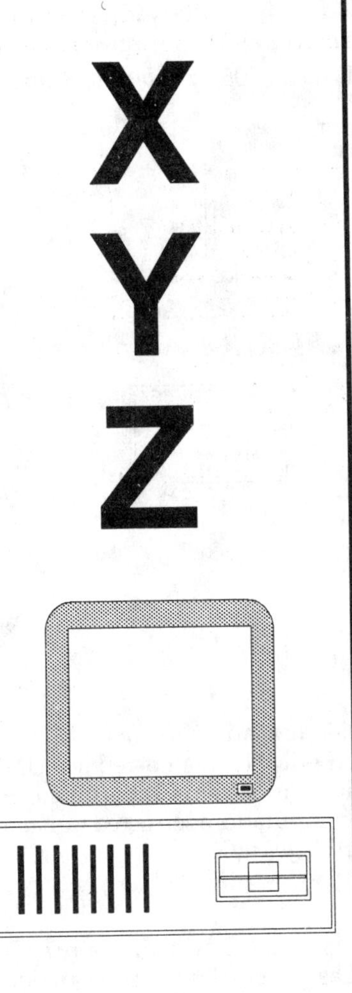

X
Véase X Window.

Xbase
Lenguaje del tipo dBASE como Clipper y FoxPro. dBASE creó una industria de compiladores dBASE y DBMS compatibles con dBASE. Los principales fabricantes han presentado propuestas a ANSI a fin de estandarizar el lenguaje Xbase.

XGA (e**X**tended **G**raphics **A**rray)
matriz extendida de gráficas
Estándar de visualización de video de alta resolución de IBM que se optimiza para interfaces gráficas de usuario. Su resolución más alta (*XGA-2*) es 1,024x768 no entrelazado con colores 64K.

Xmodem
Primer protocolo de transferencia de archivos ampliamente utilizado para aplicaciones de computadores personales (desarrollado por Ward Cristensen para máquinas CP/M). Ha sido remplazado por el Ymodem y el Zmodem.

XMS (e**X**tended **M**emory **S**pecification)
especificación de memoria extendida
Estándar de programación que permite a las aplicaciones del DOS utilizar en forma cooperativa la memoria extendida. Provee funciones para retener, liberar y transferir datos hacia y desde la memoria extendida y el HMA.

XT (e**X**tended **T**echnology)
tecnología extendida
Primer PC de IBM con disco duro, introducido en 1983.

XT bus
bus XT
Se refiere a la arquitectura de *bus* de 8 *bits* utilizada en el primer PC. *Véase AT bus.*

XT class
clase XT
Se refiere a los PC que utilizan la CPU 8088/8086 y el *bus* de 8 *bits*.

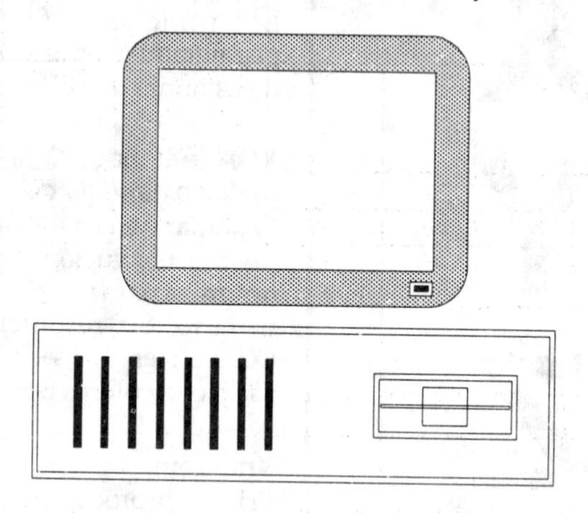

XT interface
interfaz XT
Véase XT bus.

X Window
Formalmente *X Window System*, también llamado *X Windows* y *X*, es un sistema para ventanas desarrollado en el MIT, que corre bajo UNIX y todos los principales sistemas operativos. El sistema X permite que los usuarios ejecuten aplicaciones en otros computadores en la red y visualicen la salida en su propia pantalla. *Véase DESQview/X.*

XyWrite III Plus
Programa de procesamiento de palabras para PC de la división XyQuest de Technology Group, Baltimore, MD. Las principales revistas y periódicos lo usan ampliamente, se destaca por su velocidad y flexibilidad.

Signature, sucesor de XyWrite III Plus, fue desarrollado por XyQuest, Inc. e IBM con migración incorporada para archivos XyWrite y DisplayWrite de IBM. El XyWrite 4 es el sucesor de ambos.

x86
Se refiere a la familia de CPU Intel 8086 (8086, 8088, 80286, 386, 486, Pentium). Comenzando con el 386, Intel descartó el prefijo "80" en sus manuales. Lo mismo que *80x86*.

x86 ESPECIFICACIONES

CPU # (Tamaño de la palabra en *bits*)	CPU Velocidad (MHz)	BUS (*Bits*)	Máxima RAM (*Bytes*)	DISCO FLEXIBLE (*Bytes*)	DISCO DURO TÍPICO	SISTEMA OPERATIVO (MB)
8088 (16)	4.8-9.5	8	1M	5.25"360K 3.5"720K 3.5"1.44M	10-20	DOS DR DOS
8086 (16)	6-12	16	1M		10-40	
286 (16)	6-16	16	16M	5.25"360K 5.25"1.2M 3.5"720K	20-80	DOS, DR DOS, OS/2 Ver. 1.x
386 DX (32)	8	32	4G	3.5" 1.44M 3.5" 2.88M	60-200	DOS, DR DOS, OS/2 1.x OS/2 2.x UNIX Windows NT
386 SX (32)	16-25	16	16M		40-100	
386 SL (32)	20-25	16	16M		40-100	
486 DX (32)	25-66	32	4G		100-1500	
486 SX (32)	16-25	32	4G		60-150	
Pentium (586)						

X.400
Protocolo estándar CCITT/ISO de correspondencia y mensajes.

X.500
Protocolo estándar CCITT/ISO para mantener los directorios de direcciones en línea para correo electrónico.

Ymodem
Protocolo de transferencia de archivos para comunicaciones de computadores personales. Es más rápido que el Xmodem y transfiere nombre de archivos al receptor antes de enviar los datos. *Véase Zmodem.*

Z80
Microprocesador de 8 *bits* de Zilog Corp. que fue el sucesor del Intel 8080. El Z80 fue ampliamente utilizado en los computadores personales de primera generación que usaban el sistema operativo CP/M.

zap
borrar
Comando que usualmente borra los datos dentro de un archivo pero deja intacta la estructura del archivo, de tal manera que puedan introducirse nuevos datos.

zip

- Comprimir un archivo con el respectivo programa de compresión de archivos PKZIP.
- **ZIP** (**Z**ig-Zag **I**n-line **P**ackage)
  paquete zig-zag en línea
  Similar a un DIP, pero más pequeño e inclinado hacia un lado para montarse sobre placas con un espacio limitado.

ziwrite

Véase XyWrite III Plus.

Zmodem

El último protocolo de transferencia de archivos que es muy popular. Envía el nombre del archivo, fecha y tamaño antes de enviar los datos. Responde bien a las cambiantes condiciones de línea y transmisión por satélite. En caso de cualquier falla, el Zmodem puede comenzar a enviar desde el lugar donde se detuvo cuando falló la portadora y asegurarse de que esté totalmente restaurado el archivo remoto. Ésta es una gran garantía cuando se bajan archivos extremadamente largos.

#

1-2-3
Véase Lotus 1-2-3.

10BaseT
Véase Ethernet.

286, 80286
Sucesor de la CPU 8088 utilizada en el primer PC (clase XT). Se refiere al *chip* de CPU 80286 o a un PC (clase AT) que lo utiliza. Es más sensible que un XT y no se limita a su reducida barrera de un *megabyte*. El 286 es un microprocesador multitareas de 16 *bits* que puede direccionar 16MB de memoria y 1GB de memoria virtual. *Véase x86.*

32-bit processing
procesamiento de 32 bits
En un PC, se refiere a programas escritos para el modo original del 386. Todos los registros y direcciones utilizan los 32 *bits*. Aunque el 386 es una máquina de 32 *bits*, bajo DOS, ejecuta aplicaciones en Modo Real, y funciona como un 8088 de 16 *bits*, la CPU del primer PC.

360
Véase System/360.

370
Véase System/370.

386, 80386
Sucesor del 286. También conocido como 386DX, se refiere al *chip* CPU 386 de Intel o a un PC que lo utilice. El 386 es más rápido que el 286, direcciona más memoria y permite tanto memoria extendida como ampliada (EMS) que se asigna según las exigencias. El 386 es una CPU de tareas múltiples de 32 *bits*, más sensible a aplicaciones Windows e intensiva en cuanto a

gráficas. El 386X ejecuta a velocidades más bajas, utiliza menos potencia y corre más lento que el 386, pero requiere el doble para direccionar memoria (un *bus* de 16 *bits* en vez de 32 *bits*). El *chip* 386L está diseñado para los *laptop*, con un potente administrador incorporado, que lo deja inactivo a velocidades más bajas. Excepto por la memoria y el controlador de video, la 386L y otro *chip* constituyen casi todo el computador. *Véase x86.*

386MAX
Administrador de memoria DOS para 386 y superiores de Qualitas, Inc., Bethesda, MD, que se destaca por sus capacidades avanzadas. BlueMAX es una versión para modelos PS/2.

386SLC
Versión IBM del 386SX que incluye un caché de memoria interna de 8KB. Incluye características potentes de administración y se ejecuta tan rápido como un 386DX.

387
Coprocesador matemático para el 386.

3270
Familia de terminales *mainframe* de IBM y protocolos relacionados (incluye terminales mono 3278 y a color 3279). *Véase IRMAboard.*

486, 80486
Sucesor del 386. También conocido como 486DX, se refiere al *chip* de CPU 486 de Intel o a un PC que lo utiliza. Ejecuta el doble de rápido que el 386 y provee la velocidad necesaria para las interfaces gráficas de la actualidad. Con frecuencia su coprocesador matemático incorporado se requiere en las aplicaciones CAD.

El "Speed Doubler" DX2 es un 486 con el doble de velocidad interna. Por ejemplo, un 486/50DX2 accesa RAM y otros *chips* en la tarjeta base a 25MHz pero procesa internamente a 50MHz. Los *chips* DX pueden remplazarse con el *chip* OverDrive DX2 de Intel.

El 486SX ejecuta a velocidades reloj más lentas y no incluye el coprocesador matemático. El 486SX también puede mejorarse a DX2, que incluye el coprocesador. El *chip* 486SL está diseñado para los *laptop*. Incluye administración incorporada potente y utiliza 3.3 voltios en vez de los cinco voltios tradicionales.

486/25, 486/33, etc. se refieren a la velocidad de la CPU. El segundo número es la velocidad del reloj: 486/25 significa un cristal de cuarzo de 25MHz que establece la temporización de la máquina.

486DLC
CPU compatible con 486SX, de Cyrix Corporation, compatible en pines con el 386DX. Diseñada para mejorar el 386, viene en una variedad de velocidades que incluyen versiones de duplicación de reloj.

486SLC

- CPU compatible con 486SX, de Cyrix Corporation, compatible en pines con el 386SX, tiene un caché de 1K y utiliza un *bus* de 16 *bits*. Provee una ruta (vía de acceso) mejor para 386SX.
- Versión de IBM del 486SX.

4GL

Véase fourth-generation language.

586

Véase Pentium.

68000

Familia de microprocesadores de 32 *bits* de Motorola, que constituyen las CPU en los Macintosh y en una variedad de estaciones de trabajo. El 68000 direcciona hasta 16MB de memoria y utiliza un *bus* de datos de 16 *bits*. El 68020 direcciona hasta 4GB de memoria y utiliza un *bus* de datos de 32 *bits*. El 68030 corre a velocidades de reloj más altas y tiene un caché de memoria incorporado. El 68040 es una versión rediseñada que corre hasta tres veces más rápido que un 68030.

7-track

de 7 pistas

Se refiere a formatos antiguos de cinta magnética que graban caracteres de 6 *bits* más un *bit* de paridad.

#

8080

Microprocesador de 8 *bits* de Intel, que fue introducido en 1974. Fue el sucesor del 8008 (primer microprocesador comercial de 8 *bits*) y el precursor de la familia 8086.

8086

Introducida en 1978, CPU de 16 *bits* que define la arquitectura base de la familia de *chips* x86 de Intel (XT, AT, 386, 486, Pentium). Las CPU 8086 se utilizaron en algunas máquinas tipo XT. *Véase x86.*

8088

Chip de CPU de 16 *bits* de Intel que se utilizó en PC de primera generación (clase XT), que puede direccionar sólo un *megabyte* de memoria. Esta es una versión más lenta (8 *bits*) del 8086, originalmente elegida para facilitar la conversión de programas CP/M de 8 *bits*, las aplicaciones comerciales predominantes a comienzos de los años ochenta. *Véase x86.*

80x86

Véase x86.

80286, 80386, 80486

Véanse 286, 386 y *486.*

8514/A
Adaptador de presentación de alta resolución, de IBM, que provee una presentación entrelazada de 1,024x768 *pixels*, con hasta 256 colores o 64 matices de gris. El 8514/A contiene un coprocesador incorporado y está diseñado para coexistir con el VGA para tener capacidad dual del monitor. El 8514/A fue desarrollado para máquinas Micro Channel, los demás fabricantes suministran versiones no entrelazadas de máquinas AT-bus.

9-track
de 9 pistas
Se refiere a la cinta magnética que registra *bytes* de 8 *bits* más uno de paridad, o sea nueve pistas paralelas. Éste es el formato común para carretes de cinta de ½".

Vocabulario español - inglés

B

C

E

F

G

I

J

L

N

P

R

S

T

U

V

W

Z